JN197581

毒性学的評価による
洗浄バリデーション
第2版

PIC/Sガイド・改正GMP省令等を踏まえた
HBELにもとづく洗浄評価

島　一己　著

CLEANING VALIDATION BASED
ON A TOXICOLOGICAL EVALUATION

じほう

はじめに

医薬品の製造に際しては多くの場合，マルチパーパス設備が利用されている。そこでは，品種切り替えによる交叉汚染を防止するための洗浄作業が必須である。

その洗浄評価を行う場合の基準として，従来は0.1％投与量基準，10ppm基準が使われてきていたが，科学的な視点からの課題が指摘されていた。これに代えて，今後の洗浄評価では，専用化要件の検討を含めて，健康ベース曝露限界値を用いる毒性学的な評価によるとされる。

最新版のPIC/S-GMP（2018年）においても，全面的に健康ベース曝露限界値の導入が行われている。これにより，健康ベース曝露限界値を洗浄バリデーションのみならず，医薬品を巡る品質リスクマネジメントにおいて幅広く利用する規制上の環境が整ったことになる。健康ベース曝露限界値は洗浄と封じ込めの運用における共通的な基盤であり，品質リスクマネジメント（QRM）実現のための具体的かつ科学的なツールとなる。

健康ベース曝露限界値を設定する過程の細部においては毒性学専門家の存在が欠かせないが，現場側でも運用をフレキシブルに行ううえで，健康ベース曝露限界値について理解し，それを用いる洗浄基準の意味合いについて了解しておく必要がある。

とはいえ，現場では，慣れ親しんできた伝統的な基準との違いに戸惑いもあることと思われる。その戸惑いの要因には，健康ベース曝露限界値についてわかりにくいことがあると思えるし，その根本として，参照するべき身近なテキストがないこともあると想定する。

関連するガイドラインとしてはEMAガイドラインなどがあり，それに先立つISPEからのRisk-MaPPガイドラインの存在がある。

しかしながら，これらのガイドラインを理解するうえでは，一定レベルの毒性学および薬理学の知識が必要となる。設備の設計，運用担当者が，これらのガイドラインをひもといたときに，難解な毒性学／薬理学の専門用語が多用されていることに困惑することになる。さりとて，毒性学的評価ということで「毒性学」のテキストを手にしても，現場で必要なリスクアセスメントに関する記述はわずかであり，海外の最新情報も少ない。さらに，洗浄そのほかへの適用をどのように行うのかについては，当然のことながらまったく記述がなく，読者は別途に海外報文などを探索する必要がでてくる。

本書は，上記のような状況を踏まえ，主に高薬理活性物質を取り扱うマルチパーパス設備で，健康ベース曝露限界値を洗浄評価に，そして封じ込め設備の運用管理に利用しようとする技術者を読者として想定して記述している。

執筆に際しては，PHARM TECH JAPAN誌での連載記事（2018年4月～2019年2月）を土台にしつつも，つぎのような点を意図して，大幅に加筆，補筆を行い，編集し直したものである。

・ハザード物質のリスクアセスメントを実施するうえでの大きな流れを説明する。
・健康ベース曝露限界値を理解するうえで最低限必要と思われる毒性学および薬理学の基礎的な内容をわかりやすく説明する。
・健康ベース曝露限界値の設定において必要な内外の情報を網羅的に示すとともに，設定の過程および実務的な管理事項を十分に解説する。
・健康ベース曝露限界値を，洗浄評価および封じ込め運用管理に展開する際に，フレキシブルに対応できるための基盤を提供する。

本書は，次のような構成になっている。
第1章では，マルチパーパスプラントでの洗浄に関する課題として，伝統的な洗浄評価基準のもつ問題点，伝統的な洗浄評価基準の今後の位置づけ，専用化要件に関する話題について触れている。
第2章では，規制および洗浄に関連するガイドラインについて，2018年末時点での最新情報を紹介している。
第3章では，高薬理活性物質を扱うプロジェクトを進めるうえでの，大きな流れを紹介するとともに，その際の留意点を述べている。
第4章では，健康ベース曝露限界値を理解するうえで必要となる毒性学／薬理学の基礎知識をまとめている。専門用語は，EMAガイドライン／Risk-MaPPガイドラインから，わかりにくいと思われる用語を抽出して説明している。
第5章では，健康ベース曝露限界値の設定について扱っており，海外の各種ガイドライン，毒性学専門家の報文を含めて，各種の情報を集めている。健康ベース曝露限界値の管理に必要な実務的な事項についても含めている。
第6章では，健康ベース曝露限界値を用いた洗浄閾値の計算と意味合いについて記述している。
第7章では，今後の洗浄バリデーションで重要な位置づけとなる目視検査について，最近の動きも含めて説明している。
第8章では，健康ベース曝露限界値を用いた洗浄シミュレーションについて紹介している。このシミュレーション事例をとおして，従来の洗浄評価基準の問題点も理解できる。さらに，今後の現場で，実際に健康ベース曝露限界値を用いるときの様子が把握できる。
第9章では，今後の洗浄バリデーション実務のあり方について触れている。洗浄バリデーションの大枠には変わりがないものの，健康ベース曝露限界値を用いる場合の具体的な洗浄バリデーションの流れ，洗浄目標の設定，現場でのフレキシブルな対応策などを紹介している。
第10章では，製品・剤形の種別ごとに，健康ベース曝露限界値を用いる場合の方策などを述べている。
第11章では，最近提唱されているリスクベースアプローチによる洗浄バリデーションについて議論している。
第12章は，封じ込め設備での運用管理に健康ベース曝露限界値を用いる場合について触れている。OELの設定からはじまり，混合物のOELの算出，環境モニタリングまでを含む。
第13章は，主に，健康ベース曝露限界値および洗浄に関連した今後の課題について述べている。
付録においては，洗浄評価および専用化要件に関する今までの経過をまとめている。現在のガイドラインの背景を知るうえでも，過去の経緯を知っておくことが望ましいと考えるからである。

なお，本書での毒性学／薬理学に関する記述は，各種の資料を参照するも，筆者の理解するところに留まっている。間違いがある場合には御叱正を賜りたい。

本書がEMAガイドライン／Risk-MaPPガイドラインへの橋渡し役となり，健康ベース曝露限界値についての読者のさらなる理解を促進するものになることを願っている。

最後に，本書の企画は，(株)じほう PHARM TECH JAPAN編集部の金子真也氏から頂戴したものである。本格的な「健康ベース曝露限界値時代」を迎えようとしているこの時期に，執筆をとおして，現場のニーズに応えることができる機会を得たことを，あらためて感謝申し上げる。

2019年5月

島　一己

改訂版のはじめに

本書の初版が出てから3年が経過して，最新の情報を反映する機会を得たことをうれしく思っている。

この3年間においては，健康ベース曝露限界値（HBEL）にもとづく洗浄評価に関して活発な動きがあり，規制・査察当局，専門家団体，さらに洗浄に関係する専門家から，各種の情報が発信されてきている。本改訂版では，これらの最新の情報を紙幅の許す範囲で反映している。

大きな改訂のポイントを次に述べる。

1）第1章では，伝統的な洗浄評価基準の扱いについての項を，よりわかりやすい配置とした。

2）第2章では，初版以降に公開された当局からの文書，専門家団体からのガイドについて記した。これらの文書，ガイドを踏まえて，本書内の関連する箇所にて説明を加えた。

・PIC/Sからの査察官用ガイドを集約する項を設けた。最新の査察官用ガイドとして，HBEL評価文書およびQRM関連文書に関する備忘録の概要を紹介した。

・国内の改正GMP省令の概要を記した。

・ISPEのライフサイクルモデルにもとづく洗浄ガイドから，洗浄工程のQRMに関する項目を含めて，本書に関連する部分を紹介した。

・ASTMから相次いで発刊された，HBEL設定のためのガイド，および目視検査のためのガイドから，本書に関連する部分を紹介した。

・APIC洗浄ガイドから，洗浄評価に関する最新内容の概略を記した。

3）第３章では，毒性学専門家の要件について追記した。また，認定トキシコロジスト，IHの人数などについて，最新の数値とした。

4）第４章では，HBELを設定するためのデータの信頼性に関する項目を追加した。

5）第５章では，TTCの概念に関連して，ASTM HBELガイドを踏まえて，記述を追加した。HBELの有効数字については，再整理してわかりやすくした。

6）第6章では，洗浄閾値の意味合いに関して，わかりやすく集約した。PIC/S査察官用ガイドでも言及されている安全マージンについて，新たに項を設けて，説明を加えた。

7）第７章では，目視検査を唯一の基準とする議論について，説明を書き加えた。

8）第8章では，ハザードレベルが低い化合物に関連して，２つのシミュレーション事例を加えた。第１は，HBELにもとづく洗浄閾値と，洗浄目標として使われる伝統的な洗浄限度値（10ppm基準）との距離（安全マージン）に関連するものである。第２は，目視検査を唯一の基準とするための条件に関連するものである。

9）第９章では，最新の規制文書の内容を反映して，洗浄バリデーション実務の流れおよび洗浄目標の設定について，見直した。本書内の記載箇所と紐付けて理解できるようにした。

10）第10章では，抗体薬物複合体の項を設けた。

11）初版の第11章「リスクベースアプローチによる洗浄バリデーション」の項を，「洗浄工程の

QRMとそのツール」と改称し，QRMに関する話題を中心に書き改めた。

・洗浄工程におけるQRMに対する当局からの期待事項をまとめて紹介した。

・洗浄FMEAの項を書き改めた。その中で，FMEAツールのスコアリング，ICH Q9における「Formality」の問題点について触れた。

12）第12章では，粉体を扱う装置内部での「間接製品接触面」に関する項を設けた。

13）文献として引用している各種ガイドラインについても，最新版が出ているものがあるので，それらを見直した。

14）上記以外に，改訂に際しては，使われている用語の統一を図った。また，初版での訳文，訳語の見直し，誤記・脱字についての修正をおこなった。また，記述がわかりにくい部分もあったので，全般的に日本語としての言い回しも見直した。

国内においては，2021年に改正GMP省令が発出され，今後HBELにもとづく洗浄評価が必須となる。本書が，現場で，洗浄評価の実務，および封じ込め設備の運用に従事している方々の参考になれば，幸いである。

なお，HBELの国内での普及および理解の共通化を促進するために，毒性学専門家グループによる解説書（『ゼロから学ぶHBEL！』）が，（株）じほうから発刊されていることを付記する。

最後に，今回の改訂版においても，初版と同様に，（株）じほう PHARM TECH JAPAN編集部の金子真也氏のお世話になった。煩雑な文章の入れ替え作業を丁寧に追っていただいた。お礼を申し上げる。

2022年3月

島　一己

目　次

1 マルチパーパスプラントの洗浄を巡る課題　1

2 洗浄にかかわる最新規制と関連ガイドライン　20

3 高薬理活性物質を扱うプロジェクトの進め方　85

9 HBELを用いる洗浄バリデーション実務 222

10 さまざまな製品・剤形への対処方法 235

11 洗浄工程のQRMとそのツール 247

12 HBELの封じ込め設備への適用と曝露管理 263

1 マルチパーパスプラントの洗浄を巡る課題

1.1 マルチパーパスプラントと洗浄評価

多目的製造設備での生産を計画する際には，専用化要件に加えて，洗浄評価基準について検討する必要がある。

従来の専用化要件には曖昧性があり，マルチパーパスプラントでの製造をためらう要因になっていたといっても過言ではない。たとえば，以前よく耳にした意見に，高薬理活性医薬品を扱ったあとに一般医薬品を製造することは，交叉汚染のことを考えると，「不安である」，「怖い」ということがあった。

この「不安である」ということの背景には，洗浄バリデーションにおける洗浄評価基準の設定に懸念があったと思える。科学的な根拠に乏しいといわれつつも，1993年以降そのまま利用してきた経過がある。このため，製造側も査察側も疑心暗鬼な状況が継続されてきており，これが洗浄における過剰な反応につながっていたきらいがある。

この専用化要件が今大きく変わってきている。そして，洗浄評価基準についても，科学的な対応をしていこうとする動きが具体化してきている。

科学的な取り組みの体制が整備されることにより，曖昧であった専用化要件に拘束されることもなく，また，高薬理活性医薬品だからといって過剰に不安になることもなく，本来的なマルチパーパスプラントを実現できる状況になってきている。そのための基盤が本書で話題とする毒性学的評価による洗浄評価であり，その具体的なツールが健康ベース曝露限界値（Health-based Exposure Limit：HBEL）である。なお，HBELに該当する規制および専門家団体からの代表的な用語として，PDEとADEがある（正式英文名称を含め，その詳細は本書の5.4項参照）。また，職場環境での肺呼吸による曝露に対する限界値として，職場曝露限界値（Occupational Exposure Limit：OEL）がある（その詳細は本書12.2項参照）。そのOELの数値を用いて化合物の危険・有害性を区分けする際の用語として，職場曝露区分（Occupational Exposure Band：OEB）がある（その詳細は本書3.3項参照）。以下の説明では，HBEL/PDE/

ADE/OEL/OEBの略称を，特別な断りなしに使用する。

1.2 交叉汚染リスクと交叉汚染の経路

洗浄が不十分で，表面がきれいではないままで次の製品を製造することが，交叉汚染のリスクを招くことは自明である。そのリスクを低減するためには，洗浄をうまく行って，できるだけきれいにすることが必要となる。

交叉汚染の経路として，ISPEのRisk-MaPPガイドライン改訂版（以下では，Risk-MaPP改訂版と記す）では次の4つをあげている。

・リテンション

・エアーボーントランスファー

・メカニカルトランスファー

・ミックスアップ

製品接触部表面における残滓は交叉汚染の要因の主要な部分である（リテンション）。空気中に浮遊している化合物が製造機器に混入する可能性もある（エアーボーントランスファー）。汚染された部品や更衣などから製品に混入する場合もありうる（メカニカルトランスファー）。人的要因として，原料などの取り間違い，使用する機器の間違いなどが起こりうる（ミックスアップ）。個々の詳細は，Risk-MaPP改訂版（6.3項）に説明があるので，ここでは割愛する。

なお本書では，Risk-MaPP改訂版（2017年）を対象として説明している。説明の都合により，初版（2010年）を引用する場合には，Risk-MaPP初版と記す。

PIC/Sからの査察官用ガイド「共用設備での交叉汚染防止に関する備忘録」PI 043（2018年）でも，交叉汚染のありうる経路について説明している（総論5.1.2項）。Risk-MaPP改訂版とは表現が異なるが，内容的には同様である。以下に紹介する（訳文文責筆者）。

①面から面へ

・不十分に洗浄された共用機器／ツールの表面から生じる（洗浄作業が失敗することによるか，または機器の設計が不十分であることにより発生する）

・汚染された洗浄機器と接触することに由来する

・運転員の更衣から生じる

②空気浮遊から空気／表面へ

・コントロールが脆弱であるか，または周囲の環境への意図しない漏れに由来する（ダスト，ガス，蒸気，スプレーなどが十分にコントロールされていないことにより発生する）

・一次封じ込めが損傷することにより生じる上記のものに由来する
・空調システムにおける再循環により生じる（フィルタが不十分な状態の場合に発生する）
・排気システムのコントロールが不十分であることに由来する
・微粉およびエアロゾル化した物質は，空気中に浮遊している時間が長いので，より高いリスクを示す

③プロセスシステムの不具合または機器の不具合に起因する直接または間接的な汚染

・廃棄物システムまたは真空システムからの逆流に由来する
・機器の故障に由来する
・漏出およびリークに由来する

④ヒト，材料，機器，部品の移動および混同に由来する

1.3 最近の規制改正に至る背景～概要

EU-GMP Vol.4（2014年）は，医薬品製造設備を計画・建設・運用する場合にあって，科学的な根拠にもとづいて医薬品の品質を確保しようとする，ICH Q9などの一連の国際的な動き（リスクベースアプローチ）が結実したものである。

その改訂に至る背景として，高薬理活性物質を用いる医薬品の需要の増加が一つの要因にあると思える。実際，多目的製造設備を用いてその需要に応じようとする場合に，さまざまな課題が生じてきていたわけであり，各所での議論が継続して行われてきた経緯がある。

ここで，まず，1990年頃の洗浄評価を巡る業界の状況を簡単に見てみたい。

当時の製薬業界では，企業ごとにさまざまな洗浄残留基準値が通用していた。この状況は，1992年に実施されたPMA（Pharmaceutical Manufacturers Association，現在はPhRMA）による業界アンケートの結果からうかがえる。当時は，44個の異なる数値基準があったとされている[1,2)]。多くは単一の評価基準であり，複数の評価基準を複合的に組み合わせるという発想ではなかった。

それまでに流通していた多数の評価基準を総括的にまとめて提唱されたのが，イーライリリー社のFourman & Mullenによる評価基準である（1993年）[3)]。それは，複数の評価基準（0.1％投与量，10ppm）を組み合わせ，かつ，目視検査を加えるというものであり，当時は革新的なものとして受入れられた。

さらに，FDAが同年末に開催した査察官向けセミナーで，民間業界における取り組みの一例として，Fourman & Mullenの報文に言及したのである[4)]。このこともあり，Fourman & Mullenの提唱する基準が，各種の規制やGMPガイドライン（たとえば，WHO-GMPなど）に普及していった経過がある。

しかしながら，洗浄基準に対するFDAの姿勢・ポジショニングは，製薬業界が自主的に設定すべきであるというものであった。医薬品のことは，製薬業界が一番よく知っている（べきである）という認識が根底にあるからである。FDA自体が規制当局として明確な方針を打ち出すことはなかった。

この自主基準によるべしという基本姿勢が続いたことにより，洗浄評価基準はその後もバラバラな状況が続いていた。PDA（Parenteral Drug Association）が2006年に実施した業界アンケートでも，イーライリリー社の基準を用いているのは約45%であった[1]。これは，国内でも同じであった。2000年に行われた国内企業を対象とするアンケート結果を見ても，イーライリリー社の基準を用いているケースが多い（約60%）ものの，少なからずの割合でそれ以外の基準を使っていることがわかる[5]。

このような中で，課題として浮かび上がってきたのが，次の2つである。

・専用化要件の曖昧性を巡る課題

・洗浄評価基準の科学的な根拠を巡る課題

まず専用化要件においては，その対象範囲や使用している用語の曖昧性があった。さらに，洗浄評価基準においては，多様な基準が利用されていた状況に加え，その評価基準の科学的な根拠が乏しく，その利用において懸念があると指摘されていた。

以下に，専用化要件および洗浄評価について，従来と今後という視点から詳しく説明する。なお，洗浄評価基準および専用化要件の歴史的経過は本書の付録14.1項を参照してほしい。

1.4 専用化要件：従来の問題点と今後

1.4.1 従来の専用化要件の問題点

従来の各種GMPにおける専用化要件の問題点をまとめると，次のようになる。

①ペニシリン系抗生物質はどのGMPにおいても専用化が前提とされていたものの，「ある種の抗生物質」とされるペニシリン以外のβラクタム系抗生物質（セファロスポリン系など）は，その適用範囲が曖昧であった。GMPによっては，専用化を前提とする場合と，専用化が望ましいという場合に分かれており，ハッキリとしなかった状況があった（**表1-1**）[6]。

②抗生物質以外の物質では，「ある種の」という表現が用いられていた。すなわち，「ある種のホルモン，ある種の細胞毒性物質，ある種の高活性医薬品」などという表現が，多くのGMPで共通的に使われていた。しかしながら，「ある種の」というところの線引きが必ずしも明確ではなく，曖昧性が残っていた。たとえば，虫さされ用に外用剤の中に使われているステロイドホルモンもあれば，厳しい管理が求められる性ホルモンも，同じ「ホルモン」の中に含められており，どこで区分けする

表1-1　従来の専用化要件一覧

	ペニシリン	セファロスポリン	カルバペネム	カルバセフェム	ほかのβラクタム
FDA/cGMP	◎	(◎)	(◎)	(◎)	(◎)
EU-GMP	◎	—	—	—	○
J-GMP	◎	◎	—	—	—
WHO-GMP	◎	—	—	—	○
PIC/S GMP	◎	—	—	—	○

◎：専用化を前提とする
○：専用化が望ましいが，キャンペーン生産可能（ただし，洗浄バリデーションによる検証を実施のこと）

のかということが明確ではなかった。

③さらに，用語自体の定義が明確ではなく，用語の使用状況にもバラツキがあった。たとえば，ステロイドホルモンについてである。旧EU-GMP・旧PIC/S-GMP・WHO-GMP（2011年）では，「ある種のホルモン」という表現が使われていた。それに対して，ICH Q7・Health CANADAなどでは「ある種のステロイド」という具合になっており，同じ物質に対して，2通りの表現がなされたことがさらに混乱を招いたともいえる。

従来の専用化要件にはこのような曖昧性があったものの，洗浄プロセスがきちんと管理されていることを前提として，共用設備ではキャンペーン生産の形での製造が認められていた。しかしながら，そもそもの洗浄評価基準を実際面でどうすればよいのかについては，規制当局からの明確な指針はなかったのが実状であった。

規制当局として科学的な根拠を求めはするものの，製薬業界の自主性に委ねるというスタンスの結果として，さまざまな基準値が流通するようになっていたのは前述のとおりである。同じ物質であっても，製薬企業によっては洗浄基準値が異なることから，患者に与えるリスク管理の整合性という点で懸念があったわけである。

この専用化要件に内在している課題は，旧来のEU-GMPだけではなく，他のGMPやガイドラインにおいても同様であった。

このような事態は，規制当局においても認識されていた。たとえばEMAから発出されているHBELを設定するためのガイドライン（2014年）がある（後述）。その「1 Introduction（Background）」の項において，規制側の率直な意見が述べられている（下線強調筆者）。

「・・・以前にはリスクを勘案して，医薬品のある種のものは，専用化または隔離された施設で製造されることが求められていた。すなわち，“ある種の抗体，ある種のホルモン，ある種の細胞毒性物質，ある種の高活性物質”である。これらにあって，個々の製品を区別するための公的なガイダンスが今までなかった」（文責筆者）。

1.4.2 今後の専用化要件

①基本的な原則

従来の専用化要件には曖昧な部分があったわけであるが，EU-GMPの改正で大幅に見直しがなされて，取り扱う物質のHBELをもとにして判断することになった（リスクベースとなった）。

基本的な原則としては，科学的に対処できない場合には専用化するというものである。ペニシリンを含むβラクタム系抗生物質は，専用化設備が必要とされる。高感作性物質の特性からして，専用化が必要とされることは頷ける。それ以外は，ステロイドホルモンであれ，細胞毒性のある物質であれ，基本的には共用設備での製造が可能となっている。その前提としては，HBELを用いてリスクアセスメント（具体的には洗浄評価）を行う必要がある。

国内の最近の事例にあっても，高薬理活性物質と一般物質を共用設備で製造する事例が出てきている。

②EU-GMPおよびPIC/S-GMPの場合

EU-GMP Vol. 4では，Chapter 3 3.6項の後半にて，専用化が必要とされる場合について，次のように規定している。PIC/S-GMPも同様な内容である。

- *リスクが運転および／または技術的な方策で十分にコントロールできない場合*
- *毒性学的な評価に由来する科学的なデータが，リスクをコントロール可能であることを示さない場合（たとえば，βラクタムのような高感作性物質からなるアレルギー性のある物質）*
- *毒性学的な評価から得られる残滓限界が，バリデートされた分析方法によって，満足のいくように同定しえない場合。*

基本的な視点としては，「リスクがコントロールできないような状況に対しては専用化する」ということである。洗浄作業を含む各種の方策によって交叉汚染のリスクが管理できない場合，人によっては死に至るリスクがありうる高感作性物質の場合，そして，分析機器が同定できないレベルの残滓限界となる場合には専用化が必要となる。

③ICH Q7の場合

ICHからは，ICH Q7のQ&Aが2015年6月に出された。Q&Aの形ではあるものの，リスクベースアプローチにおけるツールとしてHBELを打ち出す形となっている。

同Q&A集では，たとえば洗浄評価基準の詳細には触れていないものの，各種のHBELの名称が紹介されている。EU-GMPなどの方向性と合致しているともいえる。

専用化要件，洗浄評価基準に関する回答をまとめると次のようになる。

(1)「専用化要件」(ICH Q7 Q&A Q4.1)

- ペニシリン類やセファロスポリン類は専用化する。
- 高薬理活性または毒性のある物質は，リスクベースによる評価を行う。その結果として，検証される不活化工程や洗浄手順を採用するか，または専用の製造区域とする。

・その判断基準としての「高い薬理活性または毒性」をICH Q7自体では定義しないが，一般に，動物およびヒトの関連データを評価することにより決められる。評価においては，OEL，PDE，ADE，毒性学的懸念の閾値（TTC）などが使われる。

(2)「洗浄評価基準」(ICH Q7 Q&A Q5.2)

・残留物の許容基準は，溶解性，力価，毒性などを考慮しながら，工程／反応／分解の理解にもとづいて設定する。

④今後の専用化要件まとめ

HBEL時代の専用化要件として，上記をまとめると次のようになる。

(1) βラクタム系抗生物質（ペニシリン系，セファロスポリン系など）は，専用化設備とされる。

(2) それ以外の活性のある物質は，科学的なデータにもとづいてリスクがコントロールできる場合には，専用化を必要とされない。リスクがコントロールできるということの意味は，洗浄評価を科学的なデータにもとづいて実施できるということである（この場合の基準設定にHBELが用いられる)。

(3) HBELにもとづく洗浄閾値が低いレベルとなり，利用可能な分析方法を用いても同定しえない場合には，リスクを適切にコントロールできないことになり，専用化せざるをえない（**図1-1**)。

(4) 兼用設備とする場合には，検証される洗浄手順を採用し，洗浄バリデーションでその有効性が確認できなければならない（確認できない場合には，専用化す

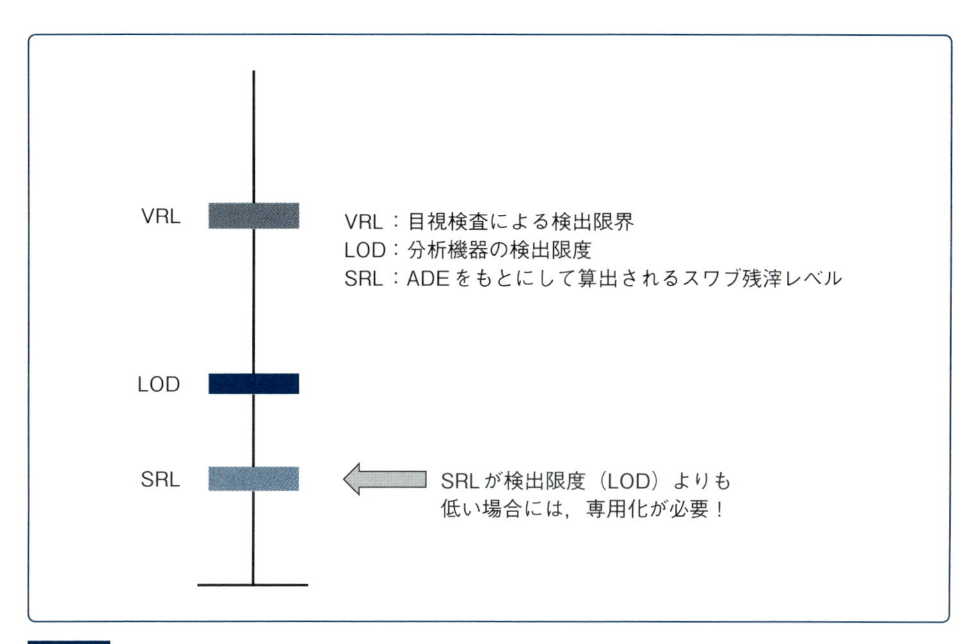

図1-1　専用化要件（VRL，SRLについては後述）

る)。

(5) 専用化する場合は，専用部品，専用機器，専用エリア，専用設備までと，幅広い選択肢がありうる。

⑤専用化要件と洗浄評価

Risk-MaPP改訂版では，専用化要件が明確になったことを受けて，ロジックダイアグラムの冒頭部分の質問で，HBELが用意されているかどうか，それを用いた洗浄閾値が分析機器の検出限度以下となるかどうかを問うている。洗浄評価の作業が専用設備を検討するプロセスの始め部分に置かれている。端的にいえば，洗浄評価を踏まえて兼用設備の可否が判明するということになる。

1.4.3 従来の専用化要件で用いられてきた用語の見直し

従来の専用化要件で用いられてきた用語は，規制の中で十分な定義がなされないまで使われてきた経過がある。このため，曖昧性があると多方面から指摘されてきたわけである。たとえば，Risk-MaPP初版の1.1項および改訂版の2.5.1項では，“potent, cytotoxic, cytostatic, steroid” などの用語については，明確な定義がなされてきていないことを指摘している。

長年曖昧性をもって使われてきたこれらの各種用語について，毒性学者からの詳細な説明がある[7)]。

それらの用語が今後の「専用化要件」のなかで用いられるわけではないが，今までの規定内容を把握するうえでも，また今後ハザード区分を行ううえでも，定義の内容を知っておくのが望ましいといえる。以下は，筆者が文献7) を参考にしてまとめたものである。

①細胞毒性

人体には，約60兆個の細胞があるといわれている。摂取（または曝露）により体内に取り込まれた化合物は，体内のいずれかの細胞に一定の作用を及ぼすわけであり,その意味ではすべての化合物が細胞毒性を有する物質の対象になってしまいかねないことになる。

専用化要件が初めて設定された当時（1978年FDA）において，規制当局の念頭にあったとされているのは抗がん剤である。その当時の抗がん剤は，がん細胞だけではなく，正常な細胞に対しても副作用をもたらすもので，吐き気，抜け毛などがつきまとっていた。

しかしながら，現在では技術開発の結果，正常な細胞に対する副作用を最小限とし，がん細胞だけを攻撃するような分子標的タイプの抗がん剤ができて実用されている。

このため，これらを区別する必要があるとして，従来型の抗がん剤についてのみ「細胞毒性（cytotoxic)」という用語を適用することが提唱されている（狭義での利用)。特定の細胞にのみ作用するタイプの抗がん剤については，「細胞増殖抑制剤

(cytostatic)」という用語が提唱されている。Risk-MaPP改訂版の用語集では，この両者が区別されて記述されている（Risk-MaPP初版でも同様)。

②ホルモンおよびステロイド

皮膚の炎症用に用いる外用薬について，日常の会話でも何気なくステロイドという用語を使っているが，今後は留意する必要がある。

従来の専用化要件においては明確に定義されてこなかったことに加え，ある国のGMPではホルモン，別のGMPではステロイドという具合に，入り交じって使われていたので余計に混乱があった。

このために，誤解を招きやすいホルモン，ステロイドという表現ではなく，今後「ステロイドホルモン」という用語は，性ホルモンに限定して用いるべきであるとしている。

皮膚の炎症対策用に広く用いられている外用薬の主成分（糖質コルチコイド）は,「副腎皮質ホルモン」という用語を用いることが推奨されている。

③高活性

高活性（または高薬理活性）物質の定義として，次が推奨されている。

・発がん性のある遺伝毒性化合物
・低用量で生殖影響および／または発育影響を引き起こす化合物
・低用量で標的器官に重大な毒性を引き起こす可能性のある化合物

ここで，低用量としては，臨床用量として1-10mg/day以下，または動物実験では0.1-1mg/kg-day以下とされている。

この高活性物質の定義自体は，Risk-MaPP改訂版と同じ内容である。

1.4.4 「ある種の化合物」のHBEL

従来の専用化要件の中でいわれていた「ある種の化合物」には，細胞毒性物質から高活性物質まで，さまざまなものが含まれていた。

専用化要件を検討する際には，洗浄評価が一つのポイントとなる。洗浄を合理的にコントロールできるのであれば，専用化の必要はないからである。その評価の基盤となるのはHBELであり，それから求められる洗浄閾値である。

それでは，従来の専用化要件であげられていた化合物は，HBELを設定することができるものなのだろうか。HBELを算出するためには，対象物質が毒性の閾値（本書4.7.5項参照）を示すかどうかがポイントである。**表1-2**は，そのような視点からまとめたものである[7]。

多くの場合に，毒性の閾値が得られることがわかる。閾値がない場合には，発がんリスクを設定し，それに応じた数値を設定することになる（遺伝毒性物質と同じ扱い)。

表1-2 「ある種の化合物」のHBEL

カテゴリー	詳細	毒性の閾値	HBELの設定
細胞毒性（cytotoxic）	①Alkylating agent（アルキル化剤）	示さない	発がんリスクを10^{-5}または10^{-6}ベースで設定
	②Anti-metabolites（代謝拮抗薬）	示す	PoD，不確実係数を用いて設定
	③Mitotic inhibitors（有糸分裂阻害剤）	示す	
	④Topoisomerase inhibitors（トポイソメラーゼ阻害剤）	示す	
細胞増殖抑制剤（cytostatic）	①モノクローナル抗体	示す	
	②チロシンキナーゼ阻害薬	示す	
ホルモン	①ステロイドホルモン（性ホルモン）*	示す	
	②副腎皮質ホルモン（糖質コルチコイド／鉱質コルチコイド）	示す	
	③（非ステロイド）ペプチドホルモン	示す	
高活性物質	①発がん性のある遺伝毒性化合物	示さない	発がんリスクを10^{-5}または10^{-6}ベースで設定
	②低用量で生殖影響および／または発育影響を引き起こす化合物**	示す	PoD，不確実係数を用いて設定
	③低用量で標的器官に重大な毒性を引き起こす可能性のある化合物**	示す	

*：ステロイドという用語は，性ホルモンに限定して用いる
**：低用量とは，臨床用量として1～10mg/day以下，または動物実験では0.1～1mg/kg-day以下
（筆者が文献7）を参考に作成）

1.5 洗浄評価基準：従来の問題点と今後

1.5.1 伝統的な洗浄評価基準の問題点

従来の洗浄評価基準の問題点について論じてみたい。広く利用されてきたイーライリリー社のFourman & Mullenによる洗浄評価基準に関する報文が発表されたのは1993年である[3]。この基準は，次の3つの視点を複合的に用いて評価することを提唱したものである。すなわち，

- 0.1%投与量基準
- 10ppm基準
- 目視検査

であり，これらのうち最も厳しいものを採用するとしている。

それまでの評価基準では，複合的に評価するという視点が取り入れられておらず，1つの基準で評価していたものを，3つの条件で総合的に評価することに改めたもの

である。

以来，この基準はWHO-GMPなどの国際的なガイドラインやPIC/Sの査察官用ガイドラインPI 006-3（2007年）などに広く採用されて，いわばデファクトスタンダードとなっていた。

しかしながら，昨今のように透明性・説明性が問われる時代背景において，ならびに当時以降の医薬品開発の進捗状況からすると，その報文の前提となっている事項について，いろいろな問題点が浮かびあがってきていたのが実状である。以下に，私見を含め，それらを紹介する。

1.5.2　0.1％投与量基準について

原報文では，次のようになっている（文責筆者）。

「・・・　1/1,000（0.1％）は，3つの10からなっている。最初の10は，薬物は多くの場合，その一日投与量の1/10以下では不活性であるということによる。2番目の10は，安全係数としての10である。3番目の10は，洗浄バリデーションの堅牢性に関する要因として，すなわち，より厳しくなる基準でも対応できうるように十分厳密であるべきであることを勘案しての10である・・・」。

ここで，問題と思われる点は以下の2点である。

- 1/10以下であれば不活性であるという根拠が，報文中には示されていない。
- 2番目，3番目の10である安全係数，堅牢性要因に関して，曖昧さが残る。

実際に0.1％投与量基準にもとづいて数値計算を行ってみると，条件によっては得られる数値が大きく振れることがある。非常に厳しい結果となることがある一方で，別の計算事例では，現実的にはありえないような残滓の量としてきわめて大きい数値（洗浄としては非常に緩い側）になることがある。つまり，過剰に保護的となる場合もあれば，逆に十分に保護的とはいえない状況が生じることになる。

1.5.3　10ppm基準について

原報文では，次のようになっている（文責筆者）。

「・・・最大許容レベルとしての10ppmを用いるという考えは，食品に関する規制にその根拠がある。・・・その規制では，ある（低）レベルの有害物質は，人間の食物連鎖における動物の組織において，許容されうるとしている・・・」。

ここで問題と思われる点は，10ppmという数値が，食品に関するどの規制から由来しているのか，そして，どのような過程で10ppmという数値に至ったのかについての具体的な記載がないことである。Walshは，食品中の残留農薬の許容量を示したS. Harderの報文（1984年）が念頭にあったのではないかと推測する[1)]。

この基準は，投与量が不明な場合にも使える便利な側面があるものの，前製品および次製品の物質固有のもつ情報（毒性データなど）がまったく反映されずに，バッチサイズと表面積という物理的な数値だけで決まってしまう。このため，「科学的な」

という意味合いからすると，問題とされてきたわけである。

また，10ppmという数値そのものが，適切なのかという疑問が従来からある。過剰に厳しいという意見も根強い。さらには，その数値を高薬理活性物質の場合にも，そのまま適用していいのかという問題もついて回る。

前述の0.1％投与量基準の計算式においては分子側の最小臨床用量が大きくなる（薬効が低い医薬品などで）と，洗浄限界が大きくなる。そのことを防ぐための，いわば，打ち止め（Cut-Off）としての役割を10ppm基準は果たしていたわけであるが，その数値がどのようなレベルであれば適切なのかは検討されていない。

CrevoisierらおよびWalshらの報文では，そのタイトルにあるように，「なぜ10ppm基準は放棄されなければならないのか」ということについて，論じている[8,9]。

その要旨は，以下のとおりである（文責筆者）。

・10ppm基準は患者にとって安全な洗浄を担保しない。

・患者の安全を増すことなしに，当局の要求以上に厳しい限度を現場に課することになる。

・科学的にも実際的にも何らベネフィットをもたらさない。

Crevoisierらは，「10ppmは，毒かどうかを決めるのは投与量であるという毒性学の基本原理に対抗しているものである」とも述べている[8]。

Walshらは，報文のおわりに，「今という時期が，洗浄バリデーションにおける許容限度設定に関して，科学的なリスクベースアプローチをプロセスケイパビリティの手法とともに受け入れるのに，ちょうどよいタイミングである」と述べている[9]。

0.1％投与量基準および10ppm基準に関する課題は，数値シミュレーションの項（本書第8章参照）でより明確になる。

1.5.4　目視検査基準について

原報文では，次のようになっている（文責筆者）。

「・・・添加回収試験では，多くの製品での活性物質の場合に，2インチ×2インチのスワブ面積あたり，約100μgであれば目視できる」。

ここで，問題と思われる点は次の2点である。

・添加回収試験での条件が明確ではなく，どのような状況下で約100μgまで確認できたのかが明示されていない。

・また，「約（approximately）」という表現に曖昧さが残っている。

なお，この計算値は$4\mu g/cm^2$となることを付記しておく。

目視検査では個人差や検査時の条件の差によって見え方が異なる点があり，定量的に把握しにくいなどの指摘が従来からあった。このため，補助的な位置づけとされていた。

1.5.5 毒性学的な指標としてのLD_{50}の扱い

イーライリリー社の基準では毒性学的な指標は提唱されていない。しかし，その当時の業界内では投与量に関する情報に加えて，毒性学的な情報を勘案して洗浄評価をするべきであるという意見があった（本書14.1項のMendenhall，Jenkinsなどを参照）。一方，その当時すでに曝露限界値は，長期の動物試験によるmaximum safe dosage（筆者注：現在のNOAELに該当）を安全係数で除することで得るべきであるという考えが提唱されて，普及しつつあった（本書5.10.3項参照）。NOAEL，NOELなどは後述する。

そこで，曝露限界値を得るための毒性学的な情報として，比較的容易に入手可能な急性毒性試験による50％致死量のLD_{50}を用いて，長期データであるNOAELを外挿する試みが行われ，各種の提案がなされた。LD_{50}は試験期間が短いこともあり，そのデータは豊富にあるからである。

LD_{50}から曝露限界値を求める方法は，2段階で行われていた。まず，LD_{50}から統計的な相関関係にもとづく換算係数により，NOELまたはNOAELを求める。次にそのNOELまたはNOAELから，不確実係数を加味して曝露限界値を求めることが行われていた。

このLD_{50}を出発点とする方法にはいくつか提案されている。たとえば，PDA-TR29（2012年）では，Conineら（1992年），Kramerら（1996年），Laytonら（1987年）の3つの報文が引用されている。このほかに，Venmanらの報文（1985年）もある。

しかし，どの報文を採用するのかによって上記の換算係数，不確実係数の取り方が大きく異なっているのが実状であった。このため，得られる曝露限界値に大きな差が生じていた。また，もともとの換算係数を算出した際の対象化合物が必ずしも医薬品製造に使う物質ではないこともあった。

さらに，LD_{50}を用いる方法には本質的な問題点もあった。すなわち，試験で確認する事象として「致死」ということが扱われており，健康な身体に対する悪影響を論じるにはもともと不向きとされてきた。身体に対する影響は「致死」量よりもずっと低い用量で発現するからである。このため，HBELを得るための指標として利用するうえで，大きな問題を有していた（本書10.4項（洗浄剤）も参照）。

1.5.6 従来の評価基準に対するRisk-MaPP改訂版の見解

従来の洗浄評価基準（代表的にはイーライリリー社の基準）でとくに問題視されてきたのは，科学的な根拠に欠けるということである。もっとも，イーライリリー社だけがどうこうというわけではなく，1993年当時，流通していた各種の洗浄評価基準の全般について，科学的な根拠に懸念があったという具合に解釈すべきであろう。規制当局そして業界の大きな課題は，懸念があるままの状態が今まで続いてきていたことにある。

この懸念を解消するべく規制当局からの諮問を契機に，ISPEがまとめたものが

Risk-MaPP初版である（その経緯は，本書14.1項を参照）。

そのRisk-MaPP初版では，代表的にイーライリリー社基準に関して，0.1％投与量基準が患者保護の点からは過剰となること，またときとして不十分となることがあることを指摘している（初版5.4.1項）。

また，10ppmを洗浄評価に使うことについて大きな懸念があることを次のように指摘している（初版5.4.1項）。

「・・・洗浄の残留許容限度値を設定するための，科学にもとづかないもう一つのアプローチは，「10ppm」規格を使用したものである。・・・（中略）・・・このような限度値は恣意的であり，すべての化合物に適用できるわけではない。」

Risk-MaPP改訂版でもほぼ同じ内容である（改訂版6.3.2.3項）。

さらに，LD_{50}を用いることについても，Risk-MaPP初版では，否定的な見解を表明している（初版5.4.1項）。Risk-MaPP改訂版ではさらに，その見解を支持する報文も引用して，次のように指摘している（改訂版6.3.2.3項）。

「・・・LD_{50}の値を用いることは，これが唯一の利用できる値であったとしても，リスクアセスメントには推奨されない。毒性学的懸念の閾値（TTC）の考え方を用いる代替えの方法が好ましい。・・・LD_{50}をリスクアセスメントの出発点として用いることは，健康の点からは不十分な洗浄限界につながることがありうる。というのも，悪影響は死のずっと前に発現されるからである。・・・（中略）・・・・Barleら（2012）は，動物実験によるLD_{50}とヒトでの最小臨床用量との間の相関性は乏しいことを示している」（文責下線強調筆者）。

ここで引用されているBarleらの報文では，300種のAPIに関して，LD_{50}と最小有効治療用量（METD）を統計的に比較して相関性が低いことを示しており，結論として，LD_{50}にもとづくハザード区分を放棄すべきであるとしている[10]。

これまで議論してきた従来の洗浄評価基準（0.1％投与量基準，10ppm基準），そしてLD_{50}の利用については，Fariaらの詳しいレポートがある[11]。

1.5.7　規制当局（EMA）の視点

ここで，従来の洗浄評価基準に対する規制当局の視点を見てみたい。

EMAからのHBELを設定するためのガイドライン案（2012年12月13日）では，従来の洗浄基準について，規制当局側の率直な（？）意見がうかがえる。規制当局側が，従来の評価基準に対して具体的な表現で論評した珍しい例である。これは，先行するRisk-MaPP初版そのほかの考えを踏まえたものと思われる。

EMAからのHBEL設定ガイドライン案の「1. 序文（背景）」に次のような記述がある（下線部強調および文責筆者。一部文章を略して，読みやすくしている）。

「・・・これら（専用化要件）に該当しないと考えられる医薬品については，洗浄バリデーションにおいて，（中略）持ち越しの最大量が前製品の最小臨床用量の

1/1,000未満となるまで，残滓濃度を低減するという対応が取られてきた。同時に，この基準は，（中略）最大許容混入量を10ppmとする基準とともに適用されてきた。このいずれかの値のうち，最も低い値をもって，（中略）洗浄バリデーションの限界値が決められた。・・・・・・しかしながら，これらの限界値では，入手しうる薬理学的および毒性学的データを考慮しておらず，場合によっては，過剰に保護的であったり，逆に不十分であることがある。・・・このため，あらゆるクラスの医薬品成分について，より科学的なアプローチが必要とされる」。

このドラフトにあった0.1％投与量基準および10ppm基準を直接的に言及する文章は，EMAからのHBEL設定ガイドライン最終版（2014年11月）では見当たらず，最終的には，「洗浄バリデーションにおける持ち越し量の限度値（複数）が製薬業界で広く用いられている」のように，より穏やかな表現になっている（本書2.4.1項参照）。

1.5.8　今後の洗浄評価基準

今後の洗浄評価基準は，後述するHBELにもとづく洗浄閾値と目視検出限界が基本となる。そのことを規制の面から最初に明確にしたのはEU-GMPであり，具体的にはEMAからのHBEL設定ガイドラインおよびQ&Aである（後述）。

Risk-MaPP改訂版では，次のように述べている（6.3.2.3項）。

- 洗浄閾値は，HBELにもとづいて設定される。
- 3つの方法（HBEL基準，0.1％投与量基準，10ppm基準）による洗浄許容値の最小値を基準として使いたくなるが，これには科学的な根拠がない。
- 必要な唯一の基準は，HBELを用いた基準値であり，バリデートされた分析方法であり，目視で清浄ということである。

さらに，関連する洗浄に関する各種のガイドでも同様である（後述）。

1.6 伝統的な洗浄評価基準の今後の取り扱い

それでは，従来使われてきていた0.1％投与量基準および10ppm基準は，今後どのような位置づけになるのであろうか，まったく使われないのであろうか。

結論を先にいえば，洗浄の合否を決める基準として使うのではなく，洗浄工程というプロセスをコントロールするための値として，いわば洗浄の目安として，具体的な洗浄パラメータを決めるうえでの「作業管理目標値」の意味合いで使われることになる。

この考えは，表現は異なるものの，規制文書，専門家団体からのガイドラインで共通的に記述されている。

①EMA／PIC/SからのHBELを設定するためのガイドラインQ&A最終版では，そのQ&A No.6（洗浄限度値の設定に関する項）の中で，次のように規定している（本書2.5.6項参照）。

「・・・*既存の製品に関しては，製造企業がそれまでに用いていた洗浄限度値は維持されるべきであり，（筆者加筆：従来の洗浄限度値は）アラート限度値として考えられうる。ただし，その洗浄プロセス性能を考慮した場合に，従来の洗浄限度値が（筆者加筆：HBELによる洗浄閾値に対して）十分な余裕を確保でき，HBELによる洗浄閾値を超える逸脱状況を防止できることが確認されている場合である。同様な手順が，設備に新規導入される製品について洗浄アラート限界を設定する際にも採用されるべきである。・・・」（文責下線強調筆者）*

②Risk-MaPP改訂版では，従来の洗浄基準の取り扱いについて，次のように記述している（6.3.2.3項）。

「・・・従来の基準による限界値は，プロセスコントロールの限界値として用いられるべきである。というのも，今までの限界値は伝統的にも多くの場合において達成されてきているからである。・・・」（文責下線強調筆者）

このプロセスコントロール限界値については，Risk-MaPP改訂版6.3.2.1項でも触れられており，コントロールリミット（アラートレベルまたはアクションレベルという表記もある）とも表記されている。アウトオブスペックになる限度よりも厳しいところに位置するものであるとしている。

③後述するISPEからのライフサイクルモデルにもとづく洗浄ガイドでは，伝統的な洗浄評価基準の扱いについて，6.1.1.3項および6.1.5項に記述がある。

「・・・治療用量にもとづく伝統的な限度値（legacy limit）が，ADEまたはPDEによる限度値よりも低い場合には，伝統的な限度値は洗浄プログラムの中でアラートレベルとして使用されてもよい。ADEまたはPDEによる限度値が，治療用量にもとづく既存の伝統的な限度値よりも低い場合には，ADEまたはPDEにもとづく限度値が使われる。」（6.1.1.3項）（文責下線強調筆者）

同ガイドの6.1.5項でも同様な趣旨を述べており，前述のEMA／PIC/SからのHBEL設定ガイドラインQ&A最終版を引用している。

洗浄目標の設定については，後述の9.3項でも詳しく説明する。

なお，これらに先立ち，筆者はHBELにもとづく洗浄閾値からできるだけ離れたところの洗浄目標を設定する際に，従来から厳しいといわれていた基準を用いてはどうかと提案している（2014年）[12]。すなわち，目視で検出できる限界1μg/cm²，10ppm基準のうちの最も厳しい側を洗浄目標値として設定するのがよいのではないかというものである。この場合の10ppm基準はあくまでも目標設定のためのツールとして扱うものである。この考えのもとにあるのは，伝統的な評価基準を用いて洗浄評価を実施してきている長年の経験，技術的な知見の蓄積を活用できないかというものである。

1.7 洗浄に関する合理性を求める動き

医薬品製造業界では，おもに抗がん剤などの開発のために，新規の化合物が1980年代後半から1990年代初期において爆発的に増加してきた経緯がある（本書14.2項参照）。活性の高い物質を利用する機会が多くなってきていた。このため，労働安全衛生の分野では，製造現場での作業従事者の健康を守る基準が，自主的なものとはいえ，比較的に早い時期から科学的な根拠をもって整備されてきていた。たとえば，HBELであるOELを設定する動きとして，メルク社のSargentらの報文が出たのは1988年である[13]。その後には，OELの設定に関する報文が続々と発表された。

さらには，活性物質を医薬品に利用する事例が増えてきたことを背景に，アメリカの5大企業が集まって，職場の労働安全衛生のためのガイドラインをまとめようとしたのが1988年である[14]。そして，その成果の一部が，メルク社のNaumannらにより，コントロールバンディングの先駆けであるPerformance-Based Exposure Control Limit（PB-ECL）として提起されたのである（1996年）[15]。その経過は本書の付録14.2項を参照してほしい。

労働安全衛生の分野では，その後，封じ込めという視点からの設計手法の整備が行われ，2000年前後には今でいうリスクベースアプローチの原型が提唱され始めている（その例はイギリスのCOSHH Essentialにみられる）。

一方，目を転じて，実際に医薬品を服用する患者の安全性はといえば，交叉汚染を防ぐという安全性評価の部分で，科学的なアプローチがないままで，合理性を欠く状態が続いていたわけである。洗浄に関する法規制上での明確な指針がないうえ，業界で使用されていた洗浄基準についてもさまざまなものが存在している状況であった。専用化要件，洗浄評価基準において，多くの課題を抱えていたことはすでに紹介してきたとおりである。

医薬品として同じ物質を扱っているにも関わらず，製造する側（運転員）と利用する側（患者）での取り組みには，このような大きなギャップがあったといってよい。規制当局としては，とくに患者保護の点から，この不合理を解消する必要に迫られていたのである。

FDAはこの点を鑑みて，「21世紀のｃGMPガイドライン」を2004年に発出し，「科学にもとづくリスクベースアプローチ」という概念を提唱し，科学的な根拠を求める姿勢を強く打ち出した（この概念は，その後ICH Q9「品質リスクマネジメントに関

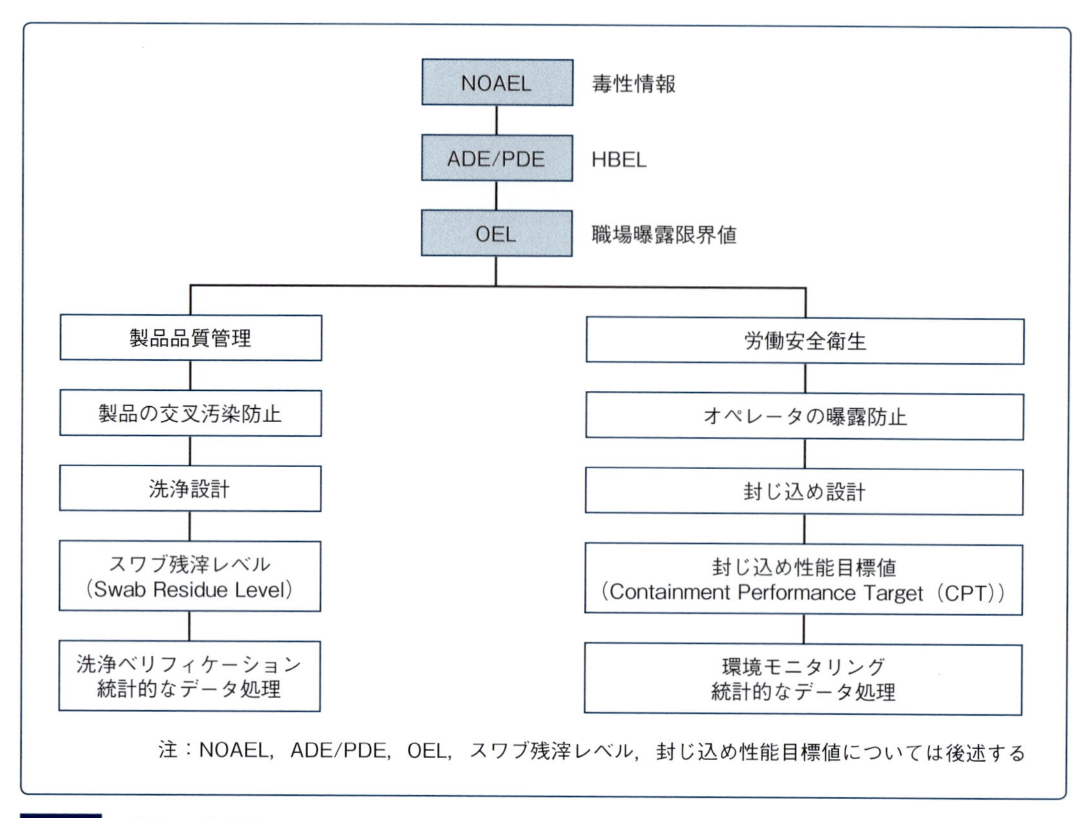

図1-2　共通の基盤としてのHBELと使われ方

するガイドライン」につながっていった）。品質に関連するリスク評価を，科学的知見にもとづいて行うものとされた。

FDAはさらに具体的なソリューションを求めて，ISPEに対して，「高ハザード医薬品を特定する手法の提供」，「同手法を洗浄バリデーションへ適用する場合の考察」，「リスクマネジメント／リスクアセスメントモデルの提示」を諮問した（2006年）。その後，数年の検討を経て発刊されたのが，ISPEからのRisk-MaPP初版である。その経過は本書の付録14.1項を参照してほしい。

Risk-MaPP初版では，医薬品の品質確保のための洗浄評価と，製造作業従事者の健康確保のための曝露評価を科学的に実施する目的のために，HBELを共通の基盤として用いることを提案した。Risk-MaPP初版の記述内容は，この２つの命題をICHの品質リスクマネジメント／リスクアセスメントと絡めてまとめたものであるといえる（**図1-2**）。

EU-GMP（2014年）は，このような流れを受けて，GMPとして初めて，専用化要件を明確にし，多目的設備における交叉汚染防止のために，科学的な根拠にもとづく洗浄評価手法を導入したものといえる。

1.8 今後のマルチパーパスプラントのあり方

HBELの実際の適用・運用に際してはまだまだ課題があるとはいえ，専用化要件が明確になったこと，および洗浄についての科学的な取り組みが可能となったことで，本来的なマルチパーパスプラントのあり方について今後検討することができる状況になってきた。

科学的な取り組みの体制が整えば，極端にいえば，高薬理活性医薬品でも一般医薬品でも同様に扱える設備を構築できることになる。

実際には，高薬理活性医薬品では，ハザードレベルに応じて封じ込め対応（一次封じ込め・二次封じ込め）する必要があるし，高いレベルの分析機器を揃える必要や洗浄パラメータの設定などにおいて難しい状況になる場合もあると思える。

とはいえ，高薬理活性医薬品だからといって，過剰に不安になることはなく，科学的なアプローチを行う前提では差がなく扱える。そのための基準がHBELといわれているものである。

高いハザードレベルの医薬品を継続的に製造している設備では，高ハザード対応のマルチパーパス様式が最適であろう。

一方，そうではない場合として，同一の設備で，ときには一般原薬，あるときには高薬理活性原薬を製造するということも可能になる。洗浄技術を確立することで，さらなるフレキシビリティが出てくる（封じ込めも考慮しなければならないので明確な線引きはできないが）。

取り扱う物質のHBELをもとにして，洗浄および封じ込めのリスク評価を行うことで，どのように対応するかを決定することができる。

2 洗浄にかかわる最新規制と関連ガイドライン

2.1 規制・ガイドラインの動向～概要

規制・ガイドラインを巡る2014年以降の流れについて，概要を説明する。まず，EMAから，GMPの改訂版およびHBELを設定するためのガイドライン最終版が2014年に発出された。その後HBEL設定ガイドラインについてのQ&Aも2018年に出ている。少し遅れをとっていたPIC/Sからは，2018年にGMPの改訂版およびHBEL設定ガイドラインが，2020年にはHBEL設定ガイドラインのQ&Aが発出されている。PIC/SからのHBEL設定ガイドラインおよびQ&Aは，EMAからの最終版と同じ内容である（Q&Aでは小さな追記がある）。PIC/Sからは，関連して複数の査察官用ガイドが備忘録（Aide Memoire）の形で発出されている。

EMAからの規制文書の流れを時系列的に並べると次のようになる。HBEL関連の文書については，英文名称および和文名称（和訳文責筆者），本書内で用いる略称を記している。

- EU-GMP Vol.4 Chapter 3 & 5（2014年8月）
- Guideline on setting health based exposure limits for use in risk identification in the manufacture of different medicinal products in shared facilities（EMA/CHMP/CVMP/SWP/169430/2012）
  （「共用設備においてさまざまな医薬品を製造する際のリスク特定に用いられるHBELの設定に関するガイドライン」）（以下，EMA HBELガイドラインという）（2014年11月）
- EU-GMP Annex 15 Qualification & Validation（2015年3月）
- Questions and answers on implementation of risk-based prevention of cross-contamination in production and 'Guideline on setting health-based exposure limits for use in risk identification in the manufacture of different medicinal products in shared facilities'（EMA/CHMP/CVMP/SWP/169430/2012）

(EMA/CHMP/CVMP/SWP/246844/2018)
(「製造におけるリスクベースでの交叉汚染防止の実現および『共用設備においてさまざまな医薬品を製造する際のリスク特定に用いられるHBELの設定に関するガイドライン』に関するQ&A」)(以下，EMA HBELガイドラインQ&Aという)(2018年4月)

関連するPIC/Sからのガイドラインおよび査察官用ガイドは次のとおりである。HBEL関連の文書については，英文名称および和文名称(和訳文責筆者)，本書内で用いる略称を記している。

・PIC/S-GMP Annex 15 Qualification & Validation (2015年10月)
・PIC/S-GMP PE 009-14 Part1 (2018年7月。最新版PE 009-15は2021年5月に発出されている)
・PI 046-1 GUIDELINE ON SETTING HEALTH BASED EXPOSURE LIMITS FOR USE IN RISK IDENTIFICATION IN THE MANUFACTURE OF DIFFERENT MEDICINAL PRODUCTS IN SHARED FACILITIES
(「共用設備においてさまざまな医薬品を製造する際のリスク特定に用いられるHBELの設定に関するガイドライン」)(以下，PIC/S HBELガイドラインという)(2018年7月)
・PI 053-1 QUESTIONS AND ANSWERS ON IMPLEMENTATION OF RISK-BASED PREVENTION OF CROSS-CONTAMINATION IN PRODUCTION AND 'GUIDELINE ON SETTING HEALTH-BASED EXPOSURE LIMITS FOR USE IN RISK IDENTIFICATION IN THE MANUFACTURE OF DIFFERENT MEDICINAL PRODUCTS IN SHARED FACILITIES'
(「製造におけるリスクベースでの交叉汚染防止の実現および『共用設備においてさまざまな医薬品を製造する際のリスク特定に用いられるHBELの設定に関するガイドライン』に関するQ&A」)(以下，PIC/S HBELガイドラインQ&Aという)(2020年6月)
・PI 043-1 AIDE-MEMOIRE：CROSS-CONTAMINATION IN SHARED FACILITIES
(「共用設備での交叉汚染防止備忘録」(以下，交叉汚染防止備忘録という)(2018年7月)
・PI 052-1 AIDE-MEMOIRE：INSPECTION OF HEALTH BASED EXPOSURE LIMIT (HBEL) ASSESSMENTS AND USE IN QUALITY RISK MANAGEMENT (「HBEL評価文書とQRMにおける利用に関する備忘録」(以下，HBEL評価文書備忘録という)(2020年6月)

なお，以降の説明では，EMAからの文書とPIC/Sからの文書は基本的に同じ内容であることを踏まえ，EMAからの文書で代表させる。必要な場合には，EMAまたはPIC/Sからの文書であることを明記する。

国内では，GMP省令が改正され，発出されている（2021年4月）。その施行通知において，交叉汚染防止のための洗浄評価および専用化に関する規定は，関連するPIC/Sガイドラインを踏まえたものであることが明記されており，毒性学的評価による洗浄バリデーションへの方向性が明確になった。

これで，洗浄評価および品質リスクマネジメント（QRM）において，HBELを全面的に導入する規制上の体制が整ったことになり，本格的な「HBEL時代」を迎えることとなった。

さらに，専門家団体からの関連するガイドとして，HBELの利用を提唱し，推進していたRisk-MaPPの改訂版（2017年7月）が発刊されている。2010年以降の規制の流れを織り込み，HBELを用いる場面での関係者の議論を踏まえ，洗浄評価についての項目が大きく見直されて，より実践的な内容となっている。さらに，ISPEからは，洗浄バリデーションにライフサイクルモデルを取り込んだ洗浄専門の「ガイド：洗浄バリデーションライフサイクル−その応用，方法，管理（Guide：Cleaning Validation Lifecycle − Applications, Methods, and Controls）」（以下，ISPE洗浄ガイドと呼ぶ。和訳文責筆者）が発刊されている（2020年8月）。このガイドは，実践的な立場から幅広く洗浄に関する話題を取り上げている。EMAおよびPIC/Sからの関連文書の内容を踏まえてわかりやすいものとなっている。

また，ASTMからは，複数の有益なガイドが相次いで発刊されている（和訳文責筆者）。

- E3106　Standard Guide for Science-Based and Risk-Based Cleaning Process Development and Validation（「科学およびリスクにもとづく洗浄プロセスの開発とバリデーションのためのスタンダードガイド」）（以下，ASTM洗浄ガイドという）（2018年5月発刊。改訂版2018年9月）
- E3219　Standard Guide for Derivation of Health-Based Exposure Limits (HBELs)（「HBEL設定のためのスタンダードガイド」）（以下，ASTM HBELガイドという）（2020年4月発刊）
- E3263 Standard Practice for Qualification of Visual Inspection of Pharmaceutical Manufacturing Equipment and Medical Devices for Residues（「医薬品製造機器および医療機器における洗浄残滓を目視検査する際の適格性確認のためのスタンダードプラクティス」）（以下，ASTM目視検査ガイドという）（2020年11月）

関連する規制当局からの文書，専門家団体からのガイドの時系列的な流れを**表2-1**にまとめて示す。これを見ると，約10年のスパンで大きな変革の流れがでてきてい

表2-1 各種規制，ガイドラインの歴史的な流れ

	国際機関	規制当局	洗浄バリデーションに関するガイドライン
1987		FDA Process Validation	
1993		FDA 査察官用洗浄に関するガイド	イーライリリー社の評価基準 (Fourman & Mullenの報文)
1997	ICH Q3C		
1998			PDA TR-29
1999			CEFIC/APIC 洗浄ガイド（原薬）
2000	ICH Q7		CEFIC/APIC 洗浄ガイド（原薬）
2001		EU-GMP Guideline Annex 15	
2004		FDA 21世紀のc GMPガイドライン （リスクベースアプローチ）Final Report	
2005	ICH Q9		
2008	ICH Q10		
2009	ICH Q8（R2）		
2010		HBEL（ADE）が導入された	PDA TR-49（Bio） Risk-MaPP初版
2011		FDA New Process Validation Guide	
2012		EMA PV Guideline ドラフト EMA HBELガイドライン ドラフト	PDA TR-29
2013		EU-GMP Vol.4 改訂ドラフト （専用化要件／交叉汚染防止）	
2014	ICH M7	EU-GMP Vol.4 Annex 15 改訂ドラフト EU-GMP Vol.4 改訂最終版 EMA HBELガイドライン 最終版	CEFIC/APIC 洗浄ガイド（原薬）
2015	ICH Q7 Q&A	EU-GMP Vol.4 Annex 15 改訂最終版 PIC/S GMP PE009-12 改訂版	
2016		EMA HBELガイドライン Q&A ドラフト	CEFIC/APIC 洗浄ガイド（原薬）
2017			Risk-MaPP改訂版
2018		EMA HBELガイドライン Q&A 最終版 PIC/S GMP PE009-14 改訂版 PIC/S HBELガイドライン PI046-1	ASTM 洗浄ガイド E3106
2019			
2020		PIC/S HBELガイドラインQ&A PI053 PIC/S HBEL評価文書備忘録 PI052	ISPE 洗浄ガイド ASTM HBEL ガイド E3219 ASTM 目視検査ガイド E3263
2021		PIC/S GMP PE009-15 改訂版 改正GMP省令 最終版	CEFIC/APIC 洗浄ガイド（原薬）

ることがわかる。

2.2 EU-GMP／PIC/S-GMP

2.2.1 概要

HBELを品質リスクマネジメントに関する規制上の基盤として位置づけたのは，2014年8月に発出されたEU-GMP Vol. 4（ヒト用および動物用医薬品のためのGMPガイドライン）の改訂最終版（以下ではEU-GMPと記す）が最初である。

EU-GMPの内容として，従来とは下記の3点が大きく変わっている。

・Chapter 3：Premises and Equipmentでの専用化要件
・Chapter 5：Productionでの交叉汚染防止に関する措置
・Annex 15：Cleaning Validationでの洗浄評価

Chapter 3では，従来から指摘されてきていた曖昧性が排除され，毒性学的評価による専用化要件が規定されている。Chapter 5では，交叉汚染防止のための具体的な方策が技術的な措置および管理的な措置として多数例示されている。それらは，封じ込めに関する項目も多くあり，交叉汚染防止と封じ込めが密接に関連することを示唆していると思える。Annex 15では，洗浄閾値は毒性学的評価により決定されるべき旨が明記され，あわせて脚注にてHBEL設定ガイドラインが引用されている。

EU-GMPのもとになっている思想は，ICH Q9が提唱している品質リスクマネジメント，リスクベースアプローチである。EU-GMPは，設備専用化の判定および交叉汚染防止のためのリスクアセスメント（主として洗浄評価）においては毒性学的な評価によるとしており，具体的には科学的な根拠をもつHBELを使用することを明確に位置づけたものといえる。

2.2.2 専用化要件

ここでは，専用化要件が規定されているChapter 3の3.6項を紹介する。従来の問題点および今後の考え方については，本書1.4項で詳しく述べた。

EU-GMPでは，専用化を要する物質名をあげて網羅的に対処するのではなく，化合物のハザードレベルによるリスクを評価したうえで，適切にリスクコントロールできない場合には専用化するとしたものであり，従来の姿勢から大きく転換したことが特徴である（文責下線強調筆者）。

第3章　製造エリア

3.6 製造設備の適切な設計と運転により，すべての製品に対して，交叉汚染は

防止されなければならない。

交叉汚染を防止するための方策は，リスクとバランスするものでなければならない。

品質リスクマネジメントの原則を用いて，リスクをアセスメントしコントロールしなければならない。

リスクのレベルに応じて，いくつかの医薬品によってもたらされるリスクを管理するために，製造および／または包装工程のための建物および機器類を専用化することが必要とされることがある。

医薬品が次のようなリスクを示す場合には，専用化された製造設備が必要である。

a）リスクが，運転および／または技術的な方策で十分にコントロールできない場合

b）毒性学的な評価に由来する科学的なデータが，リスクをコントロール可能であることを示さない場合（たとえば，βラクタムのような高感作性物質に由来するアレルギー性がある場合）

c）毒性学的な評価から得られる残滓限界が，バリデートされた分析方法によって，満足のいくように同定しえない場合

2.2.3　交叉汚染防止措置

交叉汚染防止措置について，Chapter 5から，該当する項目を紹介する。交叉汚染防止策として，効果的で再現可能な洗浄工程が重要であることが強調されている。そして，交叉汚染防止のための技術的な措置・管理的な措置について具体的に記載されている。

①交叉汚染の要因と防止について

偶発的に起こりうる交叉汚染の要因として，

・粉じん，ガス，エアロゾルなどが管理されていない状態で放出されている場合

・機器の表面に洗浄残滓がある場合

・運転員の更衣自体

があげられている（5.18項）。

また，交叉汚染の防止は，建物，機器の設計に加えて，プロセス設計，技術的・管理的措置，洗浄プロセスによって実現されるべきであるとしている（5.19項）。

②品質リスクマネジメントについて

品質リスクマネジメントでは，有効成分の活性と毒性について評価を行い，その結果は交叉汚染リスクを管理する場合のツールとして用いられるべきであるとしている（5.20項）。その場合の検討項目としてあげられているのは，設備設計，動線，洗浄，

分析などである。そして，専用化が必要となるとしても，その専用化の意味合いには幅があることを述べている。

> *5.20*
>
> *品質リスクマネジメントは，活性と毒性学的な評価を含むものであり，その作業の結果は，製造される製品にもたらされる交叉汚染のリスクを評価し，コントロールするために用いられるべきである。*
>
> *考慮しなければいけない因子は，次のとおりである；　設備・機器の設計とその運用，人およびモノの流れ，微生物コントロール，活性物質の物理化学的性質，プロセスの特徴，洗浄プロセス，製品の評価から設定される残渣限界に対応する分析能力など。*
>
> *品質リスクマネジメントの結果は，特定の製品または製品群に対して，建物および機器が専用化されるべきかどうか，およびどの範囲までとするかを決定するベースとなるものである。*
>
> *専用化については，特定の製品についての接触部品を専用化するレベルから，製造設備全体を専用化するまでを含むものである。十分な根拠があれば，多品種製造設備内において，製造活動を限定して，分離・隔離した製造エリアとすることも許容しうる。*

③技術的な措置について

技術的・運用管理的な措置の中では，設備設計とも関連する項目が多数規定されている。とくに，高薬理活性物質を扱ういわゆる封じ込め設備で考慮するべき項目があげられている。たとえば，密閉システム，物理的な隔離手段，空調，エアーロックなどである。

なお，EU-GMPは，高薬理活性物質のみを扱っているわけではなく，薬理活性レベルの低い一般製品も対象としている。そのため，以下の項目をどのように適用するかは，リスクレベル次第である。

技術的な措置の全文を以下に示す（文責筆者）。

> *5.21*
>
> *技術的な措置*
>
> *1）専用化された製造設備とすること（建物および機器）。*
>
> *2）自己完結的にすべて備わった製造エリアとし，個別の生産機器および個別のHVAC設備を有すること。望ましくは，ある種のユーティリティは，ほかのエリア用のものとは隔離される。*
>
> *3）製造プロセス，建物および機器は，プロセス工程，メンテナンスおよび洗浄*

時において，交叉汚染の機会が最小になるように設計すること。
4）プロセス工程，および機器間での材料・製品の移送プロセスにあっては，「閉鎖系システム」を利用すること。
5）封じ込め手段として，たとえばアイソレータを含む物理的な隔離システムを利用すること。
6）汚染物質の発生源に近いところで，管理された方法でダストの除去をすること。たとえば，局所排気システムなどによる。
7）プロセス機器を専用化すること，製品接触部分を専用化すること，または，洗浄が難しい特定な部品（たとえば，フィルタ）を専用化すること，およびメンテナンスツールを専用化すること。
8）シングルユースのディスポーザブル技術を用いること。
9）容易に洗浄ができるように設計された機器を用いること。
10）エアーロックおよび室圧の差圧を適切に利用して，特定のエリア内におけるエアーボーンによる汚染物質を閉じ込めること。
11）未処理または不十分な処理の空気を再循環するまたは再流入することによる汚染のリスクを最小とすること。
12）有効性がバリデートされている自動定置洗浄（CIP）システムを利用すること。
13）共用の一般洗浄エリアについては，機器洗浄エリアと乾燥エリアおよび保管エリアを分離すること。

これらの中にあって，高薬理活性物質を扱う設備という視点で見てみると，
・建物，機器，プロセスは，交叉汚染防止の機会が最小になるように設計すること
・個別のHVACの採用
・プロセス工程および移送プロセスにおける閉鎖系システムの採用
・封じ込め手段としての物理的なバリアシステムの採用
・管理された局所排気システムの利用
・シングルユース技術の利用
・洗浄性の高い機器の採用
・エアーロックや室圧管理による二次封じ込めの実現
・不十分な処理での空気再循環は不可であること
・自動洗浄方式の採用
などは，まさしく封じ込め設備を設計運用する際の検討事項そのものといえるものである。

④運用管理的な措置について

運用管理の方策の全文を以下に示す（文責筆者）。

5.21

管理的な方策

1）製造設備の全体を専用化すること。または，自己完結的にすべて備わった製造エリアをキャンペーン方式（時間を分けるという意味合いでの専用化）で用いること。それは，引き続いて，有効性がバリデートされた洗浄プロセスに供せられる。

2）特定の保護衣を，交叉汚染のリスクが高い製品を扱うエリア内で用いること。

3）毎キャンペーン生産後に実施される洗浄ベリフィケーションは，より高いリスクをもたらすと見なされている製品に対して，品質リスクマネジメントアプローチの有用性を確認するための検出ツールとして考えられねばならない。

4）汚染のリスクに応じて，製品非接触部の洗浄ベリフィケーションおよび製造エリア内および／または隣接するエリア内での空気のモニタリングを実施すること。

これは，エアーボーンによる汚染またはメカニカルトランスファーによる汚染に対するコントロール措置の有効性を明らかにするためである。

5）廃棄物処理，汚染されたリンス水（洗浄水）および汚染された着衣についての特定な処理方法をとること。

6）漏れ（こぼし），偶発的な事象，手順からの逸脱がある場合を記録すること。

7）建物および機器についての洗浄プロセスを適宜設計すること。その場合，洗浄プロセス自体が交叉汚染のリスクとならないようにすること。

8）承認された手順に従って洗浄が完了したことを担保するために，洗浄プロセスについての詳細を記録する方法について設計すること。ならびに，機器および製造エリアに洗浄の状態を示すラベルの利用法について設計すること。

9）キャンペーン方式で，共用の一般洗浄エリアを利用すること。

10）作業行動を監督（supervision）すること。これは，トレーニングの効果を確かめること，および適切な手順管理が遵守されているかどうかを確認するためである。

運用管理の点から，注目すべき点は以下のとおりである。

・（多目的設備での）キャンペーン生産ではバリデートされた洗浄プロセスが必要であること

・洗浄ベリフィケーションが重要であること

・汚染リスクを回避するために，製品非接触部の洗浄ベリフィケーションに加えて，製造エリアおよび隣接エリアでのエアーボーン物質のモニタリングが必要であること

・廃棄物，活性の高い洗浄排水，活性物質が付着した更衣の処理が必要であること
・漏れが生じた場合や手順からの逸脱があった場合もきちんと記録すること

とくに，現場における運用管理において，薬じんについての製造環境モニタリングの必要性が明記されたことは特筆すべきことである。従来のGMPにおいては明記されていなかった項目である。モニタリングのデータは，交叉汚染を防止するうえで製造環境の清浄性が確保されていることを確認するために必要である。さらに，封じ込め性能を把握するためにも，および現場作業手順書が遵守されているかどうかを確認するためにも必要である。また，薬じんのモニタリングデータは健康サーベイランスの基礎データにもつながる。これらは，高薬理活性物質を取り扱う場合には非常に重要なことであるが，往々にして見過ごされてしまうことである。

2.2.4　PIC/S-GMPについて

内容が大きく改訂されたPIC/S-GMP（PE 009-14）が2018年7月に，さらに，改訂版PE 009-15が2021年5月に発出されている。PIC/S-GMPの内容は，専用化要件，交叉汚染防止措置，洗浄評価基準について，EU-GMPとすべて同じ内容となっている。

経過を簡単に紹介する。2015年10月時点のPE 009-12では，専用化要件および交叉汚染防止項目は，「旧版EU-GMP」と同じ内容であった。すなわち，専用化要件（Chapter 3）では，「ある種のXX」という規定がまだ残っていた。また，交叉汚染防止項目（Chapter 5）では，技術的な措置および運用管理的な措置を述べているものの，記述内容が少ないままであった。

一方，Annex 15は，2015年10月の時点ですでに，EU-GMP Annex15と同じく，洗浄評価は「毒性学的評価にもとづく」と規定されており，GMP本体との間で不整合が生じていた状況があった。

改訂版（PE 009-14）の発出によりEU-GMPと同じ内容となり，整備が遅れていた状況および不整合のある状況が解消され，HBELの利用に関する本格的な環境が整ったことになる。

2.3　EU-GMP／PIC/S-GMP Annex 15 Validation

EU-GMP／PIC/S-GMP Annex 15の中では，洗浄バリデーションに関する事項がProcess Validationとは別に，第10項にて規定されている。

本書に関連する主要な項目は下記のとおりである。

①製品残滓の洗浄閾値は，「毒性学的な評価」にもとづかなければならない（10.6項）。

なお，この項の注記において，EMA HBELガイドラインが引用されている。

②ワーストケースアプローチを採用する場合には，溶解性，洗浄性，毒性そして活性程度を考慮し，ワーストケースを選定した科学的根拠が示されなければならない（10.10項）。

③洗浄プロセスの適格性を確認するランは，リスクアセスメントにもとづいて「適切な回数」を実施しなければならない（10.13項）。

なお，従来からの「連続して3回のラン」という項目がなくなっている。

④目視検査は，洗浄評価基準の重要な一部である。一般的には，唯一の評価基準として用いることは認められない（10.2項）。

⑤洗浄工程について，洗浄の有効性と性能に影響を与える変動因子を特定しなければならない（10.5項）。

⑥サンプリング箇所の選定の根拠が示されなければならない（10.11項）。

以前は，「持ち越し限界を選定する根拠は，論理的でなければならない。限界値は達成可能で検証可能でなければならない」としているだけであった。現在では，具体的に「製品残滓の持ち越しの限界は，毒性学的な評価（toxicological evaluation）にもとづかねばならない」（10.6項）と明記されている。

なお，EU-GMP Annex 15のGlossaryにおいては，Cleaning Validation，Cleaning Verification，Continued Process Verificationなどの用語についても定義を与えている。

2.4 EMA／PIC/S HBELガイドライン

2.4.1 概要

多目的製造設備における大きな命題は交叉汚染防止である。

本ガイドラインは，規制として初めて，洗浄評価に科学的な指標であるHBELを用いることを規定した画期的なものである。

その概要は次のとおりである。

①交叉汚染の由来について明記している。

②交叉汚染リスクを管理するために，HBELが用いられるべきと明記している。

③HBELの算出にあたっては，NOAEL（LOAEL）を用いている。

④不確実係数は，ICH Q3Cにある附則3によるとしている。

⑤遺伝毒性物質の閾値は1.5μg/person/dayとした（1×10^{-6}リスク）（後述のTTCの概念によるデフォルト）。

⑥治験薬などデータが不十分である場合には，TTCの概念にもとづくデフォルトを用いることができるとしている。

⑦HBELとして，EMA／PIC/S HBELガイドラインで設定しているPDEとRisk-MaPP改訂版で定義しているADEは，「実質的に同義語（effectively synonymous）」であるとしている。
⑧本ガイドライン以外のアプローチでも，立証可能であれば認めるとしている。

以上は概要であるが，興味深いのは，このガイドラインのIntroductionにおいて，HBELを導入する背景について，規制当局の率直な意見が記されていることである。すなわち，従来の専用化要件にあった「ある種のXX」の取り扱いについて触れ，その線引きをする公的なガイダンスがなかったとしていることである。さらに，交叉汚染を防止するための洗浄作業において，その持ち越し限界の基準について課題があったことにも言及している。そのうえで，今後の洗浄基準として，HBELにもとづいて設定される閾値を用いることができると記されている。

洗浄基準に関するドラフト段階の文章についてはすでに紹介した（本書1.5.7項参照）。ここでは最終版の該当箇所を以下に抜粋する（文責下線強調筆者）。

「洗浄工程は，（交叉汚染）リスクを低減するための方策であり，洗浄バリデーションに対する持ち越し限界値（複数）は製薬業界で広く用いられている。さまざまなアプローチがこれらの限界値を設定するために採用されているが，それらは薬理学的および毒性学的なデータの利用については考慮していないことが多い。
このために，医薬品で用いられる物質のすべてのクラスに対して，より科学的なケースバイケースのアプローチがリスク認識のために保証される必要があり，また，リスク低減の方策を支援するために必要とされる。
このガイドラインの目的とするところは，個々の活性物質についての薬理学的および毒性学的なデータを検討し評価するためであり，そのうえで，GMPガイドラインにて言及されている閾値レベルを決定することを可能とするアプローチを推奨することである。
この閾値レベルはリスク評価のためのツールとして用いることができ，また，洗浄バリデーションにおける持ち越し限界を正当なものとするために用いることができる・・・」。

伝統的な洗浄評価基準については，上記の最終版の表現よりも，ドラフトの段階のほうがより直接的な表現であり，具体的な洗浄基準の名前が明記されていた（本書1.5.7項参照）。

2.4.2　パブリックコメント段階の話題から～NOAELの取り扱いについて

最終版に先立つパブリックコメントのすべての内容がWEB上で公開されている。

約30の業界関連団体，製薬企業，コンサルティング企業などからのコメントを見ると，業界の考え方の一端をうかがい知ることができる（2015年9月）。

ここでは，パブリックコメント段階で多くのコメントが寄せられた事項の一つとして，NOAELの取り扱いを紹介する。ドラフトの段階では，HBEL計算の出発点として，ICH Q3Cと同じくNOELが提示されていた。しかしながら，パブリックコメントの集約段階において，業界の多数意見として「NOAELにするべし」という意見があり，それを反映して最終版ではNOAELとなった経緯がある（パブリックコメント2. Specific comments on text/line No. 148-154）。

そのようなコメントの一例を次に示す（文責筆者）。

「コメント：NOAELのほうが，より明確であると考えられる。ICH Q3Cが発出された時点では，NOELおよびNOAELは多くの場合，どちらも同じく交換しあえるようにして使われていた。しかし，現在では，多くの毒性学者はこれらの2つを区別することができ，NOAELが最も明確な指標であるという意見の一致（コンセンサス）がある。というのも，これは，明確ではない効果についての考慮を除外するからである。

変更提案：

NOELよりもむしろNOAELの利用が必要である」。

なお，上記に関するISPEからのコメントは，当然ながらNOAELを使うべしというものであった。

2.4.3 詳細項目

ここでは，EMA／PIC/S HBELガイドラインの「5. 特定項目」についてのみ要約して紹介する。HBELの設定については，別の項で説明する。

①遺伝毒性物質について

- 遺伝毒性不純物と同じ扱いとして，1.5μg/person/dayとする（リスクレベル1×10^{-6}）。
- 発がん性に関する十分なデータがある遺伝毒性物質については，TTCの概念によらずに，化合物特定のリスクアセスメントによる。
- 閾値に関するメカニズムについて十分な証拠のある遺伝毒性医薬品については，安全曝露レベルはPDEアプローチを用いて確立できる。

②高分子化合物について

高分子化合物は，洗浄工程で劣化し薬理学的に不活性化するので，洗浄評価においては（筆者加筆：活性のある状態のままの）PDEを用いることは必要ではない。

③生殖発生毒性に関する動物試験データが不足している場合について

- 医薬品開発の初期段階においては，生殖発生毒性の非臨床データがまだ整備されていないことがある。このような場合には，亜慢性／慢性試験のNOAELを用いることができ，不確実係数をたとえば10として適用することができる。
・もし関連する化合物において，すでに生殖発生毒性試験の適切なデータが入手されているのであれば，そこからRead Across Approach（リードアクロスアプローチ）の手法を用いて設定できる。

④治験薬について

・臨床試験Phase Ⅰ／Ⅱに使われる治験薬では，まだデータが十分に揃っていないことがある。そのような場合には，代替えのアプローチとして，TTCの概念によるアプローチを用いることができる。
・多くのデフォルトの値は慢性試験ベースである。一方，治験薬は短期間の使用であることを考えれば，より高い限度値を用いることも可能である。より高い限度値とする方法の例として，Bercu & Dolanの報文（2013年）がある。
・多くの薬理学的，毒性学的データが利用できる段階においては，化合物特定の限度値が設定されるべきである。

⑤PDE設定の報告文書

・モノグラフを用意する必要がある。
・査察官には総括したものをモノグラフの表紙として用意しておく必要がある（筆者注：そのひな型が提示されている）。

2.5 EMA／PIC/S HBELガイドラインQ&A

2.5.1　EMA HBELガイドラインQ&A最終版までの流れ

前述のEMA HBELガイドラインは規制として初めて洗浄評価にHBELを導入した存在である。産業界が今まで慣れ親しんできて実績もある伝統的な洗浄評価基準を取りやめ，新しい考えによる評価基準を普及させようという大きな意図をもった一大プロジェクトでもある。

発効した後の産業界では，対応できた企業がある一方で，うまく対処できなかった企業もあったようである。関係者から，さまざまな実務的な疑問点，質問などが生じたことも推察できる。

そのような状況を踏まえて，EMA HBELガイドラインQ&Aのドラフトが出された。ところが，このドラフトの内容は，それまでEMAが提唱していた理念とはかけ離れたものであり，後退的と思える部分もあった。このため，パブリックコメントでは，産業界から強い懸念を示すコメントが多く寄せられる状況となった。ドラフトの内容はかえって産業界に混乱をもたらす結果となったのである。そのため，EMAは産業界関係者を交えたワークショップを開催し，産業界からの意見を直接的に徴集し，パブリックコメント段階でのコメントとあわせて，最終案に至った経緯がある。

2005年 3 月	EMA Concept paper – Dealing with the need for updated GMP Guidance concerning dedicated manufacturing facilities
2011年10月 2012年12月 2014年11月 2015年 6 月	EMA HBELガイドラインのConcept Paper EMA HBELガイドラインドラフトが発出 EMA HBELガイドライン最終版が発出 EMA HBELガイドライン最終版が発効（新規製品）
2016年12月 2017年 6 月 2017年 7 月 2018年 4 月 2018年 7 月 2018年10月	EMA HBELガイドラインQ&Aドラフトが発出 EMA HBELガイドラインQ&Aワークショップ開催 EMA HBELガイドラインQ&Aワークショップ総括報告書・各種資料の開示 EMA HBELガイドラインQ&A最終版が発出 EMA HBELガイドラインQ&A最終版に関する見解書の開示 MHRA（UK）からEMA HBELガイドラインQ&A最終版に関する解説の開示

図2-1 **EMA HBELガイドラインおよびEMA HBELガイドラインQ&A：ドラフトから最終版への流れ**

その後，EMAからは最終案に至るまでの経緯および考えを示した見解書も公開されている。さらに，MHRA（UK）からはQ&Aの最終版についての解説記事も公開されている（**図2-1**）。

この一連の流れを詳細に取り上げているのは，ドラフト段階から最終版に至る経過が，利用者側にも開示されており，共有されているという貴重な例（珍しいケースともいえる）であると思えるからである。HBELによる洗浄評価基準という新しい概念を導入するに際して，関係者による各種議論が積み重ねられて，最終版に至るというプロセスを共有することで，HBELについての理解が，少なくとも欧州の規制当局側，企業側で深まってきているとも思える。

その各段階での資料を見ると，HBELおよび洗浄評価基準に対する規制側，企業側のそれぞれの考えがわかるとともに，それらの資料における議論をとおしてHBELに関する了解が進むとも思える。

なお，筆者による，EMA／PIC/S HBELガイドラインQ&A全項目について，さらには後述するPIC/S査察官用ガイドについての解説記事があるので，本書とあわせて参考にしてほしい[16]。

2.5.2 EMA HBEL ガイドライン Q&A ドラフトの概要

EMA HBELガイドライン最終版は，発出が2014年11月であり，2015年6月に発効となった（新規製品の場合）。実際の準備をするための期間が非常に短いものであったことは否めない。

その後の査察当局からのフィードバックもあり，EMAは，HBELの設定およびその利用に関する医薬品産業界内の進捗は，全般的な状況として当初想定していたほどには進んでいないとの認識に至ったようである。

このような状況を勘案し，選択肢を増やすという観点から，EMA HBELガイドラインのQ&Aドラフト（以下では，たんにQ&Aドラフトということがある）が2016年12月に出された（パブリックコメント期間が2017年1月～4月末と設定された）。

ドラフトでの項目の一覧を**表2-2**に示す。

Q&Aドラフトで洗浄に関連する主要な項目をまとめると次のとおりである。

①HBELの設定について

(1) 化合物を，高ハザード物質と，高ハザードではない物質とに区別する。そのために，高ハザード物質の定義を規定した（Q&AドラフトNo. 2）。

(2) 高ハザード物質については，EMA HBELガイドラインにあるような「完全なる形での毒性学的な評価」を実施して，HBELを設定する（Q&AドラフトNo. 1）。

(3) 高ハザードではない物質については，「完全なる形での毒性学的な評価」を実

表2-2　EMA HBELガイドライン Q&Aドラフト段階での項目と最終版での扱い

	EMA HBELガイドライン Q&Aドラフト	最終版での扱い
No. 1	すべての製品について，HBELを設定する必要があるか？	最終版のNo. 1へ
No. 2	どのような製品／活性物質が「高ハザード」であると考えられるか？	削除された
No. 3	OELまたはOEBを，高ハザードであるかどうかを決定する際の評価に利用できるか？	削除された
No. 4	HBELの計算に際しては，臨床試験データのみにもとづいてもよいか？（たとえば，最小臨床用量の1/1,000にもとづいてHBELを設定する）	削除された
No. 5	HBELを決定するうえで，LD_{50}の利用は認められるか？	最終版のNo. 10へ
No. 6	洗浄の目的のための限度値はどのようにして設定されるか？	最終版のNo. 6へ（大幅改訂）
No. 7	殺虫剤は，人または動物用医薬品を製造する機器と共用で製造されて，一次包装されてよいか？	最終版のNo. 11へ
No. 8	同じ設備で，異なる動物種用に動物用医薬品を製造するに際して，考慮しなければいけないことは何か？	最終版のNo. 12へ
No. 9	査察官は，いかにして，HBELの設定作業を行う毒性学専門家の適格性を確認しえるのか？	最終版のNo. 4へ
No. 10	治験薬でデータが限定されている場合には，どのようにHBELを設定するのか？	削除された
No. 11	小児用の製品が，大人または動物用医薬品と共用設備で製造される場合に，HBELの補正は必要とされるか？	削除された
No. 12	EU-GMP Chapter5 section 20 の要求事項を満足するうえで，HBELはどのような役割を果たすのか？	最終版のNo. 3へ
No. 13	交叉汚染のリスクを管理する手段として，専用化エリア内で，高ハザード製品を単純に隔離することは許容されるか？	最終版のNo. 9へ
No. 14	変異原性製品のガイドラインで1.5μg/person/dayとして適用されているTTCの概念は，デフォルトのアプローチと考えられるか？	削除された

施してHBELを設定するという選択肢に加え，最小臨床用量の1/1,000をHBELとするという選択肢を容認した（Q&Aドラフト No. 4）。

②洗浄評価について

(1) HBELを用いた洗浄閾値をそのままのレベルで（筆者加筆：限界値として）用いることは意図していない。洗浄における不確定要因を考慮して，何らかの安全マージンを考慮するべきであるとした（Q&Aドラフト No. 6）。

(2) 高ハザード物質については，HBELを用いた洗浄閾値に何らかの安全係数を考慮した数値とし，さらに従来の伝統的な洗浄評価基準（0.1％投与量基準または10ppm基準）よりも低くなければならないとした（Q&Aドラフト No. 6）（筆者注：これは，結局のところ，3つの基準のうちの最も厳しい数値を洗浄限度とするということであり，また，何らかの安全係数の設定という点も懸念を招くことになる）。

(3) 高ハザードではない物質については，最小臨床用量の1/1,000をHBELとするという選択肢を用いて洗浄評価することを容認している（Q&Aドラフト No. 4）（筆者注：結局のところ，従来の0.1％投与量基準を採用することになる）。

ドラフトで話題になった項目と，Risk-MaPP改訂版と比較したのが，**表2-3**である。

以上のうち，とくに注目したいのは高ハザード物質ではない化合物に対するHBEL設定の考えであり，「伝統的な」0.1％投与量基準を容認したことである。さらに，高

表2-3　EMA Q&Aドラフト vs Risk-MaPP改訂版

	EMA Q&Aドラフト（2016年12月）	Risk-MaPP改訂版（2017年07月）
化合物の区分け	高ハザード物質の定義を設定し，これにて，高ハザード／低ハザードという区別をする（Q&Aドラフト No. 2）	高ハザード／低ハザードという区別をしない
HBELの設定	・高ハザード物質については，HBELはフルの毒性学的評価を行って設定する（Q&Aドラフト No. 2） ・低ハザード物質については，フルの毒性学的評価を実施する選択肢のほかに，最小臨床用量の1/1,000としてもよい（Q&Aドラフト No. 4）	HBELの設定では，フルの毒性学的評価を行う
洗浄評価	・低ハザード物質については，0.1％投与量基準を洗浄評価に用いてもよい（Q&Aドラフト No. 6） ・高ハザード物質については，HBELを用いた洗浄閾値に何らかの安全係数を考慮した数値とし，さらに従来の伝統的な基準（0.1％投与量基準または10ppm基準）よりも低くなければならない（Q&Aドラフト No. 6）→これは結局のところ，3つの基準のうちの最も厳しい値を洗浄限度とすることになる	・伝統的な許容基準（0.1％投与量基準）の利用は推奨されない ・理想的には，HBELの適用による化合物特有の限界値が可能な場合には設定されるべきである ・洗浄評価基準として，3つの方法（HBEL基準，0.1％投与量基準，10ppm基準）による洗浄許容値の最小値を基準として使いたくなるが，これには科学的な根拠がない（6.3.2.3項）

ハザード物質についての洗浄評価では，3つの基準によるとしていることである。

これは，EMA（およびEU-GMP）自身が，EMA HBELガイドラインドラフトを発出する時点で認識し，その序文に明記していた洗浄評価基準に対する考えからの変容であるように思える（本書1.5.7項および2.4.1項参照）。

この背景としては，毒性学的知見がまだ十分に浸透していない中で，とくに中小の企業に対して，フルでの毒性学的評価を強いることが難しいという，業界内での現実的な状況があったようである。

このEMAの変化を現場の実情を踏まえたフレキシブルな対応と見るか，後退と見るかは，それぞれの立場によって異なる。実際に，次項で述べるワークショップの報告書としてEMA自身がまとめた文書では「フレキシビリティ」という表現をしているものの，一方で，産業界関係者は「後退」と感じるだろうとも記述している。

このような変化の背景・真意については，2017年冒頭の段階では公開されていなかったこともあり，よくわからなかったというのが実際のところである。

2.5.3　ワークショップ

Q&Aドラフトのパブリックコメント期間が過ぎ，各種のコメントが集約化された後の2017年6月に，MHRAなどのヨーロッパの主要査察当局，EFPIAなどのヨーロッパの業界団体，さらにISPE，PDAなどの専門家団体，そしてEMA関係者・専門家が参加したワークショップが開催された。

その際の議論をまとめたEMAからの総括報告書および関係者のプレゼン資料が公開されて，ようやく，EMAの意図が明白になった[17)]。

ワークショップの参加者からは，その立場によって多様な意見が表明されている。たとえば，率直な意見として，「Q&Aドラフトは旧来のアプローチとEMA HBELガイドラインの間でジグザグしているように見える」（ドイツ査察当局の代表R. Frötschl氏の発言）という意見もある。

ISPEおよびPDAは，当然ながらQ&Aドラフトの趣旨に懸念を表明している。ISPEの意見をまとめると，次のとおりである。

- ・HBELは，すべての活性物質に対して適用されるべきである。
- ・「高ハザード物質」というカテゴリー化は，科学的に堅牢ではない。
- ・洗浄基準は，HBELにもとづくべきである。
- ・伝統的な0.1%投与量基準は，移行時期または優先順位のためには有用かもしれない。しかし，ADEによる洗浄閾値との比較をすることなく，従来の0.1%投与量基準を使い続けることは，科学的な厳密性を欠くので取りやめるべきである。

一方で，欧州製薬団体連合会（EFPIA）からは，占める割合の多い既存上市品の取り扱いについて現実的な対応を求める提案がなされている（EFPIAの代表はファイザー社の関係者である）。すなわち，

- ・既存上市品の多くで（85%以上），伝統的な洗浄評価基準（0.1%投与量基準）の

ほうがADEによる洗浄閾値よりも低く得られる。このような場合，既存の洗浄限度は許容されるアプローチとして扱ってもよいかもしれない。
・既存上市品についてフルでの毒性学的評価を行うことは，著しい時間とリソースを要する。
・現場側としては，従来の洗浄基準で整合性良く洗浄でき，バリデートされている洗浄技術を再度見直すことは，躊躇するところである。

さらに，査察当局関係者からは，査察官からのフィードバックとして，現場側の実状が報告された。
・とくに中小企業においては，EMA HBELガイドラインで要求している毒性学的評価を実施することが，現実的に難しいことが多い。そのための専門的知見が不足していること，そのための人材がいないなどの理由からである。
・HBELを自社内で設定することが難しい場合には，外部から購入するという形もとられており，その分の費用と時間をかけることを強いている。また，購入したものの，その内容について社内での洞察がない場合もある。盲目的に購入しているという状況である。
・HBELをたんに洗浄評価のためだけに用いており，(EU-GMPが規定するような)交叉汚染防止のための技術的措置／管理的な措置と関連づけて利用できていない。
・社内にEMA HBELガイドラインをどのように利用するかについての標準ガイドがない場合もある。

これに加えて，査察する側の査察官自体においても，課題があることが明らかになった。
・査察官は，必ずしもHBELについての専門的知見に精通しているわけではない。査察時の主たる関心は，HBELの設定にあるのではなく，従来と同じように現場での観察に焦点が当てられている。
・毒性学的評価の部分については，査察官に判断を求めても無理な部分があり，アクションを遅くする要因になる。査察の最終判断に遅延を招くこともある。
・査察当局によっては，査察官に対しての毒性学的な訓練の支援が十分ではない場合がある。

2.5.4 最小臨床用量の1/1,000の取り扱い

高ハザードではない化合物について，どういう背景でEMA HBELガイドラインQ&Aドラフトは，最小臨床用量の1/1,000をHBELとして扱うことにしたのだろうか。従来の洗浄基準をそのまま移行したように思えるかもしれないが，専門家による議論を踏まえた結果であると推察できる。そのヒントは，EMA HBELガイドライン

Q&Aドラフトに先だって公開されていたTeasdaleらの報文にあると思えるので，以下に説明をする[18]。

EMA HBELガイドライン（2014年11月）が発出された直後に，業界大手製薬企業の毒性学・洗浄バリデーションの専門家が集まり，EMA HBELガイドラインを検証するためのワークショップが開催された。参加各社は，アストラゼネカ，メルク，ファイザー，ブリストル・マイヤーズスクイブ，イーライリリー，GSKなどである。

その主たる話題は，EMA HBELガイドラインの実施までの準備期間が短いことによる影響である。すなわち，膨大な数におよぶ既存上市製品の存在を考えると，EMA HBELガイドラインの実現タイムラインは，産業界に対して大変に大きな負担となるためである。すべての製品についてHBELを設定して対応することになると，現状の洗浄限界値を再評価する必要があり，そのためには著しく大きな経営資源を必要とする可能性があるというものであった（業界に対するインパクトが非常に大きいという意見は，すでにEMA HBELガイドラインドラフトに対するパブリックコメント段階においても，多数寄せられていたものでもある）。

そこでの議論は，報文の趣旨からすると，次のようなものであったと推察できる。

- 既存の洗浄評価基準を使える製品と，HBELにもとづく洗浄評価を必要とする製品の区分をする。
- 既存の評価手法を活用してHBELを推定するアプローチを模索する。

同報文では，さまざまな状況に応じて，HBELの設定の流れが，フローチャートの形で提案されていた（**図2-2**）。

注目は，フローチャートの随所にある0.1％投与量基準による洗浄限度値である。そして，フローチャートの一番左側の流れでは，0.1％投与量基準による洗浄限度値がHBELにもとづく洗浄閾値（たとえば，後述6.1項にて示すSRL）より十分低いこと（10倍以上離れていること）を確認すれば,従来の評価方式でよいとしていた。また，中央部では，製品が「ある種のXX」に該当しない（専用化を要しない）前提で，OEB／OELが良質な臨床データにもとづいて設定されていて，かつ現状の洗浄評価が0.1％投与量基準である場合には，洗浄評価は現状のままでよく，HBELの設定は現状では不要であるとしていた（最終的には，EMA HBELガイドラインQ&Aの発出により，HBELの設定はすべての医薬品が対象となっていることに留意）。

報文の結論としては，公式なOELを設定するために必要な良質な臨床データが得られているという前提ではあるものの，次のようにまとめられる。

- ほとんどの化合物に対して，最小臨床用量の1/1,000にもとづいたHBELは，十分に安全側であるとすることは合理的である。
- 最小臨床用量にもとづく洗浄限界値の設定アプローチは，健康の点では十分保護的であると考えられる。

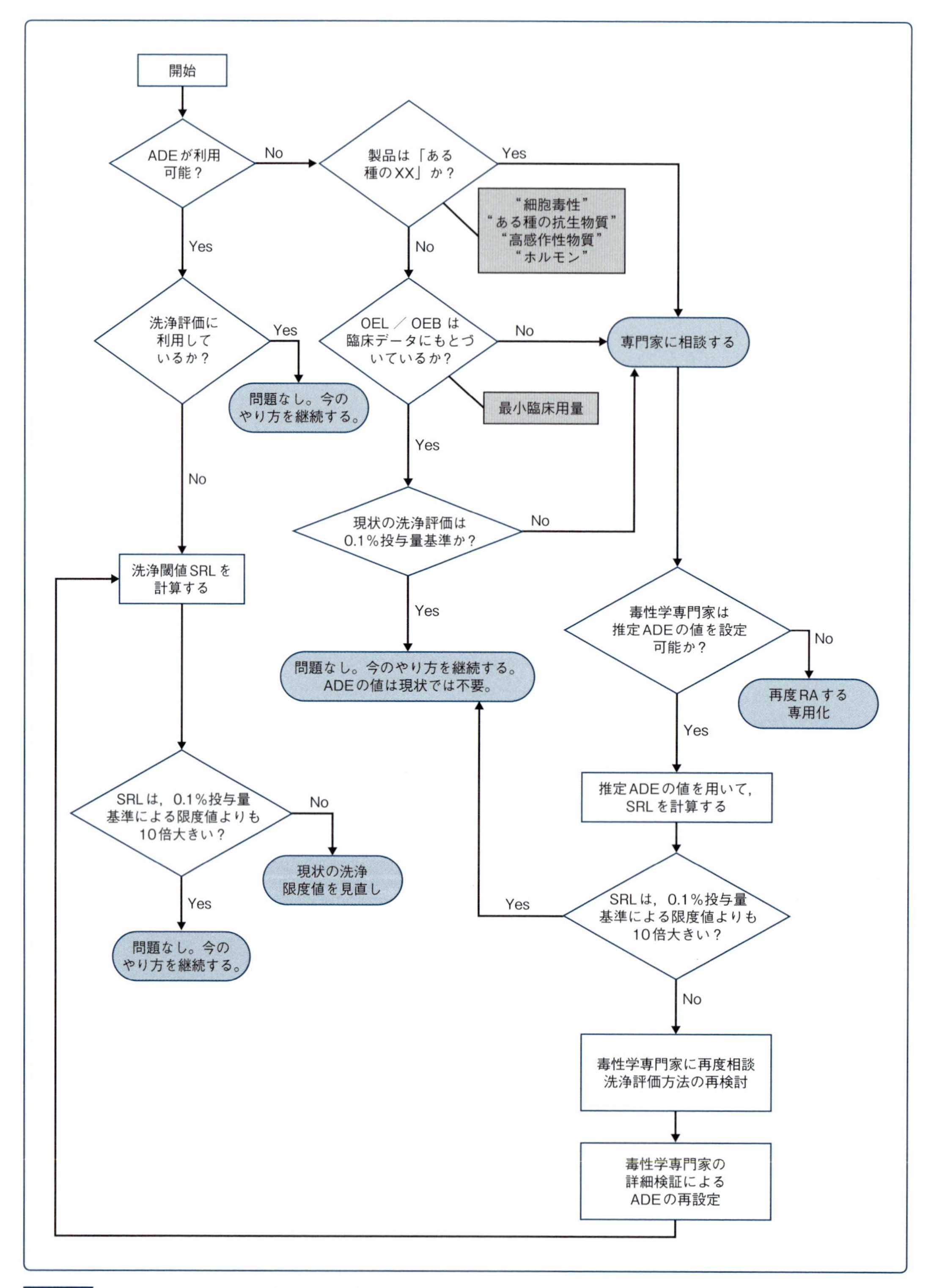

図2-2 Teasdale らの論文にある流れ図

（文献18）より引用，RA：リスクアセスメント，SRL：HBELにもとづく洗浄閾値，文責筆者）

・そのような場合には，公式のHBELをさらに導出することは必要ないだろう。
・例外は低用量での曝露により，健康に対して望ましくないまたは重篤な悪影響をもたらす物質の場合である。

なお，報文をまとめるに際しては，EMAとも協議したとの記載が本文中にある。

ここからは個人的な推論であるが，EMAはPDEの設定が意図したほどに普及しない背景には，大多数を占める既存上市製品の存在があるためであると認識したと思われる。それらの多くは高ハザード物質ではない化合物ということになる。そして，Teasdaleらの報文にある専門家の意見を踏まえて，EMA HBELガイドラインQ&Aドラフトに至ったものと推察できる。

2.5.5 ADE対TD/1,000の比較

EMA HBELガイドラインが発出された直後では，HBELの設定について，どの物質を優先するべきかについての指針を示す資料はなかった。Teasdaleらの報文では，実際にどれだけの製品が既存の洗浄評価基準で対応できるのかについては報告されていなかった。

相前後して開催された別の毒性学専門家によるワークショップ（2014年10月）では，より実務的な議論がなされた（Weideman氏がリード役を果たしている）。その結果は，2016年に一連の9本の報文として公開されている。その中で，Fariaらは19種類の製品について，ADEおよびTD/1,000の比較（TDは最小臨床用量）を行い，多くの場合に，ADEの数値がTD/1,000より大きくなることを示した（表2-4参照。文責筆者）[11]。すなわち，次のような状況であった。

・19のうちの3種類の製品（15%）は，ADEのほうがTD/1,000より小さい。
・残り16の製品は，ADEのほうがTD/1,000より大きい。

その後，製薬企業における具体的な製品群について，ADE対TD/1,000の比を調べて，分布図とした事例が公開されている。いずれも，HBEL設定の優先順位を検討するためのものである。

Walshらの報文では，複数の企業における304の医薬品について報告されている（分布図を図2-3に示す）[9]。

・15%は，ADEのほうがTD/1,000より小さい。
・85%は，ADEのほうがTD/1,000より大きい。47%は10倍，12%は100倍高い結果となっている。

Barleらの報文では，ノバルティス社の140の製品について調べたものである[19]。R＝PDE/0.001MinDD（MinDDは最小臨床用量）として，次の結果を得ている（分布図を図2-4に示す）。

・R＜1 → 9%（n＝12）
・1≦R＜10 → 11%（n＝16）
・10≦R＜50 → 26%（n＝37）

表2-4　ADEとTD/1,000の比

原薬／化合物種別（用途）	ADE＊（μg/day）	TD/1000（μg/day）
アンドロゲン合成阻害剤（抗がん剤）	400	50（8x－↓）
アンドロゲン合成阻害剤（泌尿器関連）	0.3	0.5（2x－↑）
成長因子受容体阻害剤（抗がん剤）	10	0.4（25x－↓）
酵素阻害剤（非遺伝毒性）（抗がん剤）	1100	1250（1x）
酵素阻害剤（閾値-遺伝毒性）（抗がん剤）	0.3	0.8（3x－↑）
フルオロキノロン薬（抗菌剤）	1800	25－75（72－24x－↓）
ヌクレオシド類縁体（抗ウィルス剤）	4500	100（45x－↓）
ウイルス酵素阻害剤（抗ウィルス剤）	2000	20（100x－↓）
ミューオピオイド受容体拮抗薬（オピオイド誘発性便秘に対する下剤）	50	1.2（42x－↓）
オピオイド鎮痛薬（疼痛管理）	2	0.03－0.45（67－4x－↓）
カルシウムチャネル遮断薬（抗片頭痛，抗ヒスタミン，抗けいれん薬，めまい）	20	1－2（20－10x－↓）
アセチルコリンエステラーゼ阻害剤（認知症）	50	1.6（31x－↓）
ドーパミン作動性受容体逆作動薬（精神分裂症および急性精神病）	2	0.2－2（10－1x－↓）
ベンゾオキサゾール誘導体（精神分裂症）	40	1.2（33x－↓）
セロトニン作動薬（抗片頭痛）	12	6（2x－↓）
選択的セロトニン再取り込み阻害剤（抗うつ病）	400	13（31x－↓）
吸入β作用薬	10	0.042（238x－↓）
吸入糖質コルチコイド	10	0.09（111x－↓）
ベータ遮断薬（心血管疾患）	200	6（33x－↓）

＊：ADEはEMA HBELガイドラインにもとづいて計算
（文献11）より引用，訳文責筆者）
筆者注：TDは最小臨床用量。括弧内数値はADEとTD/1,000の比を表す。

・50≦R　→　53%（n＝75）

同報文では，抗がん剤を主として扱っている企業では，R＜10となる物質の割合が高いのではないかとしている。そして，主要な抗がん剤についてのRの数値を表にまとめている。そこでは，R＜10のものがリストアップされているので参照してほしい（R＝0.01～9）。

なお，図2-4は，BarleがPDAの代表としてワークショップに参加した際に，プレゼンした中でも紹介されている。

上記の複数の報文から判断すると，市場における製品群全体を見た場合，85～90%は高ハザード物質ではない化合物（代表的には既存上市製品）であり，そこでは

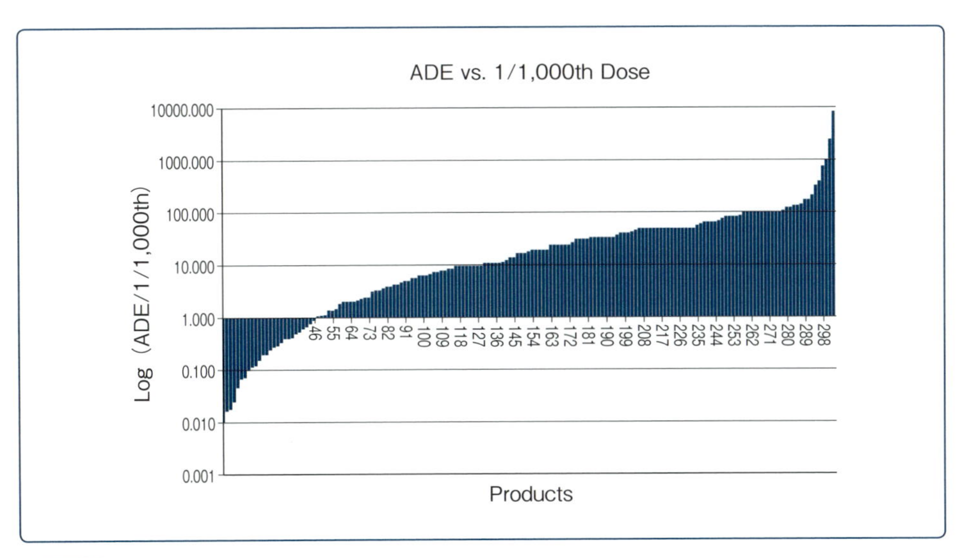

図2-3 ADE vs 0.001TD ～304の製品について

（文献9）より引用）

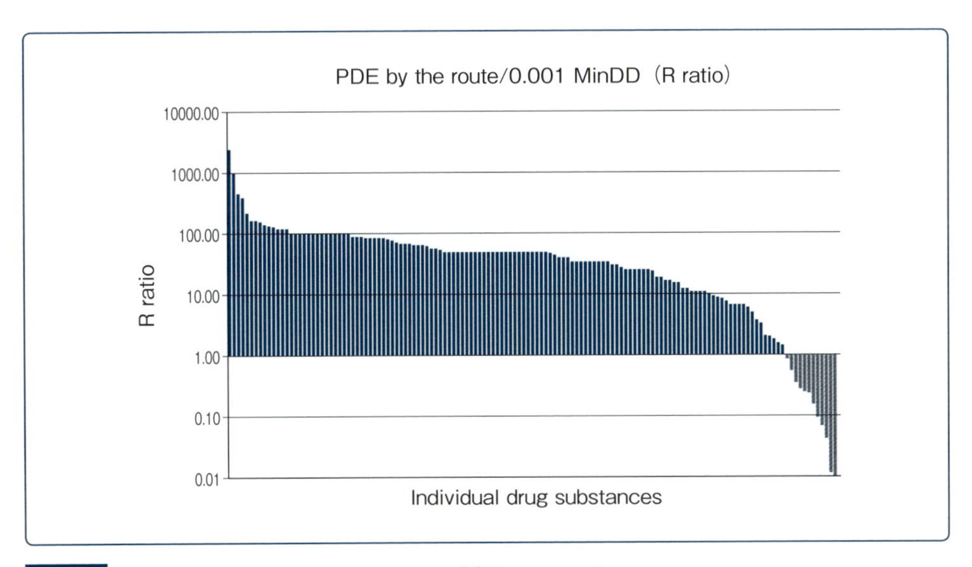

図2-4 PDE vs 0.001MinDD～140の製品について

（文献19）より引用）

ADEの数値が最小臨床用量の1/1,000よりも大きいことになる。

EMA HBELガイドラインQ&Aドラフトでは，高ハザード物質ではない化合物において，最小臨床用量の1/1,000を「代替えのHBEL」と見なして設定しようとした。図2-4の分布図でいえば，高ハザード物質ではない化合物は，曲線がR = 1.0の横軸を交わる点よりも左の領域に該当する場合である。この領域の化合物については，最小臨床用量の1/1,000をHBELとして設定しておけば十分に安全側ということである。

上記のいずれの報文も，それを担保するような報告となっている。

製品群の10～15%にあたる高ハザード物質については，HBELのほうが最小臨床用量の1/1,000よりも小さいので，HBELにもとづく洗浄閾値は0.1%投与量基準にもとづく洗浄閾値よりも自ずと小さくなる。

2.5.6 EMA HBELガイドラインQ&A最終版

ワークショップでの議論を経て，EMA HBELガイドラインQ&Aは2018年4月末に最終化され発出されている。

①最終版の概要

最終版では，業界側から強い危惧が表明されていた項目はすべて取り下げられ，当局側が業界団体からの意見を全面的に受け入れた形となっている。結果的には，EMA自身が当初掲げていた理念に沿うものとなっている。

これにより，HBELの設定，その洗浄評価への利用を巡る「一騒動」が収まり，かえって，規制当局，査察当局，業界団体，専門家団体の間でのHBELについての理解が深まり，実際の適用に向けての基盤が強固になったと思われる。

最終版での項目リストを表2-5に示す。新規に追加された項目はその旨を明記している。ドラフトと同じ内容でも，項目番号が違っている場合がある。

表2-5　EMA HBELガイドラインQ&A最終版　項目リスト

番号	質問要旨	来歴
Q&A　No. 1	HBEL設定の対象範囲について	Q&Aドラフト　No. 1から。改訂あり
Q&A　No. 2	QRMを実施するうえでのHBEL設定の意義について	新規項目
Q&A　No. 3	HBELをQRMの中でどのように用いるかについて	Q&Aドラフト　No. 12から。改訂あり
Q&A　No. 4	HBELを設定する担当者の資格について	Q&Aドラフト　No. 9から。改訂あり
Q&A　No. 5	委託・受託企業間でのHBEL情報のやりとりについて	新規項目
Q&A　No. 6	洗浄閾値の設定について	大幅改訂
Q&A　No. 7	洗浄バリデーション完了後，切り替え時での分析試験の要否について	新規項目
Q&A　No. 8	Q&A　No. 7により目視検査を実施する際の要件について	新規項目
Q&A　No. 9	専用化エリアでの隔離について	Q&Aドラフト　No. 13から。略まま
Q&A　No. 10	LD_{50}をHBEL設定のために利用することについて	Q&Aドラフト　No. 5から。略まま
Q&A　No. 11	共用設備での殺虫剤の製造について	Q&Aドラフト　No. 7から。略まま
Q&A　No. 12	共用設備で異なる動物種用医薬品を製造することについて	Q&Aドラフト　No. 8から。略まま
Q&A　No. 13	治験薬の開発フェーズにおけるHBELの再評価の要否について	新規項目

これを見ると，新規に追加された項目が多くあり，最終版はたんにドラフト段階の文章を手直ししたというレベルのものではなく，ドラフトとは大きく異なる内容となっていることに留意が必要である。とくに，目視検査に関する項目のNo. 7およびNo. 8は，最終版で突如取りあげられている項目である。

ドラフト段階で業界側から強い懸念が示されたことにより削除された項目は，ドラフト14項目中で6項目あり，次のとおりである。

・高ハザード物質の定義について（Q&A ドラフト No. 2）
・OEL／OEBを利用することについて（Q&A ドラフト No. 3）
・投与量の1/1,000をHBELとすることについて（Q&A ドラフト No. 4）
・治験薬において，データが限定されている場合のHBEL設定について（Q&A ドラフト No. 10）
・小児用医薬品のHBEL設定について（Q&A ドラフト No. 11）
・TTC概念の適用について（Q&A ドラフト No. 14）

大きな関心と強い懸念が寄せられていた項目，すなわち化合物の区分，HBELの設定，洗浄評価基準について，ドラフトと最終版の違いを表2-6に示す。

表2-6 EMA HBELガイドラインQ&A：ドラフトー最終版での主要な点についての比較

	Q&A ドラフト（2016年12月）	Q&A 最終版（2018年04月）
化合物の区分け	・高ハザード物質の定義を設定し，これにて，高ハザード／低ハザードという区別をする（Q&A ドラフト No. 2）	・高ハザード／低ハザードという区別をしない ・高ハザード物質の定義も削除している（既存製品／新規製品という区分けをしている）
HBELの設定	・高ハザード物質については，HBELはフルの毒性学的評価を行って設定する（Q&A ドラフト No. 2） ・低ハザード物質については，フルの毒性学的評価を実施する選択肢の他に，1/1,000最小臨床用量としてもよい（Q&A ドラフト No. 4）	・実質的に，すべての製品について，HBELを設定する （低ハザード物質も何らかの形でHBELを設定する）
洗浄評価	・低ハザード物質については，0.1％投与量基準を洗浄評価に用いてもよい（Q&A ドラフト No. 6） ・高ハザード物質については，HBELを用いた洗浄閾値に何らかの安全係数を考慮した数値とし，さらに従来の伝統的な基準（0.1％投与量基準または10ppm基準）よりも低くなければならない（Q&A ドラフト No. 6） （筆者注：これは，結局のところ，3つの基準のうちの最も厳しい値を洗浄限度とすることになる）	・洗浄評価においては，HBEL基準が基本 ・既存製品については，HBEL基準との間で十分な余裕があって，HBEL基準を超える逸脱を確実に防止できるのであれば，伝統的な洗浄基準でよい ・従来から採用されている洗浄基準は，洗浄アラート限度として位置づけられる（既存製品でも，新規製品でも同様である）

②洗浄評価基準

ここでは，関心が高いと思われる洗浄評価に関する項目を取り上げる。これに関する項目は最終版ではNo. 6であるが，その内容はドラフト段階からは大幅に変わっている。ここでは，その内容を全文紹介する（文責筆者一部加筆）。

Q6：洗浄の限度値はどのようにして設定されるか？

A6　EMA HBELガイドライン（EMA/CHMP/CVMP/SWP/169430/2012）が（Introduction パラグラフ3にあるような）洗浄閾値を正当なものとするために使用されうるが，HBELにもとづいて計算される洗浄閾値のままの値が洗浄限度度として使われることを意図していない。

既存の製品に関しては，製造企業がそれまでに用いていた洗浄限度値は維持されるべきであり，（筆者加筆：従来の洗浄限度値は）アラート限度値として考えられうる。ただし，その洗浄プロセス性能を考慮した場合に，従来の洗浄限度値が（筆者加筆：HBELによる洗浄閾値に対して）十分な余裕を確保でき，HBELによる洗浄閾値を超える逸脱状況を防止できることが確認されている場合である。

同様な手順が，設備に新規導入される製品について洗浄アラート限界を設定する際にも採用されるべきである。

洗浄アラート限度を超える結果が生じた場合には，調査を行う必要がある。そして，必要な場合には，是正措置を取って，洗浄プロセスの性能を洗浄アラート限度以下になるようにする必要がある。
洗浄アラート限度を超えるような逸脱が繰り返し生じることは，許容されない。それは，洗浄方法がコントロールされていないということだからである。

周知されている適切な統計的な方法を利用して，洗浄プロセスがコントロールされているかどうかを決めてもよい。

ここで注目すべき点は，次のとおりである。

(1) 実際の洗浄作業における洗浄限度値は，HBELにもとづく洗浄閾値のままではないとしている。この意味するところについては，後述する（本書6.2および6.3項参照）。

(2) 既存製品については，その洗浄限度値がHBELにもとづく洗浄閾値との間で十分な余裕がある場合には，従来からの洗浄基準でよいとしている。なお，この場合でも，十分な余裕があるかどうかを判断するためには，HBELの設定およびそれにもとづく洗浄閾値を明確にしておくことが前提にある。また，その「十分な余裕」というのがどの程度なのかについては，EMA HBELガイドラインQ&A自体では触れていない。これについては，別項で紹介する（本書6.3項参照）。

(3) 従来から採用されている洗浄限度値は，多くの場合，伝統的な洗浄基準によっている。その洗浄限度値は，「洗浄アラート限度」として位置づけられると明記されている。これは，Risk-MaPP改訂版において，伝統的な洗浄限度値を「プロセスコントロール値」として位置づけて，目標管理のために用いることと同じ取り扱いとなる（本書9.3項参照）。

(4) 洗浄プロセスがコントロールされているかどうかの判定に，統計的な手法を用いることについて触れている。

③目視検査関連

新規に追加されたNo. 7および8は，目視検査に関するものである。その内容は，規制当局としてはAnnex 15よりも踏み込んだものとなっており，具体的な記述内容となっている。

まず，No. 7では，次の内容となっている。全文を紹介する（文責筆者）。

Q7 共用設備での機器について，洗浄バリデーションが完了した後では，分析試験は製品の切り替え時において必要とされるか？

A7 堅牢で文書化されているQRMプロセスにより立証されていない限りは，切り替えの都度に分析試験が期待される。

QRMプロセスでは，最小限，次のそれぞれを考慮するべきである。

・洗浄プロセスの再現性があるかどうか（手洗浄は，一般に，自動洗浄に比して再現性は低い）

・製品のハザードレベルはどうか

・目視検査が，HBELにもとづいて設定される洗浄閾値との関係において，機器の清浄性を決定するうえで信頼できるものかどうか

この記述からは，切り替え時の洗浄評価は基本的には分析試験によるとされているが，堅牢性が科学的に検証されているのであれば，切り替え時に分析試験によらなくてもよい（つまり，目視検査だけでよい）とも読める。

次にNo. 8では，目視検出限界（Visible Residue Limit：VRL）は現場の条件（照明，距離など）を勘案して設定する必要があるとし，さらに検査員の訓練と適格性確認についても規定している。合わせて，製品非接触部に対する目視検査も対象となるとしている。全文を紹介する（文責筆者）。

Q8　Q&A 7にしたがって目視検査を実施するときの要件は何か？

A8　機器の清浄性を決めるために目視検査を実施する際には，製造企業は製品の残滓として容易に目視確認できる閾値（筆者注：VRLのこと）を設定しなければならない。

その際には，たとえば，現場で観察するときの照明，機器表面までの距離などの条件を加味して，機器を目で見て検査するための能力を考慮しなければならない。

目視検査の対象には，汚染が残留する可能性のあるすべての製品接触面を含むべきである。その中には，検査時にアクセスするために機器の分解が必要となる（筆者加筆：製品接触面の）場合も含まれるだろうし，および／またはツール（例：鏡，照明源，ボアスコープなど）を利用することにより初めて見えるようなエリアの（筆者加筆：製品接触面の）場合も含まれる。さらに，目視検査の対象には，製品非接触面も含むものとする。製品非接触面でも，製品が残留している可能性があり，（筆者加筆：それが容易に）剥離するかまたは移動するかして次のバッチへ混入しうるからである。

目視検査を必要とするすべてのエリアを特定する指示文書が用意されるべきである。そして，記録により，すべての検査が完了したことを明確に確認するべきである。

目視検査を実施する運転員については，その作業工程において特定の訓練を必要とする。それには，定期的な視力検査を含む。その適格性が，実際的な評価によって立証されねばならない。

このNo. 7およびNo. 8における回答を見ると，目視検査を唯一の基準とすることについて，以前と比べて格段に前向きな表記となっていることがわかる。この背景には，直近のRisk-MaPP改訂版において，「堅牢性が確認できるのであれば，目視検査を唯一の基準として用いることも認められうる」（6.3.2.3項）（文責筆者）としていることが影響している可能性がある。さらには，ICH Q7（原薬GMPガイドライン）Q&Aで，専用化機器においてではあるが，目視検査のみを特定の条件のもとで許容しうる（5.1項）としていることが背景にあるのかもしれない。

なお，目視検査を唯一の基準とすることについては，本書7.5項で詳しく議論している。

④そのほかの項目

そのほかの項目について，簡単に触れておきたい。

（1）No. 1は，HBEL設定の対象範囲についてである。すべての医薬品（all medicinal

products）が対象となることはドラフト段階と変わりがない。最終版ではライフサイクルマネジメントの視点から，「HBELを設定する基盤の毒性学的または薬理学的なデータは，製品のライフサイクルをとおして，定期的な再評価を必要とする」（文責筆者）という記載が追加されている。

(2) No. 2および3は，QRMについて言及している項目である。

No. 2の質問自体は，QRMの中でHBELを実際に利用するうえでのガイダンスはあるかというものである。回答の冒頭部分で，ドラフト段階で話題になっていた，化合物を「高ハザード物質」，「高ハザードではない物質」の2つに区分する考えを削除した理由を説明している。その理由として，ハザードの連続性を示す図（Risk-MaPP改訂版からの借用）を用いて，「化合物のハザードは連続的なものであり，区分けするための固定的なポイントはない」（文責筆者）という説明をしている。

そのうえで，QRMにおけるHBELの位置づけについて，「共用設備においては，交叉汚染を防止するために，ハザードレベルに相応しい形でコントロールレベルを高めるべきである」，「実際に必要とされるコントロールを決めるために，HBELの値をQRM検討の中で用いるべきである」としている（文責筆者）。

(3) No. 3は，HBELをQRMの中でどのように使うのかという内容に関するものである。この項目は，Q&Aドラフト No. 12に由来しているが，ドラフト段階での回答内容が少々漠としたものであったこと，さらには前述のパブリックコメント後のワークショップでの議論を踏まえ，内容をより具体的にしたものとなっている。

要約すれば，以下のようになる。

- HBELは洗浄評価のみに利用されるものではない
- EU-GMP Vol. 4 Chapter 3に規定する専用化要件の判断をするうえで必要とされる
- EU-GMP Vol. 4 Chapter 5に規定する技術的および運用管理的なコントロール措置を実現するうえでの基準となる
- HBELにより示されるリスクの程度に応じて，措置の内容を決める必要がある
- 今まで実施してきた汚染防止措置についても，HBELによるアプローチにもとづいて見直しが必要となるかもしれない

製造環境において，QRMを実践するうえでの基盤として，HBELを使う必要があることを説明している。従来の防止措置を見直す必要があるかもしれないとする最後の項目に注意がいる。

(4) No. 4は，毒性学専門家の要件に関する項目である。

HBELを設定する専門家は，毒性学／薬理学における適切な専門知識およびその設定における経験を有していることとされている。

ドラフト段階での要件に関する回答内容は漠としたものであったが，Risk-MaPP改訂版における記述，およびワークショップでのISPEおよびPDAによるプレゼンテーションを踏まえて，最終版ではより明確な記述がなされている。

さらに，社外の専門家から，HBELに関する情報を購入する場合について触れている。すなわち，外部の提供企業との契約を然るべく行うこと，および外部の提供企業の適格性（毒性学専門家の適格性をも含め）を確認しておくことが必要であるとしている（それができていない場合には，購入することは認めないとしている）。

これは，ワークショップで，中小規模の企業では自社内に毒性学専門家がいないため，HBELの情報を外部から購入する事例が見られるとの発表があったことにもとづいている。

(5) No. 5は，委託・受託企業間でのHBEL設定に関する情報のやり取りについてである。

委託企業は，受託企業に対して，HBELを十分に評価した結果を提供するか，受託企業がHBELの評価を実施できるためのデータを提供するべきであるとしている。

いずれの場合においても，査察時においては，HBEL設定の際の参照資料および専門家の経歴に関する資料などが，求めに応じて提示できるように準備しておく必要があるとしている。

(6) No. 13は，治験薬（IMPs）に関するものである。IMPsの開発は連続的に進行しているので，該当するHBELを設定するための基盤を定期的に見直して，新規の関連データを勘案すべきであるとしている。定期的に見直す必要性はNo. 1でも触れられている。

2.5.7 最終版に関するEMA見解書

2018年7月には，パブリックコメント段階でのコメント集約およびワークショップでの議論を経て，どのような視点から最終版に至ったのかについて，EMAの見解をまとめた文書が公開された[20]。それに先立ち，6月には32の関係者および関係団体からのパブリックコメントの全体が公表されている。

EMAの見解書では，関係者などの提案を受け入れて，

・高ハザード物質という概念を用いるアプローチは採用しないこと
・伝統的な洗浄評価のアプローチ（すなわち，0.1％投与量基準，10ppm基準）を追求しないこと

が決められたと記されている。

見解書での詳細説明では，ドラフト段階の項目順に説明が加えられている。

・高ハザード物質について（Q&AドラフトのNo. 1，2，4）
・概略のPDEを設定するためのOELまたはOEBの利用について（Q&AドラフトのNo. 3）
・最小臨床用量の情報にもとづくHBELの代用について（Q&AドラフトのNo. 4）
・LD_{50}の利用について（Q&AドラフトのNo. 5）
・洗浄閾値について（Q&AドラフトのNo. 6）

・共用設備での殺虫剤および動物用医薬品の製造について（Q&Aドラフトの No. 7 および No. 8）
・HBELを設定する専門家の要件について（Q&Aドラフトの No. 9）
・治験薬に対するTTCの概念の利用について（Q&Aドラフトの No. 10）
・HBELの利用について（Q&Aドラフトの No. 11，12，13，14）

最終版で突如取り上げられている目視検査に関する項目（最終版 No. 7および8）についても，その導入の背景および考えが説明されている。

なお，Walshらは，EMA HBELガイドライン Q&A最終版が発出された後に，ドラフト段階と最終版の比較をした報文を報告している[21]。

2.6 PIC/S査察官用ガイド

2.6.1 概要

PIC/Sからは，HBELにもとづく洗浄評価に関連して，2つの査察官用ガイドが発出されている。

査察官用ガイド PI 043-1（2018年）は，共用設備での交叉汚染防止に関するものである。ハザードアセスメント，その中でのHBEL設定，交叉汚染防止のための技術的な措置および運用管理的な措置について，査察官が査察時に着眼するべき事項についてまとめたものである。

査察官用ガイド PI 052-1（2020年）は，査察官が，HBELの設定過程をまとめた評価文書を，さらには企業内でのQRM活動に関する文書を査察時にレビューする時の留意点についてまとめたものである。

これらは，査察時に査察官がどのような問いかけをしてくるのか，レビューする際の視点はどういうところにあるのかを，企業側が事前に知り，準備をするうえで有益なものである。

2.6.2 査察官用ガイド「交叉汚染防止備忘録」

査察官用ガイド「交叉汚染防止備忘録」PI 043は，PIC/S内での「共用設備での交叉汚染管理部会（CCCISF）」（リーダーはMHRA）が準備してきたものである。

このガイドの本来の目的は，リスクベースアプローチの視点から，査察官が査察時に着眼するべき事項についてまとめたものである。体裁も，査察時のポイントについて査察官に問いかける形をとっている。

念頭に置いているのは，高いレベルのハザード物質を扱う共用設備であり，ハザードアセスメントおよびリスクマネジメントに関連する事項，設備設計に関する事項，洗浄を含む設備運用に関する事項についてまとめられている。

この備忘録を裏返して読むと，ICH Q9にもとづくQRMを確かなものにするために，製造企業は何をすべきなのか，何を準備すればよいのかのヒントが得られるものとなっている。設備運用管理のためのチェックリスト的意味合いをもつものであり，ある意味では，GMPの内容を現実的な視点で補完するものともいえる。

構成は次のようになっている。個々の備忘録の部分では，参照とするべきPIC/S-GMP（PE 009-14）の章番号が付与されている。とくに注目したいことは，運用管理に関する項目数が多いことである。

・総論部分では，序文，目的，範囲，交叉汚染経路などを含む。

・詳細部分では，次の3つの個別備忘録が用意されている。

①交叉汚染／ハザードアセスメント／リスクマネジメントに関する備忘録（23項目）

②技術的な措置～機器および設備の設計に関する備忘録（22項目）

③運用管理的な措置～機器洗浄／洗浄バリデーション／人員に関する備忘録（49項目）

ここでは，対象がハザード物質であるという視点からの主要な関連項目を要約して列記する（文責筆者）。一般的と思われる内容については省略している。

総論部分は，次のとおりである。

・Aide Memoire（AM）は，リスクベースアプローチを促進している（4.1項）。

・AMの焦点は，より高いハザードレベルを有する物質を扱う共用設備の査察にある（4.2項）。

・重要なことは，査察官がハザード物質という視点から，そのリスクマネジメントおよび措置を考慮して，ハザード物質が現場で適切に対処されているかどうかを確認することである（4.3項）。

・ハザード物質のリスクを適切に評価するための科学的な証拠が欠如している場合は，共用設備の利用は不可とされるべきである（4.3項）。

備忘録部分は，三つの個別部分からなっている。

①交叉汚染／ハザードアセスメント／リスクマネジメントに関する備忘録

代表的な項目をあげると，次のとおりである。

・査察に先立ち，査察官は現場の製品レンジについて知っておくべきである。共用設備という意味合いの中で，製品によるハザードレベルについて考慮する必要があるからである。

このため，査察の準備段階において，査察官は製造企業に対して，次の事項に関する情報を提供するよう要請すべきである。

－該製造所で製造される，ヒト用および動物用製品の両方についての剤形のリスト

－臨床試験用に該製造所で製造される治験用医薬品（IMP）/治験用新規医薬品

(Investigational New Drugs：IND）の剤形のリスト，現在進行中の臨床試験のフェーズ，そして，商用製造時とは異なる場合には，製造エリアおよび人員に関する情報

－商用製品と共通のエリアで製造されている研究開発中の化合物のリスト

－取り扱われるハザード物質のリスト（たとえば，高い薬理活性のある物質，特別に重大な毒性学的な影響をもつ物質，またはベータラクタム製品のような高感作性物質）

－個々の物質に対するHBELの数値および評価文書

－製造所で製造される，医療用以外の製品

－共用設備で製造される製品のタイプ

・査察官は，製造者のハザードアセスメント内容について特定の評価が必要となる場合には，査察の準備段階，途中段階，終了後の段階で，所属する機関内部の毒性学専門家と協議する必要があるかもしれない。

・査察に先立って提供された情報の完全性および正確性は，現場で検証されるべきである。

・現場は，製品のハザードレベルを反映する形で，交叉汚染防止を実現するための文書化された方針と戦略をもっているか（1.3項）

・共用設備で製造される製品は，交叉汚染の懸念をもたらす著しいハザードを示すものか（1.7項）

・製品に関連したハザードは適切に特定されているか（1.8項）

・製造企業の製品についての知識および信頼性は，ハザードに相応しいものか（1.9項）

・ハザードは適切な方法（たとえば，PDE/ADEのアプローチ）で特定されているか（1.10項）

・ハザードアセスメントに対して科学的な根拠はあるか（1.11項）

・ハザードアセスメント担当者は，適切な教育，訓練，経験を有しているか（1.11項）

・ハザードアセスメント実施のための情報は適切か（1.11項）

・外部でハザードアセスメントを実施する場合には，外部専門家を適切にコントロールしているか（1.11項）

・ハザードアセスメントに関する手順書を用意しているか（1.12項）

・ハザードアセスメントは，適切に文書化されているか，そして，手順書に従って実施されているか（1.13項）

・ハザードアセスメントの詳細部分は，製品のハザードレベルおよび評価文書での結論に相応しいものか（1.14項）

・汚染リスクを特定し管理するための適切なQRMのアプローチはあるか，手順書および文書化された成果物はあるか（1.15項）

・製品をグルーピングしている場合には，グルーピングおよび採用される措置に関する科学的な根拠はあるか（1.16項）
・製造企業は，各種の措置において考えられる不具合（フェイラー）に対して適切な戦略を持って対処しているか（1.17項）
たとえば，
－人手作業における不具合
－機器の故障による不具合
－一次封じ込めにおける不具合
－AHU（空調設備）に影響を与える停電などによる不具合
－製品スピル（漏洩）の発生
－偶発的な曝露の発生
－突発的な再作業の発生
・製造企業は，共用設備で製造するためのスキル，知識，適応性，コントロール（機器・設備設計・人員のスキル・組織体系などを含む）を有していることを示したか（1.18項）
・関係者間で，リスクに関して適切にコミュニケーションが行われているか（1.19項）
・ハザードアセスメントについて，定期的なレビューが適切に行われているか，ファーマコビジランスに対応できるような体制はあるか（1.20項）
・構築されたコントロールは，その適性を確認するために，定期的にレビューされているか（1.23項）

②技術的な措置～機器および設備の設計に関する備忘録

代表的な項目をあげると，次のとおりである。
・査察官は，設備を見てまわるときに，機器設計および建物設計の適合性について，高度なレベルで観察しなければならない。製造される製品のハザードを十分に反映しているかどうかを考察していなければならない。
・査察官は，封じ込めの喪失または一次封じ込め性能の不足による徴候と思われる粉溜まりが，懸念される部位の表面（複数）にないことを観察すること。
・査察官は，高ハザード物質を保管および取り扱いする特別なエリアの必要性を考慮すること。もし可能ならば，より高いハザードをもつ製品に関しては，より高いレベルでの一次封じ込めが期待される。
・査察官は，作業従事者の曝露と製品の汚染防止のためのコントロールが，矛盾していないことを確認すること。

<<　建物　>>
・建物は，交叉汚染防止の視点から適切に設計されて，QRMプロセスの結果と整合したものとなっているか，交叉汚染防止の戦略，設計思想をサポートするもの

となっているか（2.1項）
・建物は，取り扱う物質に相応しいレベルの封じ込めを実現できる設計となっているか，オープンハンドリングする箇所はどこか（2.2項）
・建物には，適切な構造上の設計（たとえば，エアーロック，エアーシャワー，着衣脱衣エリアなど）が組み込まれて，期待する効果と合致するものとなっているか（2.3項）
・洗浄用の部屋は，交叉汚染または再汚染となるリスクがないように，適切に設計されているか（2.5項）
・粉じんまたはベーパーの拡散をコントロールするための，局所排気または封じ込め設備はあるか（2.9項）
・空調においては，省エネモード時，短時間運転モード時，さらには停電時および復電時などの運転の切り替えによる影響について，交叉汚染防止の視点からアセスメントされ，検証されているか（2.11項）
・コントロール措置で障害が生じたことを検出する適切なシステムは用意されているか（たとえば，空調など）（2.12項）

＜＜　機器　＞＞
・機器は，交叉汚染防止の視点から適切に設計されて，QRMプロセスの結果と整合したものとなっているか，交叉汚染防止の戦略，設計思想をサポートするものとなっているか（2.13項）
・専用化機器，シングルユースのディスポーザブル機器および／または部品は，適切に利用されているか（2.14項）
・一次封じ込め機器の利用において適切に力点が置かれているか，利用する場合には目的に合致するものとなっているか（2.15項）
・オープンでの取り扱いが行われている箇所でのコントロールは適切で，その根拠は相応しいものであるか（2.16項）
・機器は，洗浄作業および清浄性確認（たとえば目視検査，スワブサンプリング）が容易に行えるように設計されているか（2.17項）
・製造企業は，機器において洗浄が難しい部位を特定して，適切な検証によってサポートしているか，検証の実施方法について規定している手順書はあるか（2.20項）
・メンテナンス，インプロセスコントロール，サンプリング（機器，PPE，工具，交換部品を含む）は，交叉汚染のコントロールの一部として考えられているか（2.21項）

③運用管理的な措置～機器洗浄／洗浄バリデーション／運転員に関する備忘録

代表的な項目をあげると，次のとおりである。
・査察官は，交叉汚染防止の視点から，建物および機器の設計を補うための運用管理的な措置において，十分な堅牢性があるかどうか，ならびにコントロールするために十分であるかどうかを調査する。
・ハザードレベルがより高い製品では，運用管理的な措置に加えて，より大きな力点が一次封じ込めの措置に置かれるべきである。
・ハザードレベルがより高い製品では，単一のコントロール措置における不具合が生じたとしても，とくにはそれらが検出できないような場合においても，患者に対して重大なリスクとならないように，冗長性のある手段が期待される。

＜＜運用管理的な措置の総論＞＞
・リスクアセスメントにおいて特定されたリスクに対処するために，適切な運用管理的な措置が実施されているか（3.1項）
・専用化される機器／部品は，はっきりとラベルが付けられて，適切にコントロールされているか（3.4項）
・ハザードのレベルは定期的な表面サンプリングまたは空気浮遊物質のサンプリングを必要とするものか（3.5項）
・サンプリングは汚染の拡散を検出するのに適切で，封じ込め手段が効果的であることを検証するのに十分なものであるか（3.5項）
・化合物の保管および取り扱い手段は，交叉汚染を防止するために適切で，化合物のハザードレベルを反映したものであるか（3.8項）
－化合物の適切な密閉化
－容器外側の清拭
－サンプリングツールの適切な洗浄／専用化／ディスポーザブルタイプの利用
－保管時の配置
－適切なラベリング
・スピル（漏洩）が生じたときの措置が用意されており，作業従事者は訓練されているか（とくにハザードレベルがより高い製品に対して）（3.9項）
・製造企業は，スピルまたは異常状態が生じたときに，そのインパクトを検出し，記録し，評価するための適切なシステムを用意しているか（そのような非日常的な事象の発生は交叉汚染につながりうる）（3.10項）
・外部の洗濯業者は，ほかの製造企業の製品との交叉汚染を防止するために，適切なコントロールを持っているか（3.13項）

＜＜キャンペーン生産に関する管理的措置＞＞
・品目切り替え時に関する適切で詳細にわたる手順書は用意されているか，それには製品接触機器および製品非接触面（空調，機器外表面，壁，床など）の洗浄を含む（3.16項）
・製品に接触していない機器（たとえば，電話，椅子，消火器，コンピュータキー

ボードなど）の洗浄について記述している適切な手順書はあるか（3.17項）
・必要により，除染の要領（たとえば，生物学的な製品に対する）を適切に規定している手順書は用意されているか（3.18項）

＜＜機器の洗浄と検査＞＞
・洗浄インストラクションは，ハザードのレベルを反映したものとなっているか，また，機器の複雑性を反映したものとなっているか（3.21項）
　－洗浄時の関連する変動要因が規定されているか
　－適切な洗浄剤が選定されているか
　－濃度そのほかの関連パラメータは規定されているか
　－洗浄が難しい部位は明確に規定されているか
・機器の清浄性を確認するための目視検査プロセスは，適切にコントロールされて規定されているか，密閉化されたプロセス機器で目視検査が可能でない場合には，バリデーションをとおして，機器の清浄性が適切に検証されているか（3.25項）
・目視検査が適用可能である場合，目視検査プロセスの要領が明確に記述されているか，目視検査は汚れが確実に観察される方法で実施されているか（3.26項）
・目視検査を実施する担当者は，スキル，知識，適合性を持っていることが立証されているか（3.28項）
・目視検査による残滓の検出を支援する適切な方法およびツールについて，手順書に規定されているか（たとえば，光源または鏡の利用など）（3.29項）
・最終的な目視検査を行う人員は，洗浄の作業からは独立しているか（3.30項）

＜＜洗浄バリデーションおよびベリフィケーション＞＞
・洗浄プロセスはバリデートされているか，ハザードのレベルに応じて適切な方法および頻度にて定期的に検証されているか（3.33項）
・製品残滓の持ち越し限度値は，毒性学的な評価にもとづいて設定されており，リスクアセスメントによって検証されているか（3.34項）
・機器または機器部品の目視検査がルーチンでの洗浄サイクルにおいて可能でない場合（例：閉鎖システムまたは配管）は，製造企業は清浄性を確かめるほかの方法（たとえば，バリデートされたリンス方法など）を持っているか（3.35項）
・製造企業は，機器の複雑性および残滓が存在している可能性に相応しい形で，目視検査を実施しているか（3.36項）
・スワブサンプリングの数およびその部位は，ハザードのレベル，機器の設計および洗浄が難しいエリアを考慮したものとなっているか（3.38項）

＜＜運転員＞＞

・製造エリアに出入りするすべての運転員に対して，着替えおよび更衣の要件は交叉汚染を防止するために適切であるか（3.46項）

・保護衣の洗浄は，交叉汚染を防止するような方法でコントロールされているか（3.47項）

・PPEを再利用する場合には，PPEが再汚染されることがないように，交叉汚染の発生源となることがないように，適切にコントロールされているか（3.48項）

・製造エリア間にわたる運転員の動きは，リスクマネジメントの原則によって，交叉汚染を防止するようにコントロールされているか（3.49項）

 －製造に従事する運転員

 －そのほかの支援業務に従事する運転員（たとえばQC，メンテナンス，エンジニア，および外注業者など）

この備忘録は，前述のようにハザードレベルが高い物質に焦点を当てているが，ハザードレベルにかかわらず，交叉汚染防止という視点から製造設備を見つめるときのチェックポイントとして，QRM実現のためのツールとしても有用であると思える。

従来，GMP査察は交叉汚染の管理に注力されているので，現場の労働安全衛生（封じ込め）についてはあまり言及しないとされていたが，この備忘録の内容を詳細に見ると，これは今後あてはまらなくなりそうである。

2.6.3　査察官用ガイド「HBEL評価文書備忘録」

査察官用ガイド「HBEL評価文書備忘録」PI 052は，毒性学の専門家ではない査察官が査察に赴いた先で，HBEL評価文書およびQRMの仕組みに関する文書をレビューするときに，留意すべき事項をまとめている。同時に，この備忘録は，査察官用ガイド「交叉汚染防止備忘録」PI 043に記されている査察時の留意事項を補完する意味合いもある。

この備忘録は，総論，第1部，第2部に分かれている。

総論では，備忘録の目的，範囲に加えて，HBELがどういうものなのかについて，査察官が理解し，有しておかなければならない視点が記されている。HBELの数値にバラつきがありうることについても言及している。

第1部は，査察官がHBEL評価文書を実際に照査する際の留意点に関するものである。全部で11項目ある。

第2部は，製造企業のQRM体制を照査する際の留意点に関するものである。全部で4項目ある。

総論部分で注目すべき箇所を以下に記す（文責筆者）。

・本ガイドは，毒性学について専門的な知識をもっていない査察官がHBELを評価しようとする際のアプローチについて述べている（2.3項）。
・査察官が知っておかねばならないことは，HBELの設定という作業は，利用できるデータの解釈であり，専門家の分析により設定される不確実係数の適用であるということである。しかしながら，データの利用においては（筆者加筆：個人間での）差異がありうる。それが結局のところ，同じ物質でありながら，HBELの数値が複数の専門家の間でバラついてしまうことにつながってくる。3倍程度までのバラつきはよく起こりうるのであり，ときにはこれを超えてバラツキが大きくなりうる。さまざまなHBELの数値間のバラつきが10倍以上のレベルで生じる場合には，更なる検証を行って，一つまたはそれ以上のHBELが不適切に算出されているかどうかを確認しなければならない（2.4項）。
・PIC/S HBELガイドラインQ&AのNo.2に例示されている（筆者加筆：ハザードの）連続性を示す図からは，ハザードレベルの間には明確に区分するラインがないこと，すなわち高リスク／低リスクと区分けする線はないことがわかる。HBELの絶対値（μg/day）は，対象化合物が連続性を示す図のどこに位置しているかを示す指標として考えられるべきである。留意すべき重要なことは，現場がQRMを介してハザードを管理し，リスクを低減しようとする活動が極めて重要であるということである。HBEL（μg/day）の値は，その際に，対象とされるハザードのレベルを示すものである（2.5項）。
・PDEは査察官が遭遇する中で，最も汎用的なHBELとなるであろう。しかしながら，ほかの同様な用語，たとえばADEもまた見かけるであろうし，同等なものとして考えられるものである（2.6項）。
・本備忘録は，HBEL評価文書の照査と同時に，交叉汚染防止管理のためのQRM体制文書の照査に関するものである。これらの2つのトピックは相互に関連する。というのも，QRMの検討においては，HBEL評価文書によるHBEL（μg/day）の値を利用することが，その値を設定することと同様に重要なことであるからである（4.1項）。

備忘録第1部および第2部は，査察官への問いかけとそれに対するアドバイスという形式となっている。アドバイスの部分では，査察当局側の考えが反映されている。第1部および第2部における問いかけの項目を**表2-7**に示す。

このガイドは，査察当局がHBEL評価文書をどのような視点からレビューしようとするのかについて知ることができる資料である。査察官からの問いかけに，企業側が適切に準備するうえでも好適なものといえる。

なお，このガイドの全項目について，筆者が解説したのが文献16）である。あわせて参照してほしい。

表2-7　査察官用ガイド「HBEL評価文書備忘録」項目リスト

第1部	HBELの評価文書
No.1	HBEL評価文書は，必要事項をあまねく記述しているか？
No.2	評価文書サマリーは，文書本体にあるデータで裏付けされているか？
No.3	HBELを設定した担当者のCVを照査する（review）こと。
No.4	HBELの評価が外部に委託されていた場合および購入した場合は，その契約内容を照査すること。
No.5	医薬品製造企業（代表的には品質部門）は，毒性学専門家から受領したHBEL文書について評価した結果を記録しているか？
No.6	文献探索は十分に記録されているか，そして，幅広く行われているか？
No.7	文献探索の戦略が文書化されているか？
No.8	探索の結果は，探索の過程での所見に関して，適切な注解を付けて記録されているか？
No.9	HBEL設定担当者は，HBELを計算する際に用いられている，関連するクリティカルエンドポイント（複数）（毒性による影響を生じる最小用量）を検証しているか？
No.10	すべての不確実係数について，説明／検証されているか？
No.11	（筆者加筆：今回の査察で見た）HBELの値が，同じ製品について以前に見た他社のHBEL値（複数）と違う場合にどう対処するかを考察せよ。
第2部	HBELにもとづく運用管理的および技術的措置についてのQRM検討
No.12	交叉汚染の管理に関連する手順（文書）を検証して，製造企業が，交叉汚染防止の管理についてのリスクベースによる検討という文脈の中で，どのようにHBELを用いているかを確認すること。
No.13	QRMについての検討内容をレビューすること。そのレビューは，HBELのレベルと合致するべきである。
No.14	HBEL QRMアセスメント報告書（HBEL QRM assessment report）の構成と一般的な内容を検討すること。
No.15	HBEL QRMアセスメントに関する課題

2.7　Risk-MaPP改訂版

2.7.1　概要

Risk-MaPP改訂版の内容を見ると，基本的なところは初版と変わらないものの，とくに洗浄に関係する部分が拡充され，目視検査に関する項目も大幅に増えるなど，より実際的な内容になっているとも考えられる。

EU-GMPおよびEMA HBELガイドラインが発出された2014年以降の洗浄評価を巡る各方面での検討，専門家による議論，各種報文などの知見が，新規項目とともに，端的な表現で凝縮された形で織り込まれている。

このため，Risk-MaPP改訂版を手に取り，その内容を参照したときに，ガイドラインの意図していることがわかりにくいのではないかと思われる箇所も結構ある。なお，改訂の背景などについては，「1.3改訂の理由」にて記述されている。

まず，改訂内容の全般は次のとおりである。

①関連規制の動向の取り込み

・EU-GMPおよびEMA HBELガイドラインの内容を取り込んでいる。

・ICH M7（潜在的発がんリスクを低減するための医薬品中DNA反応性（変異原性）不純物の評価及び管理）を取り込んでいる。

②HBELの設定に関する項目

・EMA HBELガイドラインの式とNaumannらの式を併記している。用語も一部修正している。

・ハザード物質の定義に，低用量の数値が明記された。

③洗浄評価に関する項目

・用語STV（安全閾値）に代えて，SRL（スワブ残渣レベル）となった（リミットという表記を避けて，レベルとしていることに注目したい）。

・目視検査に関する項目が大幅に増え，その重要性を指摘している。

・洗浄バリデーションにおけるテストランの回数については，従来の3回でよいのではないかと提唱している。

④封じ込めに関する項目

・用語DT（設計目標）がなくなり，CPT（封じ込め性能目標値）に統一された（DTおよびCPTについては後述）。

⑤リスクアセスメントツールに関する項目

・FMEAにおけるランク区分表中にADEが明記されている（例かもしれないが）。5段階のハザード区分に該当する。

⑥事例集

・初版にあったペニシリン製造の事例は削除された。

・既存設備についての適用事例が追加された。その中で，洗浄評価のシミュレーションが例示されている。

2.7.2 HBELの設定に関する項目

HBELの設定に関連する主要な改訂項目は次のとおりである。

①EMA HBELガイドラインが紹介されており，Risk-MaPP改訂版でのADEとPDEが同義であることにも触れている。

②ADEの定義において，対象集団の表記などについて若干の修正がなされている（定義集）。すなわち，初版では「all population」とあったものが，改訂版では「all subpopulation」となっている。あわせて，初版では「is protective」とあったものが，改訂版では「is intended to be protective」という具合になっている（下線強

調筆者)。これは，ACGIHが設定しているTLVという曝露限界値の定義に関連して訴訟問題が以前にあったことも踏まえて，慎重な表現としたものと推察できる。

③HBEL算出の式において，汎用的な用語としてPoD（Point of Departure：ポイントオブデパーチャー）が使われている。

④不確実係数（Uncertainty Factor）という用語に代えて，補正係数（筆者訳）（Adjustment Factor）という表記に変わっている。

⑤不確実係数については，EMA HBELガイドラインのそれと比較するために一覧表を用意している。

⑥バイオ医薬品のHBELについても触れている。

⑦「毒性学専門家」の定義について，具体的に記述している。

2.7.3 洗浄に関連する項目

改訂に際して内容が大きく拡充された洗浄関連について，テーマごとに見てみる。ここでは，次の4つについて取り上げる。

・洗浄閾値の設定
・伝統的な洗浄評価基準の取り扱い
・目視検査
・テストラン回数

①洗浄閾値の設定について

・HBEL（ADE）をもとにして設定される洗浄閾値計算式，意味合い，留意点が，6.3.2.1項などにおいて触れられている（計算式は，本書6.1項参照）。

・「洗浄閾値」の意味合いについては，初版同様に，詳細に説明されている。伝統的な洗浄評価基準による「洗浄限界値」とは，異なった位置づけのものであることに注意する必要がある。

・用語の変更がある。初版で使われていた安全閾値（Safe Threshold Value：STV）という用語が削除されている。その関係で，初版で用いられていたスワブSTVおよびリンスSTVという用語は，スワブ残滓レベル（Swab Residue Level：SRL）およびリンス残滓レベル（Rinse Residue Level：RRL）という用語に変更されている。

・次のような留意事項が述べられている（文責筆者）。

(1) 洗浄閾値は，ここまで洗浄すればよいという意味での限界値ではない。洗浄閾値は，残滓データによるリスクレベルを決める際の，参照ポイントとして見なされるべきである。

(2) 洗浄後の残滓データはできるだけ低いところにくるようにするべきであり，洗浄閾値との間の距離が真の安全マージンとなる。実際の残滓データが洗浄閾値から十分離れたところにくるような洗浄は，安全マージンが大きくなり，洗浄失敗となるリスクが少なくなり，交叉汚染のリスクが減る。そのような意味から，洗浄閾値は安全なレベルを設定するためのものである。

(3) 洗浄閾値が高くなると，機器表面に残ってもよいのではないかという具合に受け止められるかもしれないが，それは許容されない。目で見てきれいということが，最低条件として必要とされる。

②伝統的な洗浄評価基準の取り扱いについて

- 伝統的な洗浄評価基準（0.1％投与量基準および10ppm基準）の取り扱いについては，初版と同様な内容で，6.3.2.3項において触れている。
- 伝統的な洗浄評価基準は患者の保護という視点から使わないとしている。すなわち，伝統的な洗浄基準である0.1％投与量基準は，HBELにもとづく洗浄閾値に比べると過剰に保護的となる場合があること，さらに，10ppm基準は恣意的なものであり，場合によっては十分に保護的ではない場合があることが指摘されている（初版と同様）。
- 従来の0.1％投与量基準，10ppm基準は，洗浄作業時の「プロセスコントロール限界値」，「アラート限度」として用いられるべきであるとしている（本書1.6項参照）。
- さらに，洗浄評価基準として3つの方法（HBEL基準，0.1％投与量基準，10ppm基準）による洗浄許容値の最小値を使いたくなるが，これには科学的な根拠がないとしている。

なお，前述の「プロセスコントロール限界値」については，6.3.2.1項でも触れられており，「社内コントロールリミット（アラートレベルまたはアクションレベル）」とも表記されている。そして，アウトオブスペックになる限度よりも厳しいところに位置するものであるとされている。

③目視検査について

- 目視検査が重要な位置づけになることは，前記の6.3.2.1項および6.3.2.3項においても触れられている。さらに，新規に目視検査の項が設けられている（6.3.2.10項 Visual Inspection）。
- 同項では，概略次のように，記述されている。

(1) 目視検査は，洗浄が適切であるかどうかを判断するために行うものであり，また，次の製造開始を決めるために行う。

(2) VRLを設定することが有用であり，現場に特有の変動要因を勘案して決める必要がある。

(3) そのための方法は，スパイクテストである。

(4) HBELにもとづく洗浄閾値がVRLよりも大きい場合には，目視検査を定常的なモニタリングに適したものとして扱えるであろう。HBELにもとづく洗浄閾値がVRLよりも小さい場合には，スワブまたはリンスによる分析が必要になるだろう。

(5) 目視検査についても，検査員の適格性の基準を設けることが，洗浄バリデーションの一環として必要となる。

・さらに，目視検査に関する記述が，新規に追加された洗浄バリデーションプログラム（9.2.2.1項）および洗浄プロセスについての継続的プロセスベリフィケーション（9.2.2.2項）においても記述されている。たとえば，

－「洗浄プロトコルに目視での検出限界を記載すること」(9.2.2.1項)

－「オンゴーイングモニタリングについて，分析測定と目視観察の2つを記録しなければならない」(9.2.2.2項)

・このほか，「6.6検出」，「8.1包括的なアプローチ」の項でも目視検査が記述されている。

・ちなみに，「visual」という用語をRisk-MaPP初版内で検索すると6箇所のみであるが，改訂版内で検索すると50箇所にのぼる。目視検査の位置づけが今後重要である表れでもあると思える。

④テストランの回数について

・新規に追加されている洗浄バリデーションプログラム（9.2.2.1項）の中で触れており，「3回は一般には受け入れられる」としている（しかも太字で強調している)。

・推察するに，これは，テストラン回数について業界内での意見がまとまらないこと，洗浄バリデーションとプロセスバリデーションとは異なることを踏まえて，改訂版にて提起したものと思われる。今後各所での議論が必要と考えられる項目である。

ここで，洗浄評価基準に関するRisk-MaPP改訂版の提唱をまとめると，次のようになる（本書1.5.8項で既述)。

・洗浄閾値は，HBELにもとづいて設定されるべきである。

・必要となる基準は，HBELを用いた洗浄閾値であり，バリデートされた分析方法であり，目視で清浄ということである。

・すべてのケースにおいて，「目視で清浄である」ということが，期待される最低線である。機器表面上には，目で見える形でのいかなる残滓もあってはならない。

2.7.4　封じ込めに関連する項目

①空気浮遊物質に対する封じ込め性能目標値（Containment Performance Target：

CPT）の項が新規に追加された（6.3.4.2項）。

「CPT（単位$\mu g/m^3$）は，目標とする値である。それは，設備設計および労働者保護のためのリスクコントロール措置（すなわち，封じ込めシステム）を選定するに際しての基盤として用いられる。

多くの場合，CPTを満足することのできるリスクコントロールストラテジーは，空気浮遊物質に由来する交叉汚染リスクからの保護にも役立つ」（文責筆者）。

これは，封じ込め設備の設計指標に関する，初版での混乱を解消しようとしたものといえる。初版では，設計目標（Design Target：DT），設計曝露レベル（Design Exposure Level：DEL），封じ込め性能目標濃度（Containment Performance Target Concentration：CPTC）という類似した用語が3つ記載されており，それらの定義がはっきりしないこともあり混乱をもたらしていた経緯がある。初版の日本語版からその部分（7.3.1.2項）を引用すると次のようになる。

> 「・・・・この値（筆者注：DTのことを指す）は，設計曝露レベル（DEL）や封じ込め性能目標濃度（CPTC）とも呼ばれ，作業者の曝露については，取り扱われる化合物のOELにもとづいた値を設定する公式が存在する。・・・・」（和文原文のまま）。

改訂版では，DT・DEL・CPTCという用語がなくなり，CPTに一本化されたことになる。ただし，改訂版の9.7.1項には，まだDesign Targetという用語が残っている。おそらくは見落としであろうと推察できる。

なお，CPTという用語自体は，薬塵測定に関するISPEからのガイドラインSMEPAC第2版で，新規に導入された用語である。

CPTの設定，留意点については，本書12.3項で説明する。

②FMEAにおけるランク区分表中の重篤度の欄にADEの数値が明記されている（11.3.1項）。

FMEAを用いてリスクアセスメントする際の因子である重篤度（severity）の項に，HBEL（ADE）の具体的な数値が記載された。これは，初版にはなかったことである。あくまでもサンプルにすぎないのであろうが，5段階のハザード区分に該当することになる。

③初版付属資料1にあったペニシリン製造の事例は削除された。

ペニシリンは専用化設備で製造されることは，従来からも明白であったために，改訂時に削除されたと思われる。

2.8 ISPE洗浄ガイド

2.8.1 概要

前述のRisk-MaPP改訂版は，医薬品製造設備における交叉汚染防止，高薬理活性物質の扱いなど広い範囲のテーマを扱っている。一方，ISPE洗浄ガイド（2020年）は洗浄工程に特化しており，HBELにもとづく洗浄評価の実践を含め，洗浄に関する話題を実用的な立場から幅広く取り上げている。

その序文において，本ガイドの意図するところが明示されている（文責下線強調筆者）。

－FDAからのライフサイクルモデルを洗浄に適用する方法を記述する。

－バリデーションの設計と管理においてリスクベースアプローチを採用しているという点で，Risk-MaPP改訂版の原則と調和する。

－洗浄評価へのHBELの利用を促進する。

ここでは，本ガイドから，本書に関連する項目として，次についての要約を記す。

・ライフサイクルモデルにもとづく洗浄バリデーション
・洗浄バリデーションへのQRMの適用
・洗浄閾値の計算
・洗浄閾値を表す用語
・HBELにもとづく洗浄閾値の位置付け
・伝統的な評価基準の扱い
・目視検査
・間接製品接触面

2.8.2 ライフサイクルモデルにもとづく洗浄バリデーション

FDAがプロセスバリデーションに対してライフサイクルモデルを提唱した2011年以降，洗浄工程へのライフサイクルモデル（またはライフサイクルアプローチ）の適用について，数多くの議論がなされている。本ガイドは，ある意味では，それらをまとめた形となっている。

本ガイドでは，ライフサイクルアプローチの位置づけについて，次のように記している。「伝統的な洗浄バリデーションプログラムでは，適格性確認試験を実施することにより，洗浄方法が意図したように機能することを確認することに力点が置かれていた。しかしながら，現状では，洗浄バリデーションを一つのライフサイクルとして取り扱うのがよりよいアプローチであるとの認識があり，力点は，洗浄の適格性確認試験から，洗浄開発そしてオンゴーイングでの洗浄ベリフィケーションを実施することに移りつつある」（4.1項）（文責下線強調筆者）。

ライフサイクルモデルでは，洗浄工程のリスクマネジメントを，洗浄プロセスの設計（Cleaning Process Design），洗浄プロセスの適格性確認（Cleaning Process Qualification），継続的な洗浄プロセスベリフィケーション（Continued Cleaning Verification）の３段階に分けて考える（文責筆者）。各段階のアクティビティを検討する過程で，リスクベースアプローチが採用されることになる。

本ガイドでは，各段階のアクティビティを次のように記している（代表的に，同ガイドの表4.3による。同ガイドの図1.3，表4.1にもほぼ同じ内容のものが示されている）。

＜洗浄プロセスの設計＞

1. 要求事項およびリスクベースアプローチを定義する
2. 残滓の特性を把握する
3. 洗浄剤を選定する
4. 洗浄プロセスのパラメータを選択する
5. 洗浄方法を選択する
6. 機器の設計をレビューする
7. 残滓限界値を決定する
8. 分析方法を選定する
9. 微生物学的（分析）方法を選定する
10. サンプリング方法を規定し，回収率を検討する
11. 受容基準を決定する
12. 小スケールでの研究を実施する

＜洗浄プロセスの適格性確認＞

13. 機器，方法，ユーティリティの準備状況を把握する
14. バリデーション戦略，ランの回数を定義する
15. サンプリングプランを定義する
16. 目視検査基準を定義する
17. SOPsを完成する
18. 洗浄バリデーションプロトコルを完成する
19. 人員の訓練を実施する
20. バリデーションランを実施する
21. バリデーションの報告書を完成する

＜継続的な洗浄プロセスベリフィケーション＞

22. 洗浄モニタリングを実施する
23. 定期的なレビューを実施する
24. 製品切り替え要領を実施する
25. 変更管理を評価する

各段階における検討事項について，同ガイドでは4.1.1～4.1.3項にわたって詳細に説明している。また，各ステージにおける必要な文書について，代表的なものが同ガイド図4.2にまとめられている。なお，洗浄バリデーションに対する従来のアプローチと「ライフサイクルモデル」にもとづくアプローチを対比したものが同ガイド表4.1にまとめられている。

2.8.3　洗浄バリデーションへのQRMの適用

本ガイドでは，Chapter 3において，洗浄プロセスに関するリスクマネジメントを扱っている。実務的には，ICH 9によるQRMの手法によるわけであるが，ICH Q9におけるリスクマネジメントの流れ（リスクアセスメント／リスクコントロール／リスクレビューという3つの段階）に該当する図が，同ガイド図3.1にまとめられている。後述のASTM洗浄ガイド（および関連報文）と比較してみるのも興味深い。

洗浄バリデーションの各段階での各種活動に，QRMを適用する場合の内容および留意事項が**表2-8**に示すようにまとめられている（同ガイド3.2項）。同表は，洗浄バリデーションにおけるQRM活動を見えるようにするために有益であると考える。

また，洗浄バリデーションの最初の時点，新規製品を導入する時点，オンゴーイングでのベリフィケーション時点における留意点を記している（同ガイド3.2項）。

バリデーションの最初の時点でのアセスメントに際して対象とする事項，考慮するべきポイントが**表2-9**のようにまとめられており，参考になる。

QRMの手法にもとづいてリスク評価する際の，重篤性および発生可能性に関するスコアリングが例示されている。たとえば，difficult-to-cleanなどを決める際のリスク評価に役立つと思われる。これらのツールについては，後述する（本書11.6項参照）。

2.8.4　洗浄閾値の計算

本ガイドでは，HBELにもとづく洗浄閾値を２段階に分けて計算している。

まず，次製品への持ち越し総量を求める。HBELの数値またはTTCの概念によるデフォルトを計算式の分子側に用いて計算される。なお，持ち越し総量の計算式における分母側に用いるパラメータとして，原薬の場合には，標準治療用量（Standard Therapeutic Daily Dose）を，製剤の場合には最大治療用量（Maximum Daily Dose）を使うとしている。

表2-8　洗浄バリデーションにおけるQRM適用の例

洗浄バリデーションにおけるマイルストーン	QRMを適用すべきタスク	検討するべき事項
バリデーションマスタープラン	マトリックスアプローチとするか，すべての製品を試験するか（多品目製造設備）	製品およびAPIをバリデートするために，「ワーストケース」アプローチを定義する
	サンプリングプランを策定する	サンプリング方法，サンプリング部位，頻度および信頼性レベル
	分析方法を選定する	HPLC 対 TOC，適切な微生物試験方法，LOD，方法の多様性
設計と開発	ターゲットHBELを設定し，リスクアセスメントを実施し，洗浄限度値を評価する	PDE/ADEが利用できるかどうか，または，臨床のデータが利用できるかどうか 既存のコントロールプランへの影響の有無
	洗浄プロセスに関するパラメータを設定する ブラケッティングおよびグルーピングの考えを検証する	複数パラメータの間の相互干渉について検討し，有効性と性能について最善なレンジを検証する
適格性試験（PPQ）	機器の洗浄が難しいエリアhard to clean areaを試験して，CVに適合しているかどうかを確認する	適切な試験と複数部位でのサンプリングにより，機器が十分にきれいであることを確認しCVを完成させる
	洗浄適格性確認のためのランの数を決定する	CVの範囲をカバーする，最適な回数の洗浄が実施されなければならない
ベリフィケーション（Continued Process Verification：CPV）	該当プロセスが改善し得る領域を探索する	CHT検討またはキャンペーン生産期間内での試験の削減。現状のハザードを評価して，コントロールを改良する
オンゴーイングモニタリング	洗浄限度値が適切に維持されていること，および定期的な試験が要求事項を満足していることを確認する	追加となったプロセスの知見があれば，初期のPDE/ADEによる計算を変更することができる。現状のハザードをスポット的にチェックすることによるベリフィケーションはリスクを減じることができる
	試験を減らすための機会を評価する	コントロール（試験の実施）のレベルは，現状のリスクレベルに相応しいものであるべきである
定期的なレビュー	アセスメントを実施するために機能横断的なチームを編成し，洗浄バリデーションプログラムの有効性について，評価し，報告する	この報告書は査察当局の査察に利用されるべきであり，洗浄バリデーションの管理戦略における改善に焦点をあてるべきである
変更管理	計画されている変更を評価し，そのあり得るインパクトを設定する	バリデーションコントロールプランへのインパクトを考慮すること。変更が累積したことによるインパクトを考慮すること。

注：ISPE日本本部からの許可を得て掲載。文責筆者。

次に，持ち越し総量をもとにして，スワブサンプルまたはリンスサンプルによる洗浄閾値を求める。回収率を勘案する係数に加えて，非特異的試験方法（たとえば，TOC，電気伝導度）を用いる場合の係数についても触れている。

表2-9 洗浄工程のバリデーションにおけるアセスメント要素

項目	評価内容
分析方法	・供給方式（たとえば，容器，スワブ） ・特異性 ・堅牢性 ・分析範囲 ・感度 ・活性成分の劣化 ・未確認のピークが出たときの対処
洗浄剤	・ADE/PDEのレベル ・洗浄の有効性 ・リンスの容易性 ・検出の容易性
洗浄サイクルの開発	・ランの回数
洗浄手順	・TACT* ・再現性（たとえば，自動，半自動，手動） ・訓練のレベル ・手順詳細のレベル（たとえば，手洗浄時）
洗浄適格性試験の実施	・ランの回数
保持期間	・DHT（たとえば，洗浄性への影響） ・CHT（たとえば，期間，保管状況，菌の増殖）
製造機器	・機器とプロセス生成物との接触ポイント ・機器の複雑性（たとえば，部品，回路，形状） ・残滓の形成に関する懸念 ・グルーピング（たとえば，製品毎，機器毎）
製造プロセス	・ソイルの洗浄容易性 ・プロセスにおける各ステップの難易度Criticality ・ソイルの多さとバッチサイズによる変動
残滓	・プロセス残滓（たとえば，API，賦形剤，劣化物，補助剤，潤滑剤）のADE/PDEのレベル ・洗浄容易性 ・検出容易性
安全洗浄限度値(Safety Cleaning Limits)	・洗浄限度値の計算と検証 ・洗浄限度値を選択した際の根拠 ・HBELにもとづく安全限度値の計算と検証
サンプリングのためのアプローチ	・間接的なアプローチ（たとえば，タイミング，順次（インライン，grab sample，個別）） ・直接的なアプローチ（たとえば，アクセス可能性，部位） ・目視検査（たとえば，アクセス可能性，照明）
サンプルの回収	・回収の容易性（洗浄補助剤，活性成分，および微生物） ・機器の材料（Material of construction） ・回収率
＊TACT＝時間（Time），作用（Action），洗浄剤濃度（Concentration），洗浄温度（Temperature）	

注：ISPE日本本部からの許可を得て掲載。文責筆者。

2.8.5 洗浄閾値を表す用語

本ガイドでは，HBELにもとづくことを明確に示すために，新しい用語が提案されている。すなわち，「Safe」または「Safety」を先頭に付している。

まず，次製品への持ち越し総量をMACOまたは「安全MACO（Safe MACO）」と称している。MACOという用語は，最大安全持ち越し量（Maximum Safe Carryover：MSC）として扱われるべきとしている（同ガイド1.3.2項および6.1.1項の注釈5による）。なお，MSCという用語自体は，Walsh[22]，およびCrevoisierら[8]，そしてASTM洗浄ガイドE 3106においてすでに提唱されている用語でもある。

次に，サンプリング時に使われる洗浄閾値を「安全リミット（Safety Limit：SL）」と称している（和訳筆者責任）。サンプリング方法によって，スワブ安全リミット（Swab Safety Limit），リンス安全リミット（Rinse Safety Limit）としている。なお，Cleaning Safety Limitという表記もなされている（本ガイドGlossary参照）。

本ガイドでは，もう一つSLに相当する用語として，ARL（Acceptable Residue Limit）が使われている。ただし，使用されている範囲は目視検査に関連する部分に限定されている。このARLという用語は，本ガイドの執筆陣の一人であるForsythが2004年以来，一貫して提唱しているものであることを付記しておきたい[23]。

一方，Risk-MaPP改訂版では，スワブ残渣レベル（Swab Residue Level：SRL），リンス残渣レベル（Rinse Residue Level：RRL）という用語を採用している。同じISPEからの関連ガイドラインではあるが，上記のように，2つのガイドの間で異なる用語が提案されている。現場的には，少々混乱する可能性がある。なお，本書では，Risk-MaPP改訂版による表記を用いている。

2.8.6 HBELにもとづく洗浄閾値の位置づけ

本ガイドでは，HBELにもとづく洗浄閾値の位置づけについて，次のような記述がある（6.1.3項）（文責下線強調筆者）。

> 「HBELにもとづいて設定される洗浄残渣のSLは，洗浄プロセス適格性確認試験完了後のルーチンの洗浄限度として利用されることを意図しているものではない。SLの目的とするところは，残渣がSLを越えることがないように，十分に管理しうる洗浄プロセスを構築するためにある。このことは，洗浄工程の変動および性能にもとづくプロセスコントロールリミットを設定することによって，実現しうる」

受容基準としてHBELを用いることを促進する立場から，各所でHBELにもとづく洗浄閾値への移行を促している（文責下線強調筆者）。

> 「HBELにもとづく洗浄閾値を設定することが現状で適切なアプローチである」

(同ガイド　6章冒頭)。

「治療用量にもとづくアプローチによる伝統的な洗浄限度値を使っている企業，または治療用量が洗浄限度値を設定するための規制上の基盤となっている国々に供給している企業においては，ADEまたはPDEを用いてSLs (Safety Limits) を決定する必要がある」(6.1.1.3項)。

「伝統的な洗浄プロセスは，その洗浄バリデーションプログラムにおいて，ほかのタイプの洗浄限度値の計算方法（筆者注：伝統的な評価基準を指す）を採用しているかもしれない。しかしながら，企業は，現状の規制当局の要求を満たすために，HBELによるアプローチを採用する必要がある」(6.1.5項)。

2.8.7　伝統的な評価基準の今後の扱い

本ガイドでは，伝統的な評価基準の問題点について，6.1.1.3項に次のような記述がある。

「治療用量を用いるアプローチは，伝統的なアプローチである。・・・治療用量は，原薬の安全性には直接的には関連しない。むしろ，原薬の効力（efficacy）に関連するものである。治療用量は，有害作用あるいは曝露期間を考慮していない」（文責下線強調筆者）

伝統的な評価基準の今後の取り扱いについては，次のような記述がある。

「治療用量にもとづく伝統的な限度値（legacy limit）が，ADEまたはPDEによる洗浄閾値よりも低い場合には，伝統的な限度値は洗浄プログラムの中でアラートレベル（alert level）として使用されてもよい。ADEまたはPDEによる洗浄閾値が，治療用量にもとづく既存の伝統的な限度値よりも低い場合には，ADEまたはPDEにもとづくその新しいSLが使われる。」(6.1.1.3項)（文責下線強調筆者）

「既存製品について，企業で伝統的に今まで用いていた洗浄限度値が，HBELにもとづく洗浄閾値よりも低い場合には，そのまま，アラートレベルとして利用されうる。既存のバリデートされている洗浄プロセスについてのデータを分析して，プロセスの能力として，十分な安全マージンをもつことを確認するべきである。これは，HBELを越えた変動が防止されることを示すものとなる。」(6.1.5項)（文責下線強調筆者）

2.8.8　目視検査

本ガイドの目視検査に関連する部分は，目視検査に長く携わってきていて，編集メンバーの一人でもあるForsythが，今まで報文の形で公開してきた広範囲な事項を集約したものといえる[24]。ガイドラインの一部としてまとめられた点は有意義であると考えられる。

目視検査およびVRLについて，次のように触れている。

「目で見てきれいは，HBELにもとづく洗浄閾値と同様に，受容基準を構成する一つである」（本ガイド6章冒頭および6.3項）。

上記の「目で見てきれい」を判断するために，VRLは工場毎に設定されておく必要がある。そのVRLを設定するためのアプローチが，本ガイドの6.3項にて詳しく説明されている。また，そのためのプロトコルの例がAppendix 3にて提案されている。確認試験の際には4人の検査員によるとも記されている。さらに，試験のための記録用紙のサンプルも提案されている。統計的な手法については触れていない。

VRLに関連した興味ある記述として，次がある。

「VRLがSLよりも著しく低い（20％以下）場合には，目で見てきれいとする基準まで洗浄された面は，次製品に与えるリスクが低いと考えられる」（6.3.2項）（文責筆者）。

ハザードレベルが相対的に低い場合には，VRL＜SLとなることは各種数値シミュレーションからも明らかである（本書8.5項参照）。「目でみてきれい」を実現することが，HBELにもとづく洗浄閾値に対して大きな余裕をもつことにつながることを示唆している。

2.8.9 間接製品接触面

従来からの「製品接触面」，「製品非接触面」に加えて，第3の接触面として，「間接製品接触面」（文責筆者）が話題になることがある。本ガイドでも簡単ではあるが，取り上げている（10.4項）。間接製品接触面は洗浄バリデーションの対象外ではあるものの，適切な洗浄（清浄化）が必要となる。詳しくは，本書12.6項で扱う。

2.9 ASTM洗浄ガイド

2.9.1 概要

ASTMから，リスクベースアプローチにもとづく洗浄ガイドE3106-17が発刊されている（2018年5月）。改訂版E3106-18が2018年9月に公表されている。これは，Risk-MaPP初版で洗浄部分を主に執筆したA.Walshが中心になってまとめたものである。同氏の2011年の報文がこのASTM洗浄ガイドのベースになっていると推察される[25]。

本ガイドの冒頭部分で，洗浄工程でのリスクは次の3つの要素から構成されるとしている。

・プロセス残滓の重篤性

・プロセス残滓の可能性とそのレベル

・プロセス残渣の検出性

それぞれについて，説明を加える。

プロセス残渣の重篤性とは，プロセス残渣（API，劣化した製品，中間体，洗浄剤，バイオバーデン，エンドトキシンなど）によるハザードレベルを特定することである。プロセス残渣の可能性とそのレベルとは，プロセス残渣を許容レベルまで除去できるかどうか，洗浄プロセスの能力を特定することであり，洗浄がうまく行われたかどうかということである。プロセス残渣の検出性とは，洗浄後にプロセス残渣の存在を検出し同定する能力を特定することである。

このガイドの特徴は，洗浄バリデーションという工程をICH Q9が提唱しているQRMのステップ，すなわち，リスクアセスメント，リスクコントロール，リスクレビュー，リスクコミュニケーションの各ステップに沿って，リスクベースアプローチの考えにもとづいて記述していることである。

以下では，そのステップに沿って，説明を加える。括弧内は，本ガイドの該当する項目番号である。

2.9.2 リスクアセスメントについて

①リスクの特定（6.5項）

- プロセス残渣によるハザードの特定については，適格性のある「毒性学専門家」または「薬理学専門家」による毒性学的な評価によるとしている。
- HBELの設定については，Risk-MaPP改訂版およびEMA HBELガイドラインによるとしている。
- ADEを設定できない場合，中間体，劣化した製品，開発初期段階の化合物の場合には，代替えのアプローチ（TTCの概念）が利用可能としている。十分なデータがない開発初期段階の化合物では，化学的な構造から暫定的なADEを設定できるとしている。
- 保管状態にあるとき（DHT/CHT）のバイオバーデン・微生物による汚染についても考慮すべきとしている。
- 機器内部に製品のビルドアップが起きる可能性があるかどうかを検討することとしている。
- 洗浄を実施する前に，洗浄手順についてのリスクアセスメントを実施することとしている。

②リスク解析（6.6項）

この部分は，内容が多岐にわたっており，充実している。主要な項目と内容要旨のみを次に紹介する。詳細は，本ガイドの本体にあたって欲しい。

- プロセス残渣の特性：残渣の化学的特性，洗浄剤との相互関係などを検討する。
- 機器の洗浄性能の特性：機器設計上の因子と洗浄を結びつけて解析する。
- 過去の洗浄データの評価：従来のデータを解析する。

・必要な洗浄レベル：その機器で製造される化合物がどのようなものなのか（原薬なのか，中間体なのか，最終製品なのか）により，必要とされる洗浄レベルを設定する。
　－異なる製品間での洗浄
　－類似している製品間での洗浄
　－キャンペーン生産における同一製品でのバッチ間での洗浄
　－専用化機器での洗浄
　－そのほか
・洗浄プロセスの開発：ベンチスケールでの洗浄パラメータの決定，洗浄剤の選定を行う（Cleaning Design Spaceの設定）。
・グルーピング戦略の策定：科学的な根拠にもとづいて，グルーピングを行う。
・Hold Timeの検討：DHTおよびCHTによる影響の有無，そのレベルについてリスクアセスメントを行う。
・サンプリング戦略の設定：サンプリング部位，数，サンプリング手法を決定する。

なお，上記のサンプリング戦略の項目においては，目視検査についても触れている。その中で，「目視検査のみをバリデーションのために用いることは，許容されるかもしれない。ただしそれは，リスクが低く，機器表面の100％が適切な目視観察条件のもとで検査できることがリスクアセスメントで示される場合のみである」としている（6.6.18.3項）。

③リスクの評価（6.7項）

リスク評価は，洗浄データを受容基準と比べることにより，患者への曝露リスクの可能性を考えねばならないとしている。本ガイドで用いられている受容基準の用語は，最大安全持ち越し閾値（Maximum Safe Carryover：MSC）および最大安全表面残滓（Maximum Safe Surface Residue：MSSR）である（訳文責筆者）。MSCは，従来の用語でいえば，MACまたはMACOに該当するものであり，本ガイドにおいて定義されている。一方，MSSRは持ち越し総量を共通部分の面積で除した値であり，単位面積当たりの残滓量という意味になる[8]（本ガイドの中では定義されていない）。

2.9.3　リスクコントロールについて

①リスクの低減（7.2項）

前述のリスクを構成する因子に関連して，リスクを低減するための具体的措置を示している。すなわち，
　・ハザードの重篤性を下げる
　・発生の可能性を低減する
　・リスク検出能力を向上する

表2-10　リスク低減の例

リスク低減のための要素	リスク低減のためのステップ例
重篤度を低減する	ハザードの除去 ハザードの置き換え（たとえば，より安全な洗浄剤へ移行する） 機器の専用化
可能性を低減する	洗浄プロセスの改善 洗浄の最適化（DoE） 運転員の訓練 SOPの改善（たとえば，ポカよけ） 機器の専用化 機器設計の修正 機器保管要領における改善 新規機器の選定 製品のキャンペーン生産
検出性能を高める	分析方法の改善（より低いDL検出限界） サンプリング方法の改善（回収率の向上） 洗浄プロセスのモニタリング 統計的なプロセスコントロール PAT技術の導入（たとえば，at-lineでのリリース）

（ASTM洗浄ガイドE3106-18より引用，訳文責筆者）

という視点からのリスク低減策が示されている（**表2-10**）。重篤度を下げる項目で，ハザードの除去とあるが，洗浄作業が該当する。

②リスクベースモニタリング（7.3項）

継続してモニタリングする際のレベルとサンプリング頻度は，洗浄プロセスの開発および適格性ランの段階で得られたデータに加え，リスクレベルに応じて決定されるとしている。

ここで，「統計的なプロセスコントロール限界」（Statistical Process Control Limits）という概念を提唱していることに注目がいる（7.3.3項。ただし，定義の項では規定されていない）。SPC限界値は，「リスク評価の段階で集められた従来の洗浄データから得られるものであり，洗浄プロセスをモニタリングするために使われるべきである」としている。そして，MSSRの代わりとして使われるとしている。筆者の推察であるが，SPC限界値は，Risk-MaPP改訂版での「プロセスコントロール値」，EMA HBELガイドラインQ&A最終版での「プロセスアラート限界」と同じ意味合いと思われる。いわば，洗浄プロセスの実際的な管理目標値という意味合いになる。なお，SPC限界値の意味合い，設定については，文献21）においても議論されている。

なお，同項では洗浄バリデーションにおけるPATの利用についても触れている。

③リスクの受容（7.4項）

リスク低減措置が実施された後，そのような措置がうまく機能したかどうかを評価することになる。残滓のリスクが受容されるものであるかどうかを評価し，その結果が文書化されるとしている。

2.9.4　リスクレビューについて

洗浄モニタリングの結果は定期的にレビューされるべきとしている。レビューの結果により，新規のリスクコントロールが必要となるかもしれないとしている。

さらに，新規化合物の導入について次のように，触れている（8.1.1項）。

・新規化合物を導入する前には，導入の適格性についての決定が行われて，文書化される。

・関連する毒性学的データ（非臨床，臨床，上市後）にもとづき，適格性のある毒性学専門家，薬理学専門家によって，ADEが設定される。

・新規化合物が受け入れ可能であれば，洗浄性が検討されなければならない。今までの洗浄プロセスでは洗浄できないような場合には，洗浄プロセスの開発が必要である。

2.9.5　リスクコミュニケーションについて

リスクコミュニケーションの範囲として，企業内に加えて，企業対CMO，企業対規制当局も含むとしている（9項）。

リスクベースアプローチということでは，Risk-MaPP改訂版が先駆け的存在であるが，「洗浄」に特化する形で記述されているわけではない。一方，ASTM洗浄ガイドは洗浄という工程に注目する形で，リスクベースアプローチを適用したものとなっている。洗浄工程で出てくる各種用語についても定義を加えている。

なお，Walshらによる「21世紀の洗浄バリデーション」と題する一連の報文が出ており，洗浄に関する多方面のトピックを取り上げている。その一環で，最近の洗浄に関する規制およびガイドラインについて報告している[26]。その中で，ICH Q9の考えを洗浄に適用する際の要素についてまとめている（**表2-11**）。ASTM洗浄ガイドと合わせて参照するとわかりやすいと思われる。

また，Walshらは，ASTM洗浄ガイドを具現化するための方法論として，各種の手法およびツールを提案している。これについては，本書第11章において紹介する。

2.10 ASTM HBELガイド

ASTMから，HBELの設定に関するガイドE3219が発刊されている（2020年4月）。その冒頭部で，本ガイドの意図などが記されている。

・本ガイドは，医薬品の共用製造設備における交叉汚染を防止するために，QRM

表2-11　洗浄に関連するICH Q9要素のマッピング

ICH Q9のステップ	該当する洗浄開発およびバリデーションにおける要素	
リスクの特定	データの収集	可能性のある洗浄後の残滓を特定する−API，洗浄剤など 今までの洗浄データおよび他の知識を集める プロセス残滓の検出についての方法など
	ハザードの特定	洗浄プロセス残滓についてのADEを決定する 洗浄閾値を計算する 洗浄プロセスにおける可能性のある失敗モードを特定する
リスクの解析	FMEA（Initial）	
	重篤度	洗浄プロセス失敗の場合のインパクト（例：毒性，製品品質）
	曝露	今までの洗浄データおよびほかの知識 ベンチスケールでの解析（プロセス残滓の特性，洗浄性，洗浄剤選定，クリティカルプロセスパラメータの決定，実験計画，デザインスペースの定義） 洗浄プロセスの堅牢性検証
	検出性	洗浄プロセス残滓の検出性
リスクの評価	洗浄データを収集して評価する データについての統計的な評価を行う（Cpk／Ppk） 安全マージンを測定する 統計的なプロセスコントロール限界を決定する	
リスクの軽減	実験計画を立てる 洗浄のデザインスペースを定義する 洗浄プロセスを最適化する 訓練する	
リスクの受容	FMEA（Final）	
	重篤度	洗浄プロセス失敗の場合のインパクト（例：毒性，製品品質）
	曝露	プロセスケイパビリティの決定（Cpk／Ppk） 安全マージンを測定する 統計的なプロセスコントロール限界を決定する
	検出性	統計的なプロセスコントロールを図化する モニタリングプログラム／継続的な評価 目視検査 PATの適用
リスクのレビュー	新規の臨床データ／毒性データにもとづいてADEを見直し更新 洗浄失敗事例の調査 新規製品の導入検討 洗浄プロセスの改善検討 統計的なプロセスコントロールを図化する モニタリングプログラム／継続的な評価	
リスクコミュニケーション	設備の洗浄リスク評価を行う ハザードの特定について報告する ADEモノグラフを作成する 洗浄手順についてのリスク解析を行う 洗浄バリデーションマスタープランを作成する 洗浄バリデーションプロトコルを作成する 洗浄バリデーションを報告する 洗浄手順についてのリスク評価を行う 洗浄についてのコントロール戦略を検討する 訓練を記録する 新規製品のリスクを検討する	

（注記：この表ではFMEAは一例として用いられている。他のRA ツールも等しく適切である）
（文献26）より引用，訳文責筆者）

に使われる数値であるHBELを求める方法およびその文書化に関する一般的なガイダンスであり，適格性のある専門家がHBELを導出する際の参照として役立つ（同ガイド1.1および1.2項）。

・本ガイドは，毒性学的評価による洗浄閾値を提唱しているEU-GMPおよびISPEからのガイドライン（筆者注：Risk-MaPP改訂版）の原理を支援するものであり，それらと整合しているものである（4.4項）。

本ガイドの中でとくに気づいた点についてのみ，以下に記す。HBELの設定などに関する詳細事項は，本書の該当する箇所にて適宜紹介する。

・毒性学的なデータの品質および適格性を評価する手法として，Klimischらの方法について言及している（5.4.1.1項）。

・旧いジェネリック医薬品を評価する際には，前臨床試験および初期の臨床試験データにアクセスできない場合がある。そのような時には，ヒトデータ（たとえば，後期の臨床試験データ，上市後のサーベイランスデーターなど）をPoDとして利用することができるとしている（5.4.3項）。

・HBELの計算式に，化合物が体内に蓄積して残っている影響を考慮する蓄積係数が組み込まれている（6.1項）。この係数は，投与間隔が間欠的であるような場合（抗がん剤など）に考慮されるとしている（5.8.2項）。

・TTCの概念によるデフォルトに関して，変異原性の可能性がある化合物および発がん性がある化合物について1.5μg/dayとしている（7.3項）。これは，Dolanらの報文（後述）とICH M7ガイドライン（潜在的発がんリスクを低減するための医薬品中DNA反応性（変異原性）不純物の評価及び管理）を統合する形と思われる（Dolanらの報文では，発がん性を有する可能性がある場合には1μg/dayとしている）。また，TTCの概念によるデフォルトを設定する際のロジックフローが示されている（7.4項図3）。

・「potent（高活性）」という用語の取り扱いについて，注意を喚起している。活性のある化合物と活性のない化合物という具合に，2つのグループに分ける人為的な線引きをすることにつながるとしている（10.5.1項）。

・抗体薬物複合体（ADC）について簡単な記述がある。高薬理活性をもつペイロードの毒性とその分子量の割合から，ADCとしてのHBELを推算する例が紹介されている（10.5.2～10.5.4項）。

・OTC製品についての記述がある（10.8項）。説明の中で，OTC製品ゆえに交叉汚染のリスクがないということではなく，リスクはありうると考えるべきであり，HBELを設定する必要があるとしている。多くの場合，治療用量がPoDとなるとしている。具体的なOTC製品として，非ステロイド系消炎鎮痛剤（NSAID）の1種であるIbuprofen（商標名ブルフェン）について，HBELの計算手順を示している（Appendix 2）。

なお，英文，和文での紹介記事が公開されているので，あわせて参考にしてほしい[27,28]。

2.11 ASTM目視検査ガイド

ASTMから，VRLの設定および目視検査担当者の適格性確認試験実施に関するガイドE3263が発刊されている（2020年11月）。

本ガイドの意図は，次のように記されている（文責下線強調筆者）。

- 洗浄残滓のVRLを決定するための統計的な手法を提供する（1.1項）
- 医薬品製造に使われる機器表面の残滓について，目視検査を実施する担当者の適格性を確認するための統計的な手法を提供する（1.1項）

本ガイドは，上記に示すように統計的な手法を用いていることに特徴がある。すなわち，統計的な手法を用いることで，目視検査が機器の清浄性を判断するうえで信頼に足りるものであることを示そうとするものである。この背景にあるのは，EMA HBELガイドラインQ&AのNo.7が，「目視検査が・・・機器の清浄性を決定するうえで，信頼できるものかどうか」を検討することを求めているからである（本書2.5.6項参照）。本ガイドは，その期待に応えるためのアプローチを提供しているともいえる。さらに，より端的にいえば，機器をリリースするために分析試験をせずに目視検査のみとする，すなわち，唯一の基準として目視検査を適用するためのアプローチを提案しているともいえる。目視検査を唯一の基準とすることについては，本書7.5項でさらに議論する。

本ガイドの構成は，試験のための準備（5.4～5.8項），検査員の訓練（6項），VRLの決定（7項），担当者の適格性確認試験（8項），洗浄バリデーションにおけるVRLの利用（9項），文書化（10項），Appendixから構成されている。

本ガイドでは，VRLの設定には2つの方法があるとしている。その1つは在来の方法であるが，その記述は極く簡単なものにとどまっている（7.2項）。多くのForsythの報文が参照文献リストに記載されている。他の1つは統計的な手法である。具体的には，Ovaisの報文に示されている，ロジスティック回帰分析（logistic regression analysis）手法である[29]。

また，担当者の適格性確認試験については，統計的な手法の一つである属性一致分析（attribute agreement analysis）の手法を活用することを提唱している。その試験のために準備するべき事項などを詳しく記述している（8項）。

なお，Walshらによる本ガイドに関する紹介記事がある[30]。あわせて参照してほしい。

2.12 改正GMP省令

これまで，海外の規制文書および各種ガイドラインを紹介してきた。国内では，改正GMP省令が2021年4月に発出されたことにより，HBELを洗浄評価に用いることが本格化する状況を迎えている。

改正GMP省令のうち，洗浄評価と専用化要件について，内容を概説する。なお，筆者は，改正省令，施行通知，パブリックコメントについて，解説を交えて詳しく説明している[31]。GMP省令が適用されない物品（たとえば，治験薬）の共用製造の可否についても触れているので，参照してほしい。

2.12.1 概要

改正GMP省令と同時に発出された施行通知にて，毒性学的評価による洗浄バリデーションへの方向性が明記されている。

施行通知（R030428薬生監麻発0428第2号「医薬品及び医薬部外品の製造管理及び品質管理の基準に関する省令の一部改正について」）の「第4　バリデーション指針」における，洗浄バリデーションの項では，次のように規定されている。

> 「・・・製品等の成分残留等の限度値については，その製造設備の材質，当該成分の薬理学的・毒性学的評価等の科学的な根拠にもとづく設定が求められる。・・・」（下線強調筆者）

製品中の薬効成分の残滓および洗浄剤残留物などの限度値は，「薬理学的・毒性学的評価等の科学的な根拠にもとづく」としており，毒性学的評価による洗浄バリデーションの方向性が明確に打ち出されている。これは，PIC/S-GMP Annex 15の洗浄バリデーションにある規定と同じである（本書2.3項参照）。

さらに，交叉汚染防止，専用化要件についての規定は，本書で今まで説明してきたPIC/S-GMPの規定と同じ内容となっている。施行通知では，必要に応じて，PIC/Sからの関連ガイドラインを参照してほしい旨が明記されている。

2.12.2 専用化要件

設備の専用化要件は，第9条第1項第5号に規定されている。専用化要件についても，PIC/S-GMP第3章製造エリア　3.6の後半部分と同じ内容となっている（本書2.2.2項参照）。

施行通知では，従来から使われてきた表記「微量で過敏症反応を示す製品等」とは，たとえば，ペニシリン類，セファロスポリン類など，いわゆるβラクタム系抗生物質であることを明記している。また，重大な影響がおよぶおそれのある製品として，抗がん剤など薬理活性のレベルが高い製品を指すとしている。

2.12.3 交叉汚染防止

改正GMP省令の中で，交叉汚染の防止に関する記述は極めて簡単であり，実質的には専用化要件についての施行通知第9条第1項第5号関係にある次の記述を参照することになる（下線強調筆者）。

「・・・

エ．交叉汚染を防止する適切な措置に関しては，次に掲げる内容であることが求められる。

①薬理学的・毒性学的評価による科学的データに基づいて，当該製品等の成分の残留管理が可能である旨が裏付けられること。また，当該成分の残留管理のための限度値について，薬理学的・毒性学的評価に基づいて設定され，検証された分析法により適切に定量することができること。

②上記①を踏まえ，当該成分の不活化又は製造設備の清浄化（洗浄）について，GMP省令第13条に規定するバリデーションが適切に行われること。

③その他当該作業室における医薬品に係る製品への交叉汚染の防止に関して，品質リスクマネジメントを活用して製品の製造管理及び品質管理（上記②の不活化又は清浄化が行われた後の再汚染を防止する必要な措置を含む）が行われること。

・・・」

この施行通知エでは，交叉汚染を防止するための措置がどういうものであるかを説明している。

①では，洗浄後の機器表面にある残滓の管理が可能であることを求めている。そのためには，科学的に設定される洗浄閾値が必要となる。その基盤がHBELである。

②では，交叉汚染を防止する適切な措置として，洗浄が適切に行われることを求めていて，これは当然のことと思える。

③では，QRMを活用して製品の製造管理および品質管理を行うことを求めている。これも，先に説明したPIC/Sガイドラインの内容と同じである。

2.13 洗浄に関するそのほかのガイド

Risk-MaPP改訂版，ISPE洗浄ガイド，ASTM洗浄ガイド以外の，洗浄関連ガイドとして，PDA TR-29（2012年），APIC洗浄ガイド（2021年）を紹介する。ここでは，洗浄評価基準にのみ焦点をあてて，以下に記す。

2.13.1　PDA TR-29

PDA TR-29（Point to Consider for Cleaning Validation）では，ICH Q 8／9／10の考え，およびFDAのライフサイクルモデルの考えなどが取り込まれている。製剤工場および原薬工場における洗浄に関する現実的な状況を想定して，広範囲にわたり具体的な指針を示している。なお，先行して，2010年にはバイオ医薬品分野での洗浄に関するPDA TR-49（Points to Consider for Biotechnology Cleaning Validation）が発行されている。

洗浄評価基準に関していえば，基本的なところはRisk-MaPP改訂版と同じであるが，複数のケースについて説明している。

①共用設備で高薬理活性物質の場合（5.3.2.1項）

- Risk-MaPP改訂版におけるADEを用いるとしている。ADEを算定する式もRisk-MaPP改訂版と同じである。持ち越し量を計算する式も実質的に同じである。
- 高薬理活性物質ではない物質を扱う場合にも使用できるとしている。

②固形製剤や，共用設備で高薬理活性物質ではない物質を扱う場合（5.3.1項）

- 0.1％投与量基準を用いるとしている。
- ただし，ADEを用いる方法の代わりとしての位置づけである。

③短期の毒性データしかない場合（洗浄剤や中間体など）（5.3.2.2項）

- 短期毒性データであるLD_{50}から換算係数を用いてNOELを算出する。次に，そのNOELを用いて，HBELに該当するSDI（Safe Daily Intake of the residue）を求める。BWは体重である。
  - $NOEL = LD_{50} \times BW/MF1$
  - $SDI = NOEL/MF2$
- SDIを求めたあとの持ち越し量計算式は①と同様である。不確実係数MF1およびMF2については，Conine，Kramer，Laytonらの各種文献のうちの一つによるとしている（特定の論文とすることは示唆していない）。MF1およびMF2の最大値は，1,000としている。

④遺伝毒性物質の場合（5.3.3項）

- SDI＝1.5 μg/dayとする。
- FDAが提唱している値を踏襲している。食品なので，経口であることに留意することとの注記がなされている。

PDA TR-29での洗浄評価基準をまとめると，次のとおりである。

・高ハザード物質についてはRisk-MaPP改訂版による。

・高ハザードではない物質については，HBELを用いる方法に加えて，0.1%投与量基準を用いることができる。

2.13.2 APIC洗浄ガイド

APIC（the Active Pharmaceutical Ingredients Committee）は，欧州化学工業連盟（European Chemical Industry Council：CEFIC）の中の一部門であり，名前のとおり，原薬工場に特化している専門家団体である。

この団体からの洗浄に関するガイド「原薬製造プラントにおける洗浄バリデーションガイダンス（Guidance on Aspects of Cleaning Validation in Active Pharmaceutical Ingredient Plants）」が公開されている（以下では，APIC洗浄ガイドと称する）。このガイドの特徴は，原薬製造プラントを対象としていることである。その基本的な立場として，Risk-MaPP改訂版と歩調を合わせていること，EMA HBELガイドラインQ&AおよびQ&Aに関するパブリックコメントと協調していることが記されている。

洗浄評価に関しては，2021年の改訂では，次製品への持ち越し総量を意味するMACOの計算に関する部分が大きく改訂されている。前回の改訂（2016年）では，MACOを求める計算方法として，HBELを用いる方法，0.1%投与量による方法，LD_{50}から求める方法の3つが記されていた。2021年改訂版では，HBELを用いる方法，General Limitによる方法を基本としている。General Limitによる方法は，従来の10ppm基準と同じ位置付けであるが，100ppmとすることが非常に多いとの記述がある。さらに，高分子医薬品に対する方法として，洗浄工程における不活化によりHBELの数値が得られないため，0.1%投与量基準および10ppm基準を組み合わせて利用できると記述されている（最終的には両者の最小値を用いる）。

本ガイドは，従前から，原薬工程では，より高いMACOを用いてもよいのではないかと提案している（4.2.6項）。この提案の背景は次のようなものである。製剤工程では，洗浄された機器表面上に残っている残滓の100%がそのまま物理的に次の製品に持ち込まれることになる。一方，原薬工程では，溶媒を用いる反応工程，ろ過工程，晶析工程があるため，残滓の100%が次の製品に移動することはないとするものである。

このため，ADEを用いて計算されるMACOに対して，係数5〜10を乗じて，より高いMACOの数値を用いることを提唱している（ただし，専門家により検証されるべきであるとしている）。

3 高薬理活性物質を扱うプロジェクトの進め方

3.1 プロジェクトの大きな流れ

ここでは，需要の多い高薬理活性物質を扱う設備を対象として説明する。高薬理活性物質を扱うプロジェクトでは，製品の交叉汚染，作業従事者の労働安全衛生に関して，今まで以上に配慮することが望まれている。

プロジェクトの大きな流れは，事前の準備段階，個別プロジェクトでの設備導入段階，導入後の運用段階となる（**図3-1**）。

準備段階では，自社のハザード物質取り扱いの基本指針として，ハザード区分け表を用意する。あわせて，一次封じ込め機器についての自社の評価を行い，封じ込め機器選定表の形にまとめておくことが望まれる。

個別のプロジェクトにおいて，エンジニアリングを実施し，設備を導入する段階のポイントは，次のとおりである。

- 取り扱う物質のハザードレベルを評価して，該当するハザード区分を設定する
- HBEL，関連する各種のリスクアセスメントツールの設定を行う
- 専用化要件について検討する
- 設備の外部に与える影響も考え合わせて，封じ込め方針・目標を策定・設定する
- プロセス工程での作業を詳細に分析し，曝露リスクを評価する
- リスクベースアプローチにより，一次封じ込め機器の選定・最適化をはかる
- 空調および建物などの二次封じ込めの設計を行う
- 廃棄物の処理方法を策定する
- FATおよびSATにて，封じ込め性能を確認する

封じ込め設備が実際に導入された後の運用段階では，次がポイントである。

- ハザード物質についての教育を通して，作業従事者の認識を高める
- 封じ込め機器などの操作および作業手順について教育訓練する
- 洗浄閾値と洗浄目標を設定し，洗浄パラメータを決定する

		ポイント
準備段階	ハザード物質取り扱いに対する自社の方針設定（事前に用意しておく）	ハザード物質によるリスクおよび封じ込め機器性能についての自社の評価・判断をまとめる。
設備導入段階	封じ込め設備の基本計画・基本方針	対象物質のハザードレベル，ADE ／ OEL を設定する。 専用化要件について，HBEL をもとに検討する。 設備設計運用のポリシーを策定する。 設備外への影響を評価する。
	封じ込め設備のエンジニアリング （設計・建設・性能確認 ）	各作業工程での作業分析を実施する。 一次封じ込め／二次封じ込め／廃棄物処理について設計する。リスクベースアプローチによる意思決定プロセスを文書化する。
運用段階	封じ込め設備についての教育訓練	ハザード物質に関する教育を実施し，作業従事者の認識を高める。 日常の作業時，事故時，緊急事態時に備えたトレーニングを実施する。
	封じ込め性能の検証 洗浄性能の検証	懸念がある箇所は積極的にサンプリングを実施する。 継続的に封じ込め性能，洗浄性能に関するデータを採取し，設備の状況を把握する。
	運転員の健康サーベイランス	労務管理の一環として，継続的に運転員の健康に関するデータを採取し，その健康状態を把握する。

図3-1 高薬理活性物質を扱うプロジェクトの大きな流れ

- 必要により，専用化する部分・機器を特定する
- 活性物質の飛来による汚染の懸念がある箇所を抽出し，サンプリング対象とする
- 実運転での洗浄性能および封じ込め性能の検証を実施し，設備全体の健全性について確認する
- 運転員の健康サーベイランスを実施する

プロジェクトを進める中で，リスクアセスメントが必要とされるタイミングは多岐にわたる（**図3-2**）。

リスクアセスメントを実施する目的は，

- 方針を決定する際の根拠を設定するため
- 予防的措置を設定するため
- 優先順位を設定するため

などであり，煎じ詰めれば，リスクアセスメントは，プロジェクトのPDCAサイクルを回すときに必要となる意思決定を「見える化」するためであるといってもよい。

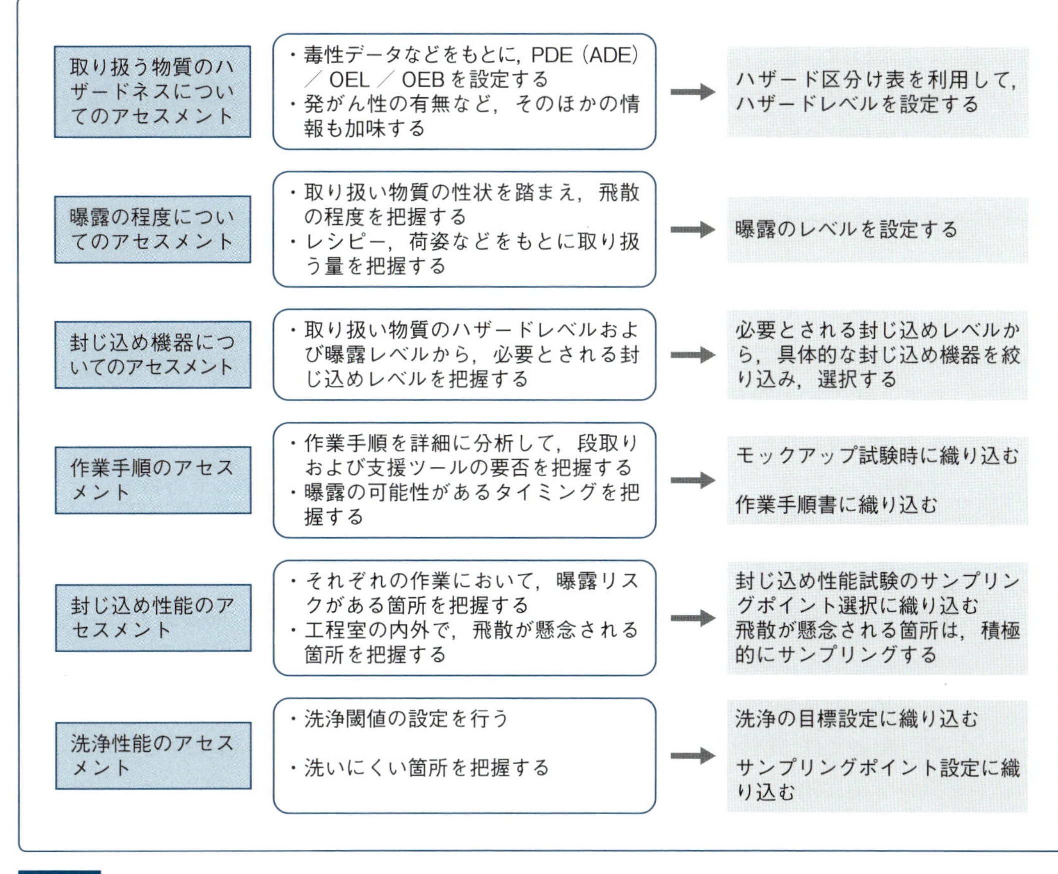

図3-2 各種のアセスメント

3.2 ハザードレベルの区分け

自社で取り扱う化学物質のすべてについて，その危険・有害性（ハザードネス）を評価して，ハザードレベルを区分（クラス分け）する必要がある。化学物質の保管・取り扱いを検討していくに際しては，この区分けが基準となる。

一般化学物質の場合には，法的な規制を踏まえることになる。一方，医薬品製造に用いられる物質（原薬）の多くはハザード物質であり，個々についての法的な基準はないので，自社の判断にて取り扱い基準を取りまとめておくことになる。すなわち，ハザード物質のリスクに関する自社の統一見解および判断を整理しておく必要があり，これにより，ハザード物質に対する一貫した取り組みが容易になる。

薬理活性物質の危険・有害性（ハザードネス）は，程度が弱いものから非常に強いものまであり，そのレベルは幅広い。このためハザード物質を扱う関係者間での情報伝達を円滑に行うために，そのレベルを明確な形でわかりやすく区分けして，共通認識としておくことが必要とされる。このためのツールがハザード区分表である。

対象物質のハザードレベルはもともとアナログの世界であり，もとより線引きがあるわけではない。利用者側（つまりは人間）の便宜のためにデジタル化して区分けを設けようとする場合に，その線引きも多様な考えや基準があって当然である。実際にも数多くの区分けが提案されている。

製薬企業で用いられているハザード区分表の多くは，マトリックスになっている。

その一方の軸は，ハザードレベルの大小であり，後述のように4～6段階となっている。そこでの数値的な指標として，OELおよび／または一日投与量の数値が幅をもつ形で使われる。OELについては，本書12.2項で説明する。

他方の軸には，ハザード物質による健康への有害性を示す言葉，その特徴などを示す用語が使われる。たとえば，急性毒性，慢性毒性，遺伝毒性，変異原性，生殖毒性，発がん性，感作性，皮膚／眼への刺激性，体内吸収の速さ，警戒すべき徴候が発現した際の判別しやすさ，医療行為の必要性，累積効果の有無，可逆性の有無などである。これらは数値的な表現が難しい場合も多い。このため，それぞれの程度を示す言葉が，おもに形容詞または副詞を用いる形で，マトリックスの各欄に示されている。たとえば，「低い」，「低／中程度」，「中程度」，「高い」，「非常に高い」，「極めて高い」（6段階。急性毒性の場合）という具合である。適切な形容詞などの用語が見つからない場合には，適宜に括ることになる（同じ用語が繰り返し使われる）。たとえば，「低い」，「中程度」，「重篤な全身性影響」，「重篤な全身性影響」，「非常に重篤」，「非常に重篤」とされる（6段階の場合）。ハザード区分が4段階の場合にも同様である。

このスタイルの区分表の先駆けは，1996年に公表されたメルク社のものであり，PB-ECL（Performance-Based Exposure Control Limit）として有名である（**表3-1**参照。ニュアンスを伝えるために英文のまま表記している）[15]。5段階の区分をもつ同表では，たとえば，急性毒性（Acute toxicity）の項におけるハザードのレベルを表現する用語は，「slightly toxic」，「moderately toxic」，「highly toxic」，「extremely toxic」，「super toxic」となっている。上記英文における副詞の部分をどのように使い分けるのかについての説明はない。なお，メルク社のハザード区分表は当初5段階であったが，2005年の資料では，表3-1のカテゴリー3の部分が2つに分割されて6段階になっている。その際の有害性を示す言葉も変化しており，たとえば，急性毒性（Acute toxicity）では，「slight」，「moderate」，「high」，「very high」，「extreme」，「super」となっている。

このほか，アメリカのコンサルティング企業セイフブリッジ社[14]のものもあり，4段階のハザード区分表となっているのが特徴である。最近の欧米のCMO（たとえば，SAFC Pharma社など）では，ハザード区分け表を積極的に公開している（製薬企業

表3-1 ハザード区分け表の例

Enrollment Criteria	PB-ECL Category				
	1	2	3	4	5
Potency (mg/day)	>100	>10 - 100	0.1 - 10	<0.1	<0.1
Severity of acute (life-threatening) effects	low	low/mod	moderate	mod/high	high
Acute warning symptoms	good	fair	fair/poor	poor	none
Onset of warning symptoms	immediate	immediate	may be delayed	delayed	none
Medically treatable	yes	yes	yes	yes	yes/no
Need for medical intervention	not required	not required	may be required	may be required immediately	required immediately
Acute toxicity	slightly toxic	moderately toxic	highly toxic	extremely toxic	super toxic
Sensitization	not a sensitizer	mild sensitizer	moderate sensitizer	strong sensitizer	extreme sensitizer
Likelihood of chronic effects (e.g.,cancer,repro,systemic)	unlikely	unlikely	possible	probable	known
Severity of chronic (life-shortening) effects	none	none	slight	moderate	severe
Cumulative effects	none	none	low	moderate	high
Reversibility	reversible	reversible	may not be reversible	may not be reversible	irreversible
Alteration of quality of life (disability)	no	no	yes/no	yes	yes

(文献15) より引用)

にあっては公開していない場合もある)。

このハザード区分表を用意して利用する際に留意すべき事項をいくつか述べる。

①本来的にいえば，この表は各社独自のものが用意されるべきである。なぜなら，各社のハザード物質への見解を表明したものといえるからである。

しかしながら，状況によっては用意できない場合もある。そのような場合には，各種の公開されているものをベースに，これに自社の事情を考慮し，必要な手直しを加えて準備することになる。ベースにするものを利用する場合にあっても鵜呑みにはせずに，その背景，考え，数値の裏付けなどを，ほかの事例を踏まえて比較検討していくことが必要であろう。

なお，従来のハザード区分表によっては，LD_{50}の数値にもとづいて区分けのバンドを割り振っている事例もある。しかしながら，最近ではLD_{50}をHBEL (PDE/ADE) と同じ位置づけで取り扱うことは推奨されていないので，留意がいる。

②前述したような健康への有害性を示す項目のすべてが必要とされない場合も多く，その事情は企業によって異なる。さらに，対象物質や開発のタイミングによっては，すべての項目についての情報が入手できない場合がある。原薬工場では，臨床試験の結果として判明する情報の詳細は入手しにくいのが実情である。

③数値情報として，OELや投与量などが示されていることがある。しかしながら，OELがハザードの区分けを決める唯一の基準ではないことにも留意がいる。最終的なハザード区分は，OEL，投与量などの数値情報のほかに，発がん性や可逆性といった身体への影響に関する項目を総合的に勘案して決めることになる。

④臨床試験の進捗に伴って各種のデータが入手できる。その場合に，必要に応じて，ハザード区分の見直しを図っていくことになる。動物実験のデータから，不確実係数を勘案して，PDE（ADE），OELを設定したとしても，臨床試験の結果にもとづいて再度見直しをすることになる。

⑤対象となる化合物について，最終的なハザード区分を設定するに際しては，総合的な判断が必要となる。実際にハザード区分表に各種情報を入れていくと，すべてが同一のハザード区分に収まらずに，いろいろな区分に散らばることがある（実際にはそのほうが多いだろう）。たとえば，数値情報はハザードバンド区分2となるが，そのほかの複数の検討項目のうち，ある項目については区分3であり，別の項目については区分1であるという具合である。前述のように，すべての項目について情報が入手できない場合もある。2〜3個の項目しか適切なデータが得られない場合も多いだろう。このような場合も含めて，薬理学，毒性学の専門家が，各項目の重みも勘案して，総合的に判断していくことになる。

3.3 コントロールバンディング

前述のハザードネスの区分けのことを，コントロールバンディング（Control Banding）あるいはたんにバンディングということがある。

コントロールバンディングという名称自体は，もともとNIOSHが提案したものである。その定義を見てみると，物質のハザードの区分け（Banding）と曝露の度合いにより，コントロール（Control）手段を決定するための汎用的なテクニックという具合になっている。ハザード物質のハザードレベルと，リスクをコントロールする手段を一対一で対応づけようとするものである。

ハザードレベルの区分けの多くは4〜6段階となっている。なぜこのような区分けの数になっているかは，筆者の報文を参照して欲しい[32,33]。区分けの中では，OELの数値として10〜100，1〜10，0.1〜1 $\mu g/m^3$ という具合に，10倍刻みの幅をもつ区分けを設けている。区分けする場合の数値の幅自体には，いろいろな線引きが可能である。

このハザードレベルの「区分け」自体の名称については，多くの公的機関，関連団体，関連企業から提案されておりさまざまである。代表的なものは，次のとおりである。

・Hazard Group（COSHHにおける用語）

表3-2　OEBとOELの数値幅

	OEB					
	1	2	3	4	5	6
OEL（μg/m³）	＞1,000	100～1,000	10～100	1.0～10	0.15～1.0	0.15以下
PDE（μg/day）	＞10mg	1mg～10mg	100μg～1mg	10μg～100μg	1.5μg～10μg	1.5μg以下

注：本表は報文34）の一部を抜き書きして作成したものである。OEB=6におけるPDE=1.5μg/dayは，ICH M7による。

・Band（NIOSHにおける用語）
・Health Hazard Band（CDCにおける用語）
・Occupational Exposure Band（OEB）（ABPIにおける用語）
・Performance-Based Exposure Control Limits（PB-ECL）Category（メルク社における用語）
・Occupational Health Categorization（OHC）（セイフブリッジ社における用語）

国内では，OEBという用語が汎用的になりつつある。

本書でもOEBを用いてハザードのレベルを示すことがある。その場合，OEBとOEL数値幅との関係を示す区分として，国内で広く用いられている**表3-2**によっている[34]。

3.4　HBELに関する社内ハザードコミュニケーション

3.4.1　概要

HBELを設定する場面および利用する場合においては，多くの関係者が関与する。このため，社内でのハザードコミュニケーションについて留意する必要がある。

Olsonらの報文において有益な示唆があるので紹介する[35]。

HBELを設定する過程では，毒性学専門家が主たる担当になるものの，ほかの専門家の参画も欠かせない。Olsonらの報文で例としてあがっているのは，薬物動態に関する専門家，品質分析部門からの専門家，労働安全衛生の専門家，医薬品安全性の専門家，獣医病理学者，医師などである。さらには，実際に用いるのは現場であり，そのようなエンジニアリング部門，製造部門からの代表の参加も有用であるとしている[35]。

HBELは社内で多くの関係者が利用することになる。このため，HBELの設定過程を明確に記録する文書（モノグラフ）を作成するだけでなく，社内でその数値を利用する場合および伝達する場合の明確なガイダンスも必要であるとしている[35]。これは，モノグラフにある情報が不適切に解釈されること，流通してしまうことを避けるのに有用であると指摘している。

HBELに関する情報を社内で共有する必要が生じる場面として，Olsonらは，いくつかの例を示している[35]。

- ・同じ企業内において，異なる事業所の間で原薬が移送される場合
- ・原薬の取り扱い，製造に関連してCMOパートナーとの間で作業が生じる場合
- ・創薬企業からパートナー企業への原薬の移動を伴う，クロスライセンス活動がある場合
- ・原薬または製剤の製造に用いられた機器を購入した企業に対して，過去に取り扱った化合物に関するHBELの数値を伝える必要がある場合
- ・規制当局または査察当局の要求に対処する場合

3.4.2　プロダクト特定HBELの取り扱い

HBELの設定に際して，汎用的な前提ではなく，特定の条件に対してHBELを設定することがある。これをプロダクト特定（product specific）HBELと称する（本書5.14項参照）。この用語は，Risk-MaPP改訂版でも使用されている（5.3.5.1項など）。

このプロダクト特定HBELを設定して利用する場合には，関係者間での周知に十分な留意が必要とされる。このことは，Risk-MaPP改訂版の5.3.5.1項において触れられており，さらにはリスクコミュニケーションの項（13項）で次のように追記されている。

「・・・プロダクト特定のADE，すなわち特定の曝露経路や特定の投与経路に応じて設定されるADEを利用しようとする場合，企業はこれらの値を管理するうえでの堅牢なプロセスをもつべきである。この値を基準にして仕事を進めるすべての関係者に対して，該当のADEを決める基準がどのようなものであるかを，そしてほかの用途ではどのようにして修正されるべきなのかを明確にしていく必要がある」（文責筆者）。

洗浄バリデーションの中で，プロダクト特定HBELを使う場面がある（本書9.4項参照）。洗浄作業時とそれ以外のときに，使い分けができるように管理する必要がある。

3.4.3　暫定的なHBELの取り扱い

HBELを設定する際に，必要なデータが限定されている場合がある。そのような際には，TTCの概念による方法，コントロールバンディングの下限値から求める方法などが，Risk-MaPP改訂版で紹介されている。そのようにして得られた値は，完全なる毒性学的評価によってPDE/ADEが設定されるまでの暫定的な措置であることに注意がいる。そして，このようにして設定されたHBELは，暫定のものであることを関係者に周知する必要があり，そのためのわかりやすい表記を社内でルール化しておくことが望ましい（本書5.12項参照）。

3.5 委託受託間のハザードコミュニケーション

HBELを用いる機会が今後増えていく中で，委託受託間での情報開示と交流が望まれるところである。しかしながら，受託企業側では毒性情報が十分入手しにくいのも現実である。受託企業側も自ら情報を集めてハザード区分を設定する必要がある。

委託受託間のハザードコミュニケーションについて留意するべき事項を以下に述べる。

3.5.1 毒性情報の開示

受託企業に比べると，委託企業のほうが毒性情報（動物実験データ，類似化合物のデータ，他社MSDS情報，臨床データなど）を広汎に保有していることが多い。また，毒性学の専門家についても人材が豊富である。一方の受託企業では，これらについて不十分なことが多い。

実際にプロジェクトを進めるうえでは，委託企業がこれらの毒性情報を積極的に開示して，受託企業と共有化していくことが望ましいと考える（機密情報の場合もあるので，然るべく対処することになる）。このようにすることで，受託企業側での速やかな体制作りが促進され，最終的には委託側にとってもメリットが大きいと思われる。

また，受託企業は委託企業に対して，毒性情報の開示を積極的に求めていくべきであろう。MSDSやインタビューフォーム（IF）の形にまとまっていることもあるが，新規な化合物である場合には，それらは入手できないためである。

このようなハザードコミュニケーションの課題について，EMA HBELガイドラインQ&A最終版のNo. 5では，委託企業から情報開示する必要があることを規定している（本書2.5.6項参照）。

また，Risk-MaPP改訂版では，HBELの設定に関連して，次のように記している（5.3.1項データの収集と分析）。

「・・・そのAPIを開発した製薬企業は，申請書類として提出したデータもハザード特定の解析のために使用すべきである。受託製造企業（CMO）は，医薬品の製造委託元である製薬企業に対して，その情報と，すでに委託元が算出しているであろうADEの論理的根拠を要求すべきである・・・」（文責筆者）。

この文章がガイドラインに挿入されている背景は知るよしもないが，委託受託の関係においてハザード情報の開示が必要なことを示唆している。

3.5.2 洗浄モニタリングおよび環境モニタリング情報の共有と開示

委託側の関心が高い重要なポイントの一つは，交叉汚染防止に関する課題である。

具体的には，受託企業における洗浄技術であり，洗浄評価に関する取り組みである。さらに，環境モニタリングに対する姿勢である。受託企業側の交叉汚染防止に対する取り組み，技術力，合理的な説明を可能とする技術基盤（裏づけとなる各種確認試験の有無を含め），継続的な取り組みがキーとなる。

継続的な取り組みの具体的な例として，洗浄データに加え封じ込めエリアおよび懸念するエリア（たとえば，隣接する共通廊下など）の定期的な環境測定，飛散付着量に関するデータの有無も技術評価をするうえでのポイントとなる。

受託側はこれらのデータを積極的に採り，設備の封じ込め性能が維持されていることを確認するとともに，委託側にその情報を開示して，お互いの信頼感を醸成することが必要とされる。工程における封じ込め性能がきちんと管理されていること，その前提のもとで，洗浄性能が十分に得られていることの確認が重要である。

3.5.3　OEBにおける数値範囲の明示

委託側と受託側でそれぞれに異なるハザード区分表をもっていて，OEBにおけるOEL数値の範囲が異なっていることがある。このために，同じOEBの区分であっても，行き違いを生じる場面がある。そのようなことを避ける意味からも，お互いのハザード区分表を明示して，違いを共有することが必要である。その中で，具体的なOEL数値でもってOEBにおける幅の範囲を確認しておくことが必要となる。筆者の実経験であるが，同じ区分け4ということでも，製薬企業によってはOEL＝0.1～10μg/m^3ということもあるからである。これは，日本で広く知られているバンドでいえば，OEB＝4とOEB＝5の両方を含む数値範囲となる。

3.5.4　情報交換のタイミング

これらの情報交換は，委受託プロジェクトのごく初期の段階で行われるべきであることは明白であろう。

また，このようなコミュニケーションは，製薬企業とエンジニアリング企業やゼネコン企業との間でも同様に必要な事項である。

3.6　毒性学専門家の要件

HBELの設定においては，不確実係数の設定などにおいて毒性学専門家の参加が欠かせない。その定義が今まで不明確であったが，EMA HBELガイドラインQ&A最終版，Risk-MaPP改訂版，ASTM HBELガイドにおいて明確になってきている。公開された順に紹介する。

Risk-MaPP改訂版（2017年）では，次のような具体的な記述がある（5.3.1項）。

「このレビュー（筆者注：ハザードレベル特定のためのデータレビュー）は，資格のある毒性学専門家によってなされるべきである。この専門家は，望むらくは，製薬業界で，ADEおよびOELというHBELを設定することに長年の経験をもっている必要がある。毒性学における特定の訓練は，MSまたはPhDのレベルで必要であるものの，関連する分野（たとえば，薬理学や医学）における学位は，適切な特定の訓練と経験とを組み合わせる場合には，十分であるかもしれない。一般毒性学における証明書は望ましいものであるが，必要とはされない」（文責筆者）。

EMA HBELガイドラインQ&A最終版（2018年）では，毒性学専門家の要件についてドラフト段階では少々曖昧であったが，ワークショップでのコメントなどを踏まえて，次のように明確になっている（Q&A No. 4）。外部の毒性学専門家にコンサルティングする場合も想定した内容となっている（文責筆者）。

Q4　HBELを設定する担当者に必要とされる資格（要件）は何か？

A4　HBELを設定する担当者は，毒性学／薬理学における適切な専門知識と経験を有しており，医薬品になじみを有しており，OELまたはPDEのようなHBELの設定業務における経験を有しているべきである。

専門家と契約してHBELの提供を受ける場合には，Chapter 7の要求に適合する契約上の取り決めが，作業に取りかかる前に締結されるべきである。

医薬品製造企業にあって，HBELの提供者（特定の技術専門家を含む）が適格性のある契約者として適切であるかどうかを評価し，その結果を文書化していない場合には，医薬品製造企業がHBELの評価を「購入する」ことは許容されるとは考えられていない。

ASTMからのHBEL設定ガイドE3219（2020年）においても，要件が明記されている（同ガイド5.2項）（文責筆者）。

「HBELの設定は専門知識を必要とするプロセスであり，適格性のある専門家によってなされるべきで，可能な場合には，関連する専門家（SME）により精査されるべきである。求めに応じて，経歴書CVが準備されるべきである。その経歴書に含まれるべき事項は，教育のバックグラウンド（たとえば，毒性学，薬学，医学，ほかの健康に関連する分野），資格証明書としてDABT（Diplomate of the American Board of Toxicology），またはERT（European Registered Toxicologist），該当分野での経験年数および該当分野に関連する刊行物である。“適格性のある専門家”として，上記のすべてが必要ではないが，適切な文書によりこの分野での仕事をするうえでの専門知識を示すものでなければならない。たとえば，DABTまたはERTなどの資格登録のためには，関連科目での学位，毒性学の主要なエリアについての基礎的な知識，最小でも5年の毒性学的な経験，登録のための適性（たとえば，刊行物，報文，評価文書など）および，毒性学を実践している現在の職業が必要である」。

なお，PIC/S査察官用ガイド「HBEL評価文書備忘録」PI 052（2020年）においては，上記のHBELガイドラインQ&Aより少し詳しく，専門家の要件について触れている。同項では，要件に加えて，「（筆者加筆：EMAの）HBEL設定ガイドラインが2014年に導入された以降でのHBELに関する自己学習による経験は，ほかの関連する資格や経験を有していない場合には，適切ではないだろう」としていることに留意したい。

社内に，そのような毒性学専門家がいないときにはどう対応したらよいのかが話題になる。

前述のように，毒性学専門家には薬理学専門家も含まれている。多くの医薬品製造企業では，薬理学に精通している方が少なからずおられる。その方々がHBELの設定に経験があるかどうかは状況次第である。薬理学専門家が長年OEL設定に関与しているという事例も多い。社内にHBELを設定できる毒性学専門家がいない場合には，社外のコンサルタントを起用するという方法が考えられる。

社内に毒性学専門家がいないという状況は，EMA HBELガイドラインQ&Aのワークショップでも議論されていた（本書2.5.3項参照）。その際の問題提起としては，社外コンサルタントから提供されたHBELについて利用者側が十分に理解できずに，盲目的な取り扱いをしてしまいがちであることが指摘されていた。HBELは，QRMに関連して洗浄評価以外にも利用することが望まれているのであるが，現場側の咀嚼が十分でないために，フレキシブルな適用ができていないとされていた。

このような状況を受けて，EMA HBELガイドラインQ&A最終版では，社外からHBELの提供を受ける場合には，外部提供者の適格性について確認すること，適切な契約を結ぶことを規定しているわけである。

現状の国内では，HBELの設定に十分な経験がある毒性学専門家（または薬理学専門家）が社外コンサルタントとして活動している例は限られている。一方，海外とくにアメリカでは，独立した毒性学コンサルタントが多くおり，HBELの設定を依頼することができる。インターネット上でも検索可能である。

たとえば，

- セイフブリッジ社（国際的にも有名な封じ込め関連のコンサルティング企業）
- Affygility社
- Azierta社
- QbD Pharmaceutical Service社

などである。

3.7 認定トキシコロジスト

欧米そして日本で，認定トキシコロジストとして登録している毒性学専門家の数を調べてみると，次のような状況である。

①アメリカでの認定トキシコロジスト（Diplomate of the American Board of Toxicology；DABT）〜2,300人（2016年）[36]。この中には日本人24を含む。

②ヨーロッパでのトキシコロジスト（European Registered Toxicologist；ERT）〜1,900人（2016年）[37]

③日本での認定トキシコロジスト（Diplomate of the Japanese Society of Toxicology；DJSOT）〜654人（2020年10月31日：名誉トキシコロジストを除く）[38]

さらに，労働安全衛生の専門家であるIH（Industrial Hygienist）の資格者の数を調べてみると，次のとおりである。

①世界37ヶ国で活動中のCIH（Certified Industrial Hygienist）：約6830人（2019年末。そのうちアメリカでは約6100人）[39]

②日本での認定オキュペイショナルハイジニスト：約60人（2021年10月。日本作業環境測定協会HPから）（注：その多くは，大学関係者，公的機関・団体関係者，分析業務企業関係者，コンサルタントであり，製造企業の関係者は少ない）

国内における毒性学専門家の数は少ないのが現状である。「毒性学専門家」のあり方および育成は，国内で今後議論が必要な項目の一つであると思える。

3.8 健康サーベイランスの必要性

高薬理活性物質は，健常な運転員にとっては有害な物質である。それらを取り扱うことによる健康への影響を長期的に把握・管理していくことが望まれる。このために，健康サーベイランスプログラムが企業の方針として構築されなければならない。

以下に要点を述べる。

①高薬理活性物質による身体への影響，健康障害に関する情報提供を，運転員に対する教育訓練の中で行うことが必要である。これにより，運転員の高薬理活性物質に対する認識を高め，確実なものにすることができる。社内の労働安全衛生の専門家による啓蒙活動が肝要である。

②定期的な医師による健康診断においても，その問診の中で，身体への影響に関する項目の確認を含めておくなどの対応が望ましい。多くは，急性のものではないので，長期間にわたる取り組みを要する。

③高薬理活性物質に頻繁に接する運転員については，より高度な健康調査プログラムを構築するべきである。抗がん剤を扱う医療施設での看護師や薬剤師の血中や尿中からは，たとえ密閉液移送システムを用いるとしても，抗がん剤が検出されている事例が報告されている。これと同様に，製造現場に近いところで，作業に従事した直後に，採血や採尿を実施することも有益であろう（日数が経過すると体内からハザード物質が排泄されるので，曝露直後が望ましい）。

抗がん剤の種類は限定されているが，そのようなサンプリングおよび分析を社外の専門業者に依頼することも可能となっている。

④海外の事例では，高薬理活性物質に頻繁に接する運転員については，たとえば，3カ月ごとに文書による健康調査，6カ月ごとに化合物に特化したテスト（たとえば，血液検査），そして1年ごとにフルの検査というプログラムの例が紹介されている[40]。一方，高薬理活性物質を頻繁に扱わない従業員や曝露リスクの低い工程（たとえば，包装工程など）の従業員の場合には，より低いレベルの健康サーベイランスプログラムでもよいとしている[40]。

4 HBELを理解するための基礎知識

ここで取り上げる基礎知識については，毒性学および薬理学のテキスト，国内外の報文のほか，関連する学会，専門機関および諸団体からのインターネットで公開されている各種資料を参考にしている。

4.1 HBEL設定までのステップ

HBELを設定するためのステップは次のような過程を踏む（図4-1）[41]。

ステップ1：有害性の評価

ステップ2：用量－反応の評価

ステップ3：HBELの計算

ステップ1（有害性の評価）の主たる目標は，有害な影響のうち，どれが重大な影響（critical effect）になるかを見極めることである。ステップ1の流れは次のとおりである。

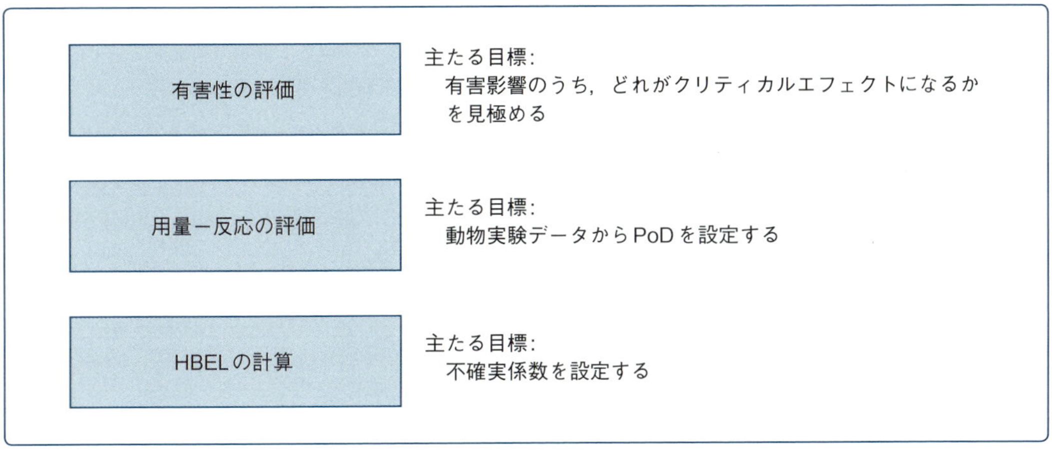

有害性の評価	主たる目標： 有害影響のうち，どれがクリティカルエフェクトになるかを見極める
用量－反応の評価	主たる目標： 動物実験データからPoDを設定する
HBELの計算	主たる目標： 不確実係数を設定する

図4-1　HBEL設定までの道筋

①化合物の危険・有害性（ハザード）に関する関連データ（ヒトデータ，動物データ）を集める。
②データベースが適切なものかどうかを見極める。
③化合物に曝露した場合に生じる有害な影響を識別する。
④有害な影響は複数の場合もありうる。どの有害な影響が重大な影響として考えられるかを検討する。

ステップ2（用量－反応の評価）の主たる目標は，動物実験のデータから，HBELの計算に用いる値を設定することである。ステップ2の流れは次のとおりである。
⑤重大な影響を特徴づけている関連データを特定する。閾値を示す物質なのか，閾値を示さない物質なのかを検討する。
⑥重大な影響に対する用量－反応データを評価し，それらのNOAEL，LOAEL（できればBMDL）を設定する。複数ある場合は最小値を次の計算に用いる（これを出発点（Point of Departure：PoD）ということがある。後述4.7.5項参照）。

ステップ3（HBELの計算）の主たる目標は，不確実係数を設定することである。ステップ3の流れは次のとおりである。
⑦適切な不確実係数を設定する。さらに，個々の場合に必要とされる専門的な判断を加えて，HBELを設定する。
⑧HBELを算出する際の根拠を明確にするために，上記の作業工程を文書化する。

EMA HBELガイドラインでは，その4項において，ハザード特定のためのデータ収集，クリティカルエフェクトの特定，NOAELの設定，不確実係数の適用，最終的なPDEの選定というステップが示されている。

Risk-MaPP改訂版では，有害性の評価は5.3.1項（データの収集と分析）および5.3.2項（重大な影響の特定）において，用量－反応の評価は5.3.3項（用量－反応アセスメント）および5.3.4項（NOAELまたはベンチマーク用量の確立）において，HBELの計算は5.3.5項（不確実係数の適用）において記述されている。

ASTM HBELガイドE3219では，（1）ハザードの特性の把握(5.4項)，（2）クリティカルエフェクトの特定（5.5項），（3）PoDの決定（5.6項），（4）不確実係数の適用（5.7～5.9項），（5）HBELの計算（6項）というステップが，詳しく説明されている。また，これらの流れが，EMA HBELガイドラインおよびRisk-MaPP改訂版にもとづいている旨も記している。なお，これらのステップを図示した，同ガイドの図1も参考になる。

4.2 医薬品と毒性試験

医薬品の安全性評価は，動物を対象とする非臨床（前臨床）試験と，ヒトを対象とする臨床試験にて行われる。臨床試験については，ここでは触れない。

非臨床（前臨床）試験の全般については，「医薬品の臨床試験及び製造販売承認申請のための非臨床安全性試験の実施についてのガイダンス」（ICH M3）に規定されている。

非臨床（前臨床）試験では，標的となる臓器についての用量依存性など，毒性学的な特徴を明らかにすることが主眼である。その結果をもとに，臨床試験で「はじめてヒトに投与する」ときの安全な初回投与量と用量範囲を推定することができる。さらに，臨床試験で有害な影響を観察するうえでのパラメータを明らかにすることができる。

毒性試験については，一般毒性試験（単回投与毒性試験および反復投与毒性試験）と特殊毒性試験（遺伝毒性試験，がん原生試験，生殖発生毒性試験が含まれる）に大別される（図4-2）。それぞれの試験に関してはOECDガイドラインが整備されている。

データの信頼性を確保するために，動物実験はGLP（Good Laboratory Practice）の原則にもとづいて実施される。

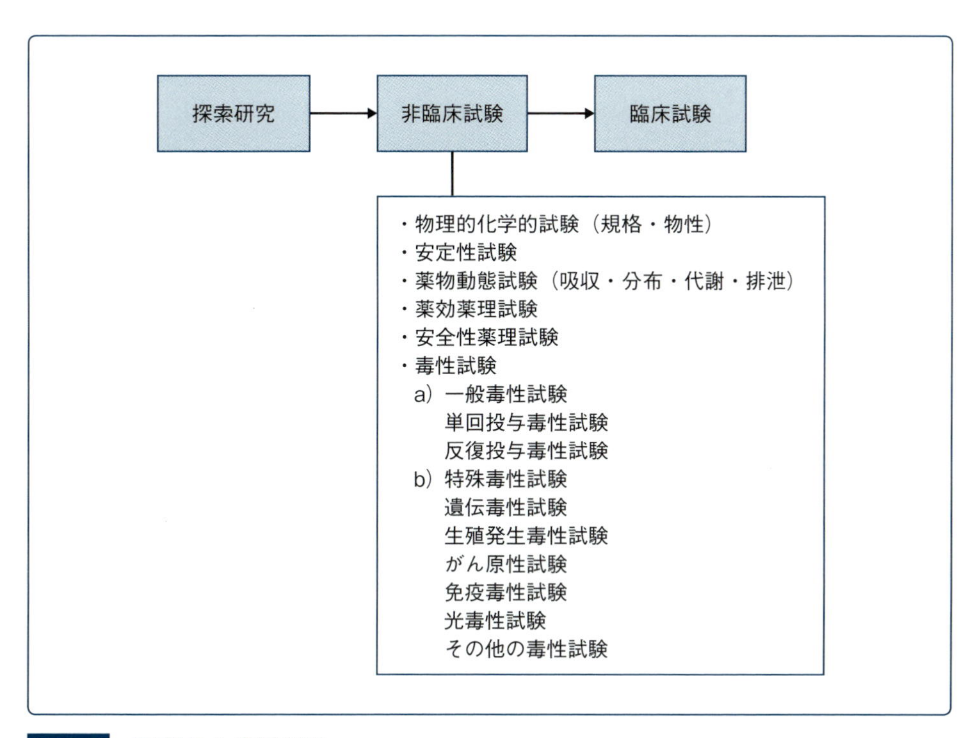

図4-2 医薬品と毒性試験

4.3 ハザードアセスメントのためのデータ探索

対象となる化合物の毒性情報などを収集する必要がある。実務的には幅広く，最新の情報を集めるのが望ましい。すぐに思いつくのは，化学物質安全性データシート（Material Safety Data Sheet：MSDS）である。MSDSはSDSという場合もある。すでに上市している製品（国内）については，インタビューフォーム（IF）がある。このほか，各種の化合物データベースも有益である。Risk-MaPP改訂版でも，PubMedという名前があがっている（5.3.1項）。

PIC/Sの査察官用ガイドHBEL評価文書備忘録PI 052では，そのNo.6（文献探索の実施とその記録）で，複数のデータベースの名称をあげている。

ここでは，次の3つの分野について，有用とされている情報源について紹介する。なお，これは筆者が各種資料をまとめたものであり，これに限定しているものではない。

- 医薬品文献情報
- 承認申請情報
- 毒性および安全性情報

4.3.1 医薬品文献情報

医薬品の研究報文について探索する必要がある場合には，次のデータベースが有用とされている。

①抄録ベース

海外～ PubMed（アメリカ国立医学図書館（United States National Library of Medicine：NLM））

国内～ iyakuSearch（一般財団法人日本医薬情報センター）
CiNii（国立情報学研究所）

②全文ベース

海外～ Science Direct

国内～ J-Stage

4.3.2 承認申請情報

国内での既存市販品についての情報は，インタビューフォーム（IF）の形でまとめられている。これは，PMDA（（独）医薬品医療機器総合機構）のHPから入手可能である。非臨床試験のデータも含まれている。副作用などを知るうえでの添付文書も入手可能である。

海外では，FDAのDrugs@FDA：FDA Approved Drug Products，EMAのEuropean

Public Assessment Report（EPAR）などがある。また，PharmaPendium（Elsevier社）も非臨床／臨床試験のデータベースを提供している。

4.3.3 毒性および安全性情報

各種のデータベースがある。たとえば，以下のようなものである。

・NITE化学物質総合情報提供システム（NITE CHRIP）

・eChemPortal（OECD）

・Hazardous Substances Data Bank（HSDB）（Toxnet-NLM）

なお，このような情報探索を専門に行っている団体・企業もある。

・化学情報協会　JAICI（STNを運営）

・国際医学情報センター　IMIC

・日本医薬情報センター　JAPIC（iyakuSearchを運営）

最近では，系統的レビュー（systematic review）という方法論による文献探索手法が話題になっている様子である。Bercuらは，データ検索について，次のように記している[42]。

・現時点では，系統的レビューを効率的に行うためのガイダンスは公的な機関からは刊行されていない

・系統的レビューについての一般的なガイドラインとして，欧州食品安全機関（European Food Safety Authority：EFSA）からの資料（2009年）などが利用できる。

・文献レビューは，毒性学または専門知識のあるエキスパートによる。

・効率よく検索するためのコツとして，まず網羅的に多くのデータを閲覧できるデータベースにあたり，次の段階では，その結果を踏まえて専門的なデータベースを利用する，という繰り返しのアプローチを採用するのがよい。

4.4 データの信頼性

データを収集した後には，その信頼性を評価する必要がある。医薬品（原薬）そのものは，OECDガイドラインに従って，GLPの原則のもとで，非臨床試験および臨床試験が実施される。このため，得られるデータは信頼性の高いものである。

しかしながら，製造（洗浄を含む）に使われるそのほかの化合物においては，そうでないものも含まれる。とくに，最新の新規化合物ではなく，長年使われてきている既存の化合物においては，データが十分に整備されておらず，簡単な記述で終わっている場合が多い。

このため，リスクアセスメントにおいては，そのような既存データの信頼性につい

て検証する必要がある。

データの信頼性については，スコアリングしてランクづけする方法が，Klimischらにより提案されている[43]。そこでは，次の4段階のランクが提唱されている。

1. 制限なく全面的に信頼できる
2. 制限が付くが信頼できる
3. 信頼できない
4. 評価しえない

前述のOECDガイドラインに従ってGLPの原則のもとで行われる試験データは，最も信頼性が高いものとされ，ランク1とされる。一方，十分な実験データがなく，短い要約のみの場合および二次情報（レビュー，一覧表，書籍など）のみの場合には，ランク4とされる。これらのランク付けは，毒性学専門家によってなされる。

Risk-MaPP改訂版では，「HBELを設定しようとする毒性学専門家は，公開されている情報源から集めた情報について，関連性（relevancy），妥当性（adequacy），および信頼性（reliability）に関して評価すること」（文責筆者）としている（同ガイド5.3.1項）。そのためのツールについては触れていない。なお，これらの関連性，妥当性，信頼性の用語については，Klimischらの報文で定義されている。

ASTM HBELガイドE3219では，Klimischらの報文を引用し，ランク1または2のデータを用いることを推奨している。また，ランクが3であるデータは使用されるべきではない，さらにランクが4であるデータは，正当性の説明が必要であるとしている（同ガイド5.4.1.1項）。

PIC/S査察官用ガイドのHBEL評価文書備忘録PI 052においては，そのNo.7で，文献探索の戦略について文書化しているかを企業に問いかけるようにアドバイスしており，企業に対して探索が適切なものとする根拠を示すことを求めている。

4.5 MSDSおよびIFの取り扱い留意事項

MSDSは化学物質に関する基礎的なデータであり，危険・有害性に関する重要な情報を含んでいる。ただし，その利用においては，留意しなければいけない点もある。

昨今では，化学品の分類および表示に関する世界調和システム（Globally Harmonized System of Classification and Labelling of Chemicals：GHS）の思想を取

り入れたMSDSの様式を用いることが国際的な流れになってきている。

GHS様式によるMSDSでは，16項目にわたって各種情報が記されているが，ハザード対策の視点から重要と思われる項目は次のとおりである。

・2項または3項：危険・有害性の要約
・6項：漏出時の措置
・7項：取り扱いおよび保管上の注意
・8項：曝露防止および保護措置
・11項：有害性情報
・13項：廃棄上の注意
・15項：適用法令

このほかに，粉体を取り扱ううえで重要な，物理的な性状および爆発の危険性などについても目をとおしておく必要がある。

それぞれの項目の概要を説明する。

項目2または3項の危険・有害性の要約では，GHSのカテゴリー区分など大まかなハザードの特性が記されている。

項目6，7および13は，運用上の留意事項に関する情報である。たとえば，取り扱い時の注意事項，誤って漏出した場合の措置，廃棄する際の基本的な事項などが記されている。これらは，危険・有害性を有する物質を扱ううえで，最低限知っておかなければならない事項である。

項目8では，個人用保護具，呼吸保護具の必要レベルについて記載されている。

項目11の有害性情報においては，たとえばOEL，LD_{50}などの数値的な情報が記載されていることがある。

項目15においては，ヨーロッパで用いられているRisk-phraseまたはGHSによるHazard Statements（略称H-Statements）が記載されていることがある。

MSDSを利用する場合の留意点を次に述べる。

①記載内容のレベルについては，さまざまなものが流通しているのが実状である。すべてのMSDSにおいて，ADE，OELなどの数値情報が記載されているというわけではない。大手製薬企業のものは比較的に情報量が多いが，そうではないMSDSの場合には肝心な項目についての記載がないことも多い。複数のMSDSを入手して，比較検討することが望ましい。MSDSによって記載されている内容のレベルが変わりうることは，Risk-MaPP改訂版5.3.1項にも記されているとおりである。

②MSDSにOELやADEの情報が記載されていない場合には，危険・有害性の要約（多くは第2項または3項），適用法令（第15項）を参照することが有益である。GHSのカテゴリー区分の項では，大まかなハザード特性が記されている。また，Risk-phraseまたはH-Statements）が記載されていることが多くあり，これもハザード情報として有用である。これを利用して，COSHH Essential Technical Basisにあたり，ハザード区分を知ることができる。

③具体的なOELの数値が記載されていることがある。多くの場合，MSDSを発行している企業内の設定値である。良心的なMSDSでは，社内設定値であることを明記している。OELの設定においては各種の不確実係数が使われるが，その内容の詳細までMSDSに明記されていることはない。このため，一つの設定例であるという位置づけで取り扱うのがよい。
④CAS番号などを頼りにして，複数のMSDSを探索していくと，OELについて複数個の数値が得られる場合がある。前述の理由により，その数値自体に大きな差が見られる場合もあり，どれを採用したらよいのか判断に迷うことがある。できるだけ信頼性の高い企業の数値を採用することが必要である。また，そのようなときには，コンサバティブ側の設定とすることが妥当である（最終的には毒性学専門家の判断になる）。
⑤OELなどの設定されている年度が古いものと最新のものがある場合には，最新のものを用いるのがよい。分析技術などが進むに従って，毒性学はより安全側の設定になる傾向があるからである。
⑥NOAEL，PDE（ADE），OELの情報が記載されておらず，数値情報としてLD_{50}のみが記載されていることも多い。しかしながら，LD_{50}から各種報文にある換算係数を用いて，NOAELなどに引き直すことは推奨されていない（本書1.5.5項参照）。このため，その取り扱いには十分な検討がいる。
⑦数値情報のほかに，たとえば，発がん性，生殖発生毒性，催奇形成毒性などの有無についても確認する必要がある。
⑧MSDSにおいては，毒性情報のほかに，取り扱い上の留意点，曝露時のファーストエイド，漏れ出たときの処理方法，PPEなどの利用，廃棄物としての扱い方，環境に与える影響，容器へのマーキングなどに関する事項も記載されている。いずれも，ハザード物質を取り扱う際に直面する項目であり，実際の運用時には十分留意しておく必要がある。

医薬品のインタビューフォーム（IF）においては，「非臨床試験に関する項目」中に「毒性試験」の項がある。そこでは，反復投与毒性試験の結果がまとめられており，動物実験の条件などについての詳細な記載がある。たとえば，実験動物の種類，オスメスの数，投与量，実験期間，NOAEL（LOAEL），実験データに関する所見などが記載されている。NOAELを設定した根拠についても記されている。

IFではHBEL自体について記載されていない。上記のNOAELをもとにして算出することになる。

IFにおいては，異なる条件での動物実験の結果として，NOAEL（またはLOAEL）の数値が複数記載されている場合がある。このときには，NOAELの数値が最小となるケースについてのみPDE（ADE）を設定するのではなく，複数の条件のすべてについて算出することが望ましい。実験条件として，用いる実験動物の種類や実験期間などに差があるので，これによって採用する不確実係数の設定が異なるからである。その中の最小値をPDE（ADE）として設定するのがよい（最終的には毒性学専門家の判断になる）。

4.6 高薬理活性物質・高ハザード物質の定義

医薬品に使われる化合物には，2つの側面がある。まず，患者にとっては健康を回復するというベネフィットをもたらす物質という側面である。他方，製造に従事する健常な作業者にとっては危険・有害性をもたらす物質という側面である。同じ化合物でも，扱う側の立ち位置によって表現が異なってくる。薬理学的な前者の立場からは「活性物質」であり，毒性学的な後者の立場からは「ハザード物質」ということになる。

まず，「高薬理活性物質」について説明する。高薬理活性という場合の「高い」活性の範囲はどこからなのかということが話題になる。

ISPE日本本部HPの用語集では，Potent を「高活性」と訳している。その定義として，「比較的低用量あるいは低濃度でも活性のある」物質としている。その低用量の範囲であるが，ISPEベースラインガイドVol. 1（原薬）では，高活性化合物（Potent Compound）を次のように定義している（同用語集から引用）。

1. 体重1kgあたり約15μg以下（治療用量1mg以下）でヒトに対する生物学的活性を有する薬理活性成分または中間体
2. OELが8時間加重平均（TWA）として空気1立方メートルあたり10μg以下である活性医薬品成分（API）または中間体
3. 選択性が高い（特定の受容体と結合できるか特定の酵素を阻害できる）か，または低用量でがん，突然変異，発育に対する影響または生殖毒性を引き起こす可能性がある薬理活性成分または中間体
4. 力価および毒性が不明の新規化合物

具体的な数値指標として，治療用量1mg/day以下のほかに，OELが10μg/m^3以下であるものを高活性物質としていることがわかる。この場合，ガイドラインの対象は原薬であり，医薬品としての視点による定義になっている。

なお，規制の中では，「highly active drugs」という用語が旧EU-GMP，ICH，WHOなどで使われている。このほかに，Health CANADAのように，「highly potent drugs」を採用している例もある。

次に「高ハザード物質」について説明する。Sussmanらによる報文では，次のような物質を高ハザード物質と呼ぶことを提案している[7]。

- 発がん性のある遺伝毒性化合物

・低用量で生殖影響および／または発育影響を引き起こす化合物

・低用量で標的器官に重大な毒性を引き起こす可能性のある化合物

低用量については，臨床用量として1～10mg/day以下，または動物実験では0.1～1mg/kg-day以下としている。

Risk-MaPP改訂版では，「高ハザード化合物（highly hazardous drugs）」を次のように定義している（5.2項）（文責筆者）。

・発がん性が既知であるか，またはその可能性が高い遺伝毒性化合物

・低用量で，生殖への影響および／または発育への影響を引き起こす可能性のある化合物

・低用量で，重篤な標的器官毒性，またはそのほかの著しい悪影響を引き起こす可能性のある化合物

ここで，低用量とは，臨床で1～10mg/dayの用量としている。

Risk-MaPP初版では，低用量の定義が記されていなかったが，改訂版で追記されている（ただし，用語集中では，初版・改訂版ともに，低用量の定義については触れていない）。

なお，Risk-MaPP改訂版（英語版）では，高ハザード物質に対して，most hazardous drugs（2.5.1項，5.2項）またはhighly hazardous drugs（2.5.1項，5.2項，6.3.2.3項）という2通りの表記をしている（おそらくは，同義語として）。

化合物を分類する際に，高ハザード物質または低ハザード物質という表現をする場合があるが，このような表記を用いるときには留意が必要である。Risk-MaPP改訂版では，高ハザードおよび低ハザードを区分するような線引きは不可能であるとし，そのように二分することは意味がないと述べているからである（2.5.4項）。これは，物質のハザードは連続したものであるという考えにもとづいており，このことは同ガイドラインの図5.2「Hazard Continuum」にも示されている。

さらに，Risk-MaPP改訂版では，前述の高ハザード物質の定義を与えているパラグラフ（5.2項）で，「この定義は高ハザード物質を特定するために利用できるが，包括的なリスクアセスメントおよびリスクマネジメントの際の一つの情報としてのみ利用されるべきである」としている。また，端的に「ハザード性の高い物質を特定し，リスクアセスメントの優先順位を付けるための基準」としている（下線強調筆者）。要すれば，高ハザード物質という用語は，リスクアセスメントの際の相対的な位置関係を示すための言葉として位置づけるのがよいとしている。

化合物を高ハザード物質と高ハザードではない（低ハザード）物質とに区分けすることが，EMA HBELガイドラインQ&Aドラフトにて提案されていた。しかしながら，ISPEおよびPDAなど業界専門家団体からの強い反対意見により撤回された経緯がある。EMA HBELガイドラインQ&A最終版では，物質のハザードは連続的なものであること，固定的な区分けするポイントはないということが明記されている（本

書2.5.6項参照)。

高薬理活性物質，高ハザード物質の定義をみてきたわけであるが，現在では，これらの用語が混在して使われていると思われる。医薬品としての「高薬理活性物質」は「高ハザード物質」であることが多いのでどちらを使ってもよいと思われる(労働安全衛生の視点からは「高ハザード物質」とするのがよいのかもしれない)。

4.7 毒性学の専門用語

設備設計担当および設備運用担当の技術者がHBELを検討しようとする場合にまず最初に戸惑うのが，毒性学および／または薬理学で用いられている特殊な専門用語である。ここでは，HBELを理解するうえで，最低限必要と思われる用語について，Risk-MaPP改訂版などから抽出して説明を加える。

なお，Olsonらは，リスクアセスメントにおいて用いられる毒性学専門用語の定義について，まとめて報告しているのであわせて参考にして欲しい[35]。Olsonらは，同報文の中で，「HBELを設定する際に用いられる各種の専門用語においては，利用上の整合性に課題があり，またその意味合いにおいて明確性を欠いていた。ADEを国際的に調和のとれたものにするための最初のステップは，これらの多用されている専門用語が曖昧性なく，正確に定義され，すべての関係者が容易に理解しえるようにする必要がある」と指摘している。

4.7.1　毒性試験の期間と得られる指標

毒性試験には，急性毒性試験と慢性毒性試験がある。

①急性毒性試験

その定義は，次のとおりである。

「1回または短時間曝露したときに発現する毒性を急性毒性(acute toxicity)という。試験対象物質を動物に1回または短時間に適用した際に発現する有害作用を測定する試験を急性毒性試験という。発現する症状および体重や生化学変化，病理学的変化などを指標として，その物質の毒性の様相を質的および量的(致死量)な両面から解明する。単回投与毒性試験ともいう」[44]。

急性毒性試験で得られる代表的な指標には，次の2つがある。

- LD_{50}(半数致死量)：1回の投与で1群の試験動物の半数(50%)が死亡するような薬物量を動物の体重1kgあたりで表した値。Lethal Doseの意。
- LC_{50}(半数致死濃度)：短時間の吸入曝露(通常1時間から4時間)で，1群の試験動物の半数を死亡させる空気中の薬物濃度。Lethal Concentrationの意。

急性毒性試験は短時間で試験が済むので，データが豊富である。最近では，実験動物福祉の視点から，LD_{50}を求める際には，必要最小数の動物を用いることとされている。

②慢性毒性試験

その定義は，次のとおりである。

「長期間曝露または繰返し曝露によって現れる毒性をいう。1回または短時間曝露の急性毒性，期間の比較的短い亜慢性毒性と対比して用いる。試験対象物質を実験動物に長期間（化学物質の場合には12カ月以上）反復して投与し，その際に発現する動物の機能および形態等の変化を観察することにより，物質による何らかの毒性影響が認められる量（毒性発現量）および影響が発現しない量（無影響量，無有害影響量）を明らかにする試験を慢性毒性試験という」[44]。

慢性毒性試験で得られる代表的な指標には，次のものがある。

・LOAEL（最小毒性量）：毒性試験において「有害な」影響が認められる最低の曝露量。Lowest Observed Adverse Effect Levelの意。

・NOAEL（無毒性量）：毒性試験において，「有害な」影響が認められなかった最高の曝露量。No Observed Adverse Effects Levelの意。

・NOEL（無影響量または無作用量）：毒性試験において，「何ら」影響が認められなかった最高の曝露量。No Observed Effects Levelの意。

なお，一般にNOAEL≧NOELの関係にある。WHOなどの国際機関や欧米ではNOELよりもNOAELを採用しており，日本でも最近はNOAELが用いられるようになってきた。

医薬品に対する慢性毒性試験にあっては，試験期間などの点で，一般化学物質とは異なった取り扱いがなされている[45]。医薬品の場合の毒性試験では，

①動物種：2種以上とする。うち1種はげっ歯類，他の1種はウサギ以外の非げっ歯類とする。

②性：原則として，雄雌の動物を同数使用する。

③動物数：げっ歯類では雄雌各10匹以上，非げっ歯類では雄雌各3匹以上とする。

④投与経路：原則として臨床で適用する経路とする。

⑤投与期間：臨床試験および承認申請後の医薬品の使用期間に応じて，必要とされる反復投与試験の期間が設定されている。

たとえば，臨床試験の最長期間が6ヵ月を越える場合には，反復投与毒性試験の最短期間はげっ歯類では6ヵ月，非げっ歯類では9ヵ月とされている。

⑥用量段階：少なくとも3段階の用量とする。毒性変化が認められる用量と毒性変化が認められない用量（NOAEL）とを含み，かつ用量－反応関係が見られるように設定する。

試験が終了したら，生存していた実験動物はすべて，解剖検査に付されて，病理組織学的検査を行う。試験途中で死亡した例も，速やかに解剖検査に付されて，病理組織学的検査を行う。

一般化学物質の場合では，慢性毒性試験の試験期間はげっ歯類，非げっ歯類ともに1年間とされている。

4.7.2　毒薬および劇薬

毒薬および劇薬については，薬機法でそれぞれ指定されている。毒薬には，塩酸モルヒネなどがあげられる。劇薬には塩酸コカインなどがあげられる。急性毒性の指標であるLD_{50}（経口ベース）との関係でいうと次のようになる[45]。

・毒薬とは，LD_{50}が50mg/kg以下

・劇薬とは，LD_{50}が50mg/kgを超え300mg/kg以下

なお，医薬品を扱う薬機法では毒薬および劇薬と称しているが，医薬品以外のものを扱う毒物及び劇物取締法では，毒物，劇物という。

GHSでは，経口ベースで次のような区分けがなされている。OSHAもほぼ同じである。

カテゴリーの数字が小さいほど，ハザードレベルが高い。

・カテゴリー1　LD_{50} < 5mg/kg

・カテゴリー2　LD_{50} < 50mg/kg

・カテゴリー3　LD_{50} < 300mg/kg

・カテゴリー4　LD_{50} < 2,000mg/kg

・カテゴリー5　LD_{50} < 5,000mg/kg

4.7.3　*in vitro*と*in vivo*

*in vitro*は「ガラスの中」という意味であり，本来ならば生物の体内（*in vivo*）で営まれている機能や反応を，生体外で行う実験を指す。*in vivo*は，生体を使って行う実験を指す。

4.7.4　用量－反応関係

動物実験では，対象となる実験動物に化学物質を投与して，動物に有害な影響が出てくるかどうかを試験する。このときの用量（または濃度）と，化学物質を投与された集団内で一定の有害な影響が発現する個体の割合を図式化したものが用量－反応曲線（Dose-Response curve：略してD-R曲線）である。後述する閾値が明確にある場合の模式的な用量－反応曲線は通常，**図4.3**のように表される（略S字上の曲線となる。この曲線をシグモイド曲線ということがある）。

用量－反応曲線は連続曲線のようなイメージがあるが，実際には実験ポイントにもとづいて曲線を近似的に外挿したものである。というのも，実験で設定する用量ポイントは限定されており，4～5点とならざるをえないためである。実際のIFにある例では，ゼロ点，0.9，15，25mg/kgという具合である。より多くの実験ポイントとすることができないのは，実験動物愛護の視点，費用と時間の制約からである。

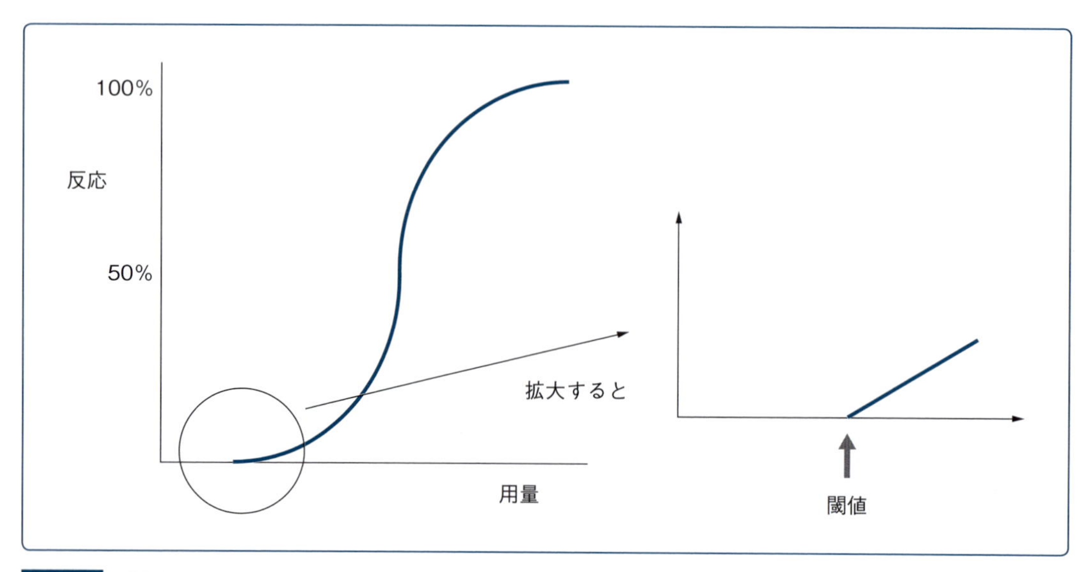

図4-3　閾値のある化合物の場合の用量－反応曲線

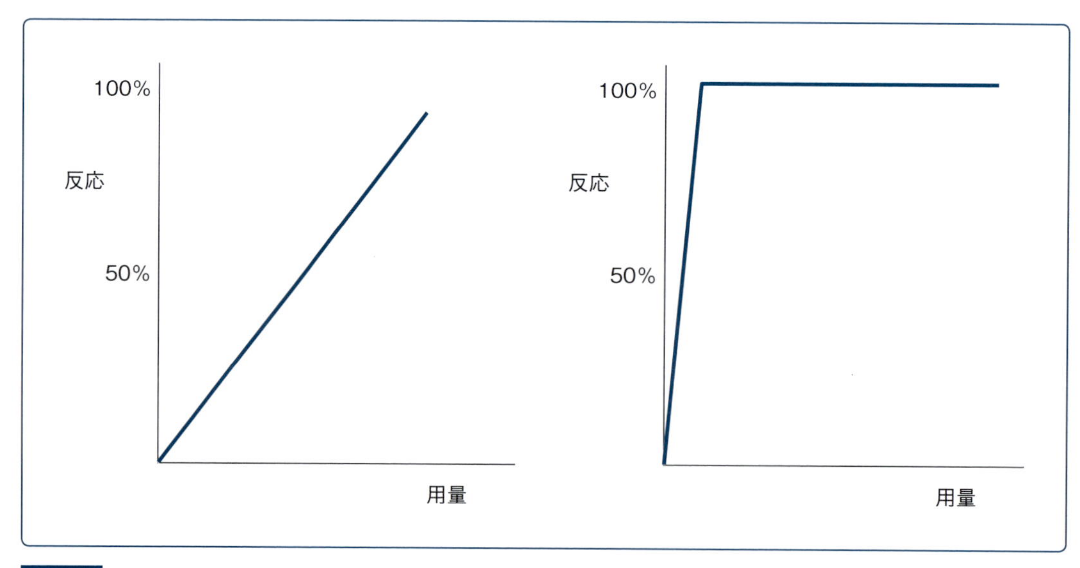

図4-4　閾値を示さない化合物の場合の用量－反応曲線

一方，閾値がないハザード物質も多く，抗がん剤などはその代表的な例である。その場合には，極端な例でいえば1分子でも摂取すると有害な反応が生じるので線形的な直線となる（図4-4）。

4.7.5　毒性の閾値とPoD

たとえば，動物実験で化合物の量を順次増やして設定していく場合，ある用量までは何ら変化が出てこないが，次の設定された用量において初めて有害な影響が出てくることがある。化合物の影響による変化が何ら出てこない投与量の限界値を「毒性の閾値」という。その限界値以上に投与量が増えると，明確な変化が生じるということになる。

この閾値は観念的なものであり，動物実験ではこの閾値が理想的な形で得られるわけではない。試験で実際に得られるのは，閾値の近傍にある限られた実験ポイントのみである。それが前述のNOAELまたはLOAELとなる。実験の結果としてNOAELが得られるかLOAELが得られるかは，実験計画段階での投与量の設定，およびその間隔次第であり，実験が終わらないと判明しないことになる。

詳しく説明する。実験の結果として，**図4-5**のようなポイントが得られたとする。この実験データにおいて，有害な影響が出てこなかった投与量が複数ある（図4-5の例では，①と②)。定義により，その中での最大のものをNOAELとする（図4-5の②が該当)。また，有害な影響が生じて縦軸側に頻度数値が出てくる投与量が複数ある（図4-5の例では，③，④，⑤)。定義により，その中で最小のものをLOAELとする（図4-5の③が該当)。真の意味での閾値というのは，この両者の間にあると思われる。

実験の結果によっては，投与量ゼロの次の点で，何らかの有害な影響が発現することがある。これは実験の結果として起こりうることである（**図4-6**)。このような場合には，図4-5に見られたようなNOAEL（②に該当）が得られないことになり，得られるのはLOAELのみということになる。したがって，真の閾値は，LOAELとゼロ点の間のどこかということになる。

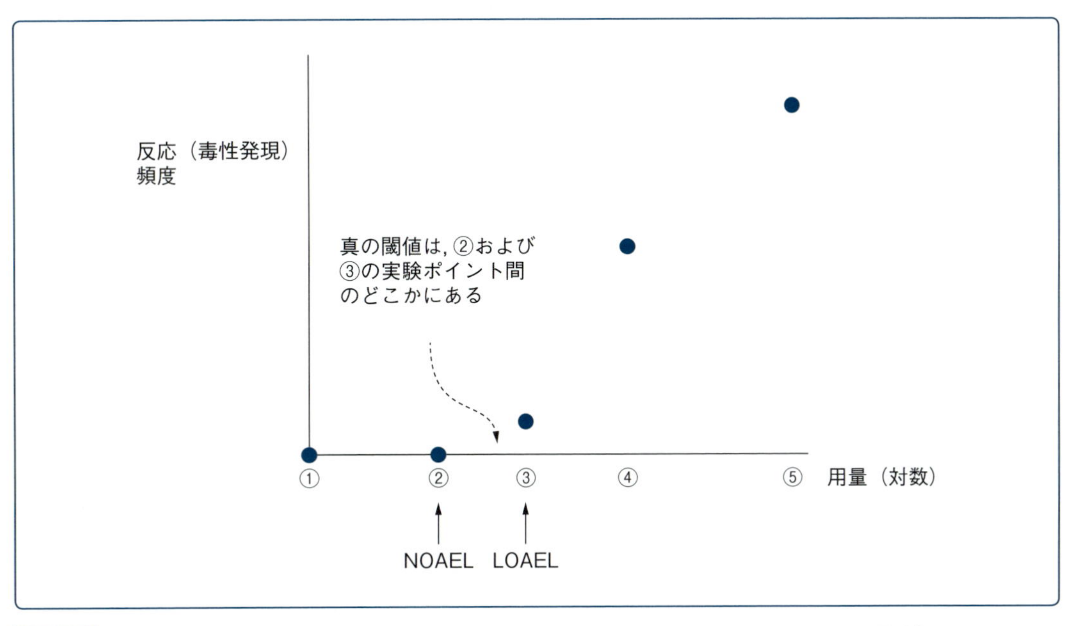

図4-5　用量－反応曲線の実験ポイントと得られる情報（NOAELが得られる場合）

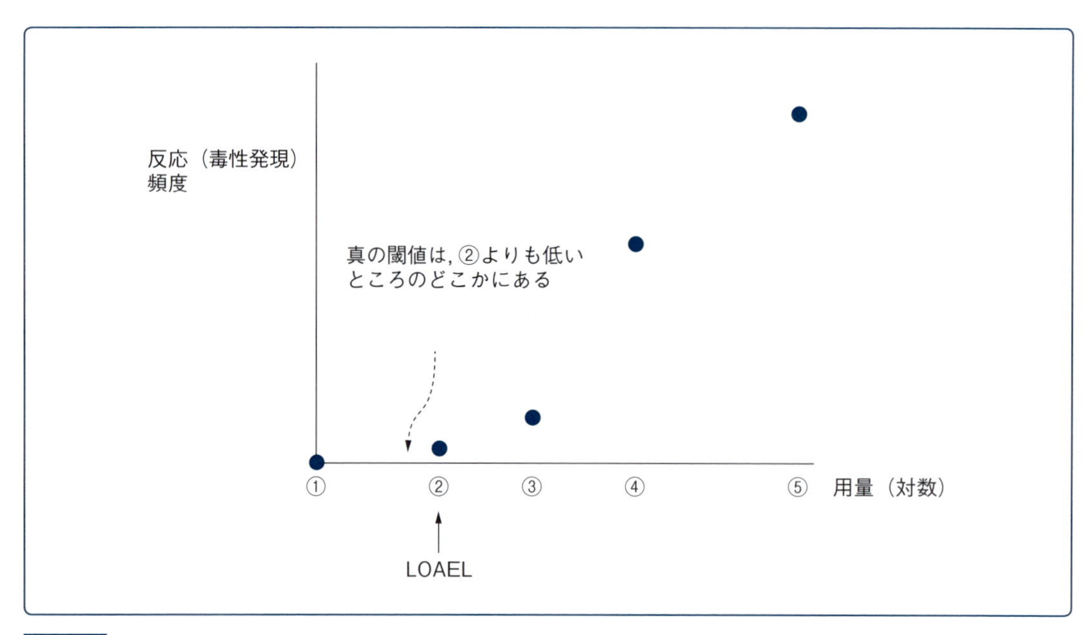

図4-6　用量－反応曲線の実験ポイントと得られる情報（LOAELしか得られない場合）

NOAELおよびLOAELは，このように「真の閾値」の近似値に過ぎないが，実際に得られた貴重な実験ポイントである。その中で，NOAELは有害な影響が出てこない最大の用量という意味合いから，コンサバティブ側の指標として重要な情報となる。

用量－反応の関係において上記のような閾値を示す化合物では，HBELを設定する際に用いる情報として，NOAELまたはLOAELが使われる。これらを，出発点（ポイントオブデパーチャー）（Point of Departure：PoD）と称している。

用量－反応曲線でNOAELが得られている場合にはそれをPoDとして用いる。NOAELが得られていない場合には，（次に有用な実際のデータである）LOAELから外挿してNOAELを推定することになる。その際に後述の不確実係数を織り込むことになる（より詳細にいえば，次に説明するベンチマークドーズ法によるのがよいとされる）。

毒性試験の結果を公開しているIFなどの「NOAELの欄」に，「未満」という表示が用いられていることがある（例：1.5mg/kg未満）。これは，その数値がLOAELであることを示している。すなわち，得られているのがNOAELの値ではないことから，「未満」という表記が数値に付け加えられる。

4.7.6　ベンチマークドーズ

ベンチマークドーズ（Benchmark Dose：BMD）は，EMA HBELガイドラインおよびRisk-MaPP改訂版で，NOAELの代用として用いることができるとされている。

まず，その定義を毒性学のテキストから引用する[45)]。

「ベンチマークドーズ（benchmark dose）は，実験データの数理モデルへのフィッティングにより統計学的に最もフィットしたモデルにおいて，通常の動物実験で有意な影響を検出できる反応レベル（benchmark response：BMR）の用量に対する95%信頼限界の用量下限値をBMDL（benchmark dose lower confidence limit）として算出する手法である。

通常は，BMRとしては発生毒性で5%，一般毒性で10%の反応率が用いられている（BMR＝10%を用いた場合$BMDL_{10}$と表記される」（同テキスト10.1.2項）。

その位置づけは，次のとおりである[45)]。

「BMDLは経験的にNOAELに相当する投与量を算出することが可能であると考えられており，NOAELが得られなかった場合の代替手法として用いることが可能である」。

「信頼限界の値を用いているので，データの質および統計学的考えが含まれる。すなわち，動物数が少ない場合や，データのバラツキが大きい場合には信頼限界の幅が広くなり，BMDLはより低い値となる」（同テキスト10.1.2項）。

ベンチマークドーズ法による値は，統計学的に信頼性のある補正ができ，より安全側の補正ができるとされる。このため，リスクアセスメントでは，NOAELに代わるものとして$BMDL_{10}$が使われる。

その$BMDL_{10}$は以下のように求められる[46)]。

①複数の動物実験から数理モデルによって得られた用量－反応曲線を描く。

②さらにその信頼限界（通常は95%信頼限界を使用）である上限，下限曲線を描く。

③（一般毒性として）発現率10%に対する数理モデルの曲線における用量を求める。これがBMD_{10}とされる。

④（一般毒性として）発現率10%に対する95%信頼上限曲線における用量を求める。これが$BMDL_{10}$となる。これは，BMD_{10}よりも安全側の数値（用量の信頼下限値）となる。

図4-7は，文献45）および46）を参考にして，筆者が作成したものである。図は，試験1および2でLOAELしか得られなかった場合である。

4.7.7 有害な影響

NOAELまたはLOAELなどの定義の中に，adverse effect（有害な影響）という表記が出てくる。adverse effect という用語の意味合いはどのようなものであろうか。

Olsonら，およびPalazziらは，毒性学の領域では，adverse effectまたはadversityの概念が伝統的に広く用いられてきたけれども，その定義がきちんとなされていなかったと，指摘している[35,47)]。

実際に，adverse effectの定義が各種の公的機関や専門家の報文で提唱されている

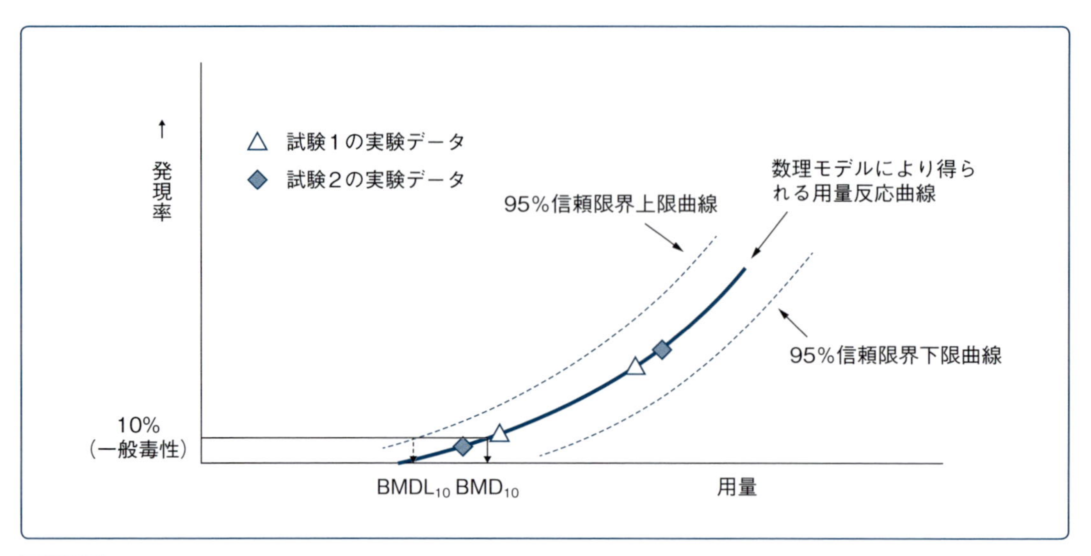

図4-7 ベンチマーク用量BMD（Benchmark Dose）
（筆者が文献45）および46）を参考に作成）

ものの，その表現は微妙に異なっている[35]。たとえば，WHO/IPCS EHC-240 Annex 1では，次のような定義である[48]。

“Change in the morphology, physiology, growth, development, reproduction, or life span of an organism, system, or（sub）population that results in an impairment of functional capacity, an impairment of the capacity to compensate for additional stress, or an increase in susceptibility to other influences.”

また，EPAでは，次のような定義となっている[49]。

“A biochemical change, functional impairment, or pathologic lesion that affects the performance of the whole organism, or reduces an organism's ability to respond to an additional environmental challenge.”

さらに，専門家の報文の例として，Dorato and Engelhardtは，次のような定義を与えている[50]。

“An adverse effect may be considered to be a change（biochemical, functional, or structural）that may impair performance and generally have a detrimental effect on growth, development or life span of a non-clinical toxicology model.”

非臨床の動物実験で観察されるさまざまな変化が，ヒトの健康にとって有害な影響なのかどうかを見極めることは大変に難しいとされている。その見極めにおいては観察者の経験と専門的な判断に依存するところが大きいので，観察している事象の解釈において，意見の違いが生じることもあり，場合によっては矛盾することもありうる。このため，科学的な根拠をもつことが望まれるとされている[47,51]。

非臨床試験での動物実験で出てくるadverse effectについては，最近次のような定義が提案されている[47]。

“In the context of a nonclinical toxicity study, an adverse effect is a test item-related change in the morphology, physiology, growth, development, reproduction or life span of the animal model that likely results in an impairment of functional capacity to maintain homeostasis and/or an impairment of the capacity to respond to anadditional challenge.”

「非臨床毒性試験におけるadverse effectとは，その試験項目に関連して生じる，動物モデルでの形態，生理，成長，発育，生殖または寿命に関する変化である。その変化の結果として，ホメオスタシスを維持するための機能的な能力に，および／または追加的な変化に応答する能力に障害をもたらすことがある」（文責筆者）。

Risk-MaPP改訂版では，adverse effect自体について特別な定義を与えていない。その5.1項では，「adverse effect（i.e.,toxicity）」としているだけである。

HBELは，医薬品の品質管理に使われるだけではなく，職場での労働安全衛生のためにも利用される。その場合，化合物の有害な影響の設定には留意がいる。患者にとって有用な化合物の作用でも，製造現場の従事者にとっては有害作用と見なされることもあるからである。

Risk-MaPP改訂版では，「臨床的に有意な影響は，特定の疾患のために医師の監督下でその医薬品を処方される以外の者に対しては，有害影響と見なされる」（5.3.2項）としている（文責筆者）。

また，Sargentらは，同様に次のように述べている[41]。「一般には，治療目的ではない曝露によって生じる薬理学的な効果は希望しないものであり，したがって有害なものとなる」。

同様に，セイフブリッジ社の報文でも，具体的に次のように記されている[52]。「意図する薬理学的な反応が治療の外で生じる場合には，有害と考えられる。たとえば，抗高血圧薬（血圧降下剤）による血圧の低下は，高血圧である患者個人に対しては有用である（beneficial）と考えられる。しかし，この同じ効果は，通常の血圧値を示す人にあっては有害となりうる」。

4.7.8 エンドポイント

毒性試験において毒性（有害な影響）があるかどうかを評価する際の，観察可能または測定可能な生物学的な変化をエンドポイントという。有害な影響により発現する具体的な変化，症状であるといってよい。

たとえば，急性毒性試験では，実験動物の半数の「死亡」がエンドポイントであり，その具体的な指標はLD_{50}となる。慢性毒性試験では，標的器官における変化（たとえば，肝障害，皮膚の刺激など）であり，がんの発生や生殖障害といった生理学的または生化学的な症状の発現が該当する。そのエンドポイントの具体的な指標が

NOAEL，LOAELとなる。

ヒトの身体における代表的な症状は，健康有害性のGHS分類基準にてリストアップされている。これらが，エンドポイントに該当する。

・急性毒性

・皮膚腐食性／皮膚刺激性

・眼に対する重篤な損傷性／眼刺激性

・呼吸器感作性または皮膚感作性

・生殖細胞変異原性

・発がん性

・生殖毒性

・特定標的臓器毒性（単回暴露）

・特定標的臓器毒性（反復暴露）

・吸引性呼吸器有害性

4.7.9 クリティカルエフェクト

Critical effectに対しては，重大な影響という訳語があてられている（Risk-MaPP初版和文）。ここでは，クリティカルエフェクトという用語を用いることにする。このほかに，crucial effect/lead effect／endpoint of concernという表現もある。

クリティカルエフェクトの定義は，Risk-MaPP改訂版では，「用量を増やしていく中で，臨床的に最初に現れる重大な有害作用」とされている（5.3.2項。和文は初版を引用。下線強調筆者）。

EPAの用語定義では，「クリティカルエフェクトは，投与量が増加していくときに，最も感受性のある種において発現する最初の有害影響（またはその既知である前兆）である」（文責下線強調筆者）とされている[53]。

低用量のところで発現する複数の有害な影響のうち，クリティカルエフェクトの見極めは，専門家の判断による。同一動物種で，複数の有害な影響（エンドポイント）がある場合には重大な影響（critical effect）と特定される試験のNOAELをPoDとして選定する（**図4-8**）。図4-8中の例では，消化器毒性，肝臓毒性，引きつけの3つの有害影響があったが，専門家の判断として，肝臓毒性をクリティカルエフェクトと特定して，その数値的な指標としてNOAELをPoDとすることを示している。

Risk-MaPP改訂版では，「ADEの設定は，特定されたクリティカルエフェクトにもとづいて設定される」，「レビューを行う毒性学専門家は，低用量で報告された影響（複数）のうち，どれがクリティカルエフェクトであるのかの判断を行うべきである」，「クリティカルエフェクトは，患者と作業者で異なるかもしれない」としている（5.3.2項）（文責筆者）。

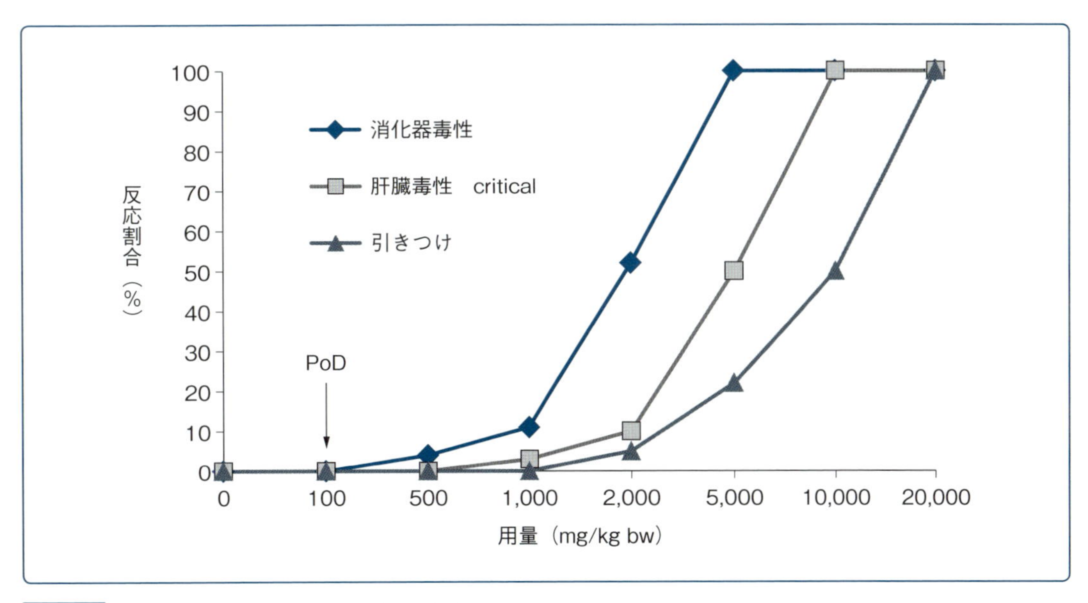

図4-8　クリティカルエフェクトの設定

4.7.10　ファーマコキネティクス(PK)，ファーマコダイナミクス(PD)

ファーマコキネティクス（Pharmacokinetics：PK）およびファーマコダイナミクス（Pharmacodynamics：PD）という用語がある。これは，薬理学分野の用語である。

ここでは，まず薬学会の定義を紹介する（同学会HP用語解説より引用）。

・ファーマコキネティクス（Pharmacokinetics PK：薬物動態学）
　投与された薬物がどのように吸収され，組織に分布し，小腸や肝臓中の酵素により代謝され，排泄されるのかを解析するもの。この吸収（absorption），分布（distribution），代謝（metabolism），排泄（excretion）を総称して，ADMEとよび，これらの濃度と速度過程を記述する領域を薬物動態（Pharmacokinetics：PK）とよぶ。

・ファーマコダイナミクス（Pharmacodynamics PD：薬力学／薬理ともいわれる）
　作用部位に到達した薬物が，薬理作用を発現する時間的変化を定量的に研究するもの。

毒性学のほうでは，トキシコキネティクス（Toxicokinetics：TK），トキシコダイナミクス（Toxicodynamics：TD）という用語を用いる。基本的な意味合いは同じである。薬物動態という概念は薬理学（Pharmacology）で先行していたわけであるが，ハザード物質についても同様なことがいえるので，毒性学（Toxicology）においてもTK/TDとしている。毒性学のテキストでは，「薬物の毒性評価にこのPKの概念を導入し，薬物濃度を測定することにより薬物の生体曝露の時間的かつ量的変動を明らかにして，全身的曝露の状況から毒性（副作用）発現を裏付けることを目指したのがトキシコキネティクスである」としている[45]。

PKとTKは方法論としては同様な手法を使うが，その差異を端的に述べたものを次に紹介する[54]。

「PKとTKは，いずれも投与された薬物，化学物質の血中濃度の測定により，Cmax，Tmax，AUC等の値を求めることになる。両者の大きな相違は用量で，PKでは薬効量あるいはヒト臨床用量付近での薬物動態を，TKでは，毒性用量あるいは毒性試験用量での薬物動態を知る点である」。

「PDとTDについては，前者が曝露量と薬効との関係を，後者は毒性発現との関係を明らかにすることにある。医薬品の場合には，副作用・有害作用をトキシコダイナミクスとして捉えることになる」。

ここでは，PK/PD（またはTK/TD）について理解するうえで必要な薬物動態について簡単に説明する。毒性学のテキスト，薬理学のテキスト，そのほかの関連資料を参考にしてまとめたものである。わかりやすくするために，医薬品を念頭において説明する。

医薬品が体内の組織に作用して，期待されている効果を現すためには，目的とするその場所（作用部位）に所定の濃度で到達する必要がある。

医薬品は体内に摂取されてから，その部位に到達するまでには，いろいろな過程を経なければならず，最終的に身体を循環している血液の流れに乗ることが必要となる。そして，作用部位で必要な濃度に達してはじめて機能が発現し，たとえば痛みが減少するなどの効用が出てくる。その後，余剰となった化学物質は，身体から排泄されることになる。

このような一連の流れがあるが，摂取された後に体内の作用部位に到達するまでの時間と量（濃度）の関係が問題となる。いわば，薬の時間的な移り変わりを把握するためのものが，薬物動態学（Pharmacokinetics：PK）である。

よく使われる表現では，薬物動態は，投与された「薬物の一生」（投与から排泄まで）を時間的に追いかけて観察・考察するものとされる。摂取された化学物質が体内でどのように移動するのか，どのように変化して作用部位に到達するのか，どのように最終的に身体からでていくのかという一連の流れを追跡し考察するものである。「化学物質の運命」を対象とするものといえる。

一方，薬力学は，薬物が組織に作用した後の変化を観察するものといえる。作用部位に所定の濃度にて達した薬（化学物質）は，組織に作用することになり，身体の組織がそれに対して反応することになる。化学物質が生体に対してどのようにして作用し，生体はどのように反応するのか，いわば「くすりの効き方」，「化学物質の作用」を考察するのが，薬理作用学（Pharmacodynamics：PD，薬力学ともいう）である。

薬などの化学物質を体内に摂取した後の体内動態（PKまたはTK）においては，動物の間，およびヒトの間でも差がある。さらに，化学物質に対する細胞や組織の反応（PDまたはTD）についても，同様にバラツキが生じる。これが，HBELを設定する際の不確実係数の必要性につながる。

4.7.11 体内動態（ADME）

体内に摂取された化合物は，いろいろな過程を経て，作用部位に到達する。化学物質が薬効（または毒性）を発現するかどうかは，その物質（あるいはその代謝産物）の作用部位での濃度に依存し，生体組織側でのその物質に対する感受性によって決まる。

その濃度は，吸収（Absorption），分布（Distribution），代謝（Metabolism），排泄（Excretion）の4因子からなる体内動態（ADME）により規定される。

バイオアベイラビリティの理解にも必要であるので，体内動態（ADME）の過程を詳細に説明する。

①吸収（Absorption）

薬が投与されてから全身の循環血液中に取り込まれる過程を「吸収」という（Absorption）。

毒性学のテキストでは，「異物が生体膜を通過して全身循環系に入る過程を吸収という」とされている[45]（同テキスト3.2項）。

吸収に関連するのは主に，胃と小腸である。とくに，小腸は数メートルの長さがあり，その内部の表面には無数の絨毛が存在している。そのため小腸全体の表面積は200m^2（テニスコート1面分）を超えるとされている。胃の表面積は小腸の1/2,000以下とされているが，小腸とは異なったpH環境であることに特徴があるとされる。

職場での曝露限界値であるOELの対象は肺呼吸による曝露である。肺には，約3億個と推定される多数の肺胞があり，そこでガス交換が行われる。その総呼吸面積は100m^{2}にも達し，皮膚の約50倍もの広さがあるとされる[45]。毒物の吸収経路として肺は重要である。

②分布（Distribution）

毒性学のテキストでは，「吸収された化学物質が循環系によって運ばれ，全身の組織に移行することを分布という」とされている[45]（同テキスト3.3項）。

分布するときに，体内に均一に分布することもあれば，特定の組織により多く分布することもある。また，気管支に作用する薬であるから気管支によく分布するとか，心臓に作用する薬であるから心臓によく分布するということはない[55]。

薬は血漿中のタンパク質と結合する。結合する割合は薬の構造によって大きく異なる。タンパク質と結合した薬は毛細血管を透過できない。結合していない遊離型のみが作用部位での作用に寄与することになる。タンパク質との結合の強さが，薬の作用強度や作用時間を左右することになる。

③代謝（Metabolism）

毒性学のテキストでは，「薬物などの多くの異物は生体内で化学構造の変換を受けて体外に排泄される。この過程は代謝と呼ばれる」とされている[45]（同テキスト3.4項）。

代謝には多くの酵素が関与しており，これらは薬物代謝酵素と総称されている。代謝酵素は体内に広く分布しているので，代謝は身体の各所で行われるが，主な臓器は肝臓である。

化学構造が変化することで，水溶性が増加し（排泄しやすくなる），薬理活性の変化が生じる（薬理活性が弱まることもあれば，逆に強まることもある）。薬理活性が消失してしまう場合もあり，この場合，肝臓が解毒機能をもつということになる。

④排泄（Excretion）

薬理学のテキストでは，「体内に入った薬は適当な時間後にそのままの構造で排泄されるか，または代謝されて水溶性の構造に変化した後に排泄される。その主な排泄経路は，尿中である」とされている[55]。

排泄に重要な器官は，腎臓である。血液循環に乗っている薬物や役目を終えた薬物は，腎臓を通るが，通るたびに濾過されて，血液中から，原尿に移る。これで，摂取された薬物が身体から出ていくことになる。

以上が，薬物が体内に取り込まれてから出ていくまでの過程である。具体的に，経口で投与される場合と，静脈内注射で投与される場合で考えてみる。

①経口で投与された化合物は服用後に消化管（胃，小腸）に入る。胃および小腸で吸収された化合物は，毛細血管に移動する。毛細血管は次第にまとまって，やがて門脈となり，これが肝臓へと進む。肝臓では，酵素により代謝される。肝臓で代謝の過程を経た化合物は，毛細血管に移り，これが肝静脈にまとまっていき大静脈につながる（**図4-9**）[56]。そして，心臓に至り全身を巡る血液循環に乗り，目的とする場所へ到達することができる。消化管での吸収，肝臓での代謝作用があり，化合物が100％利用されるわけではない（本書4.7.13「バイオアベイラビリティ」の項参照）。

②静脈内注射（IV）は血流内に直接的に投与するので，作用部位に到達するうえで最も簡単で速い方法である。化合物がそのまま100％利用されることになる。風邪薬をIVで投与すると，すぐ効果が現れることでも実感できる。

4.7.12　血中濃度曲線

医薬品などの化学物質を体内に摂取した後に，いろいろな過程を経て最終的に体外に排泄されるまでの時間的な経過を知るために，薬物の血中濃度をサンプリングして，時間経過による変化を図式化することが有用である。このようにして得られるものを血中濃度曲線という。

薬物の投与経路によって，この時間経過は異なる様相を示すことが想像される。静脈内投与（IV）の場合には，瞬間的に全身を巡るので，曲線の立ち上がりが速く，

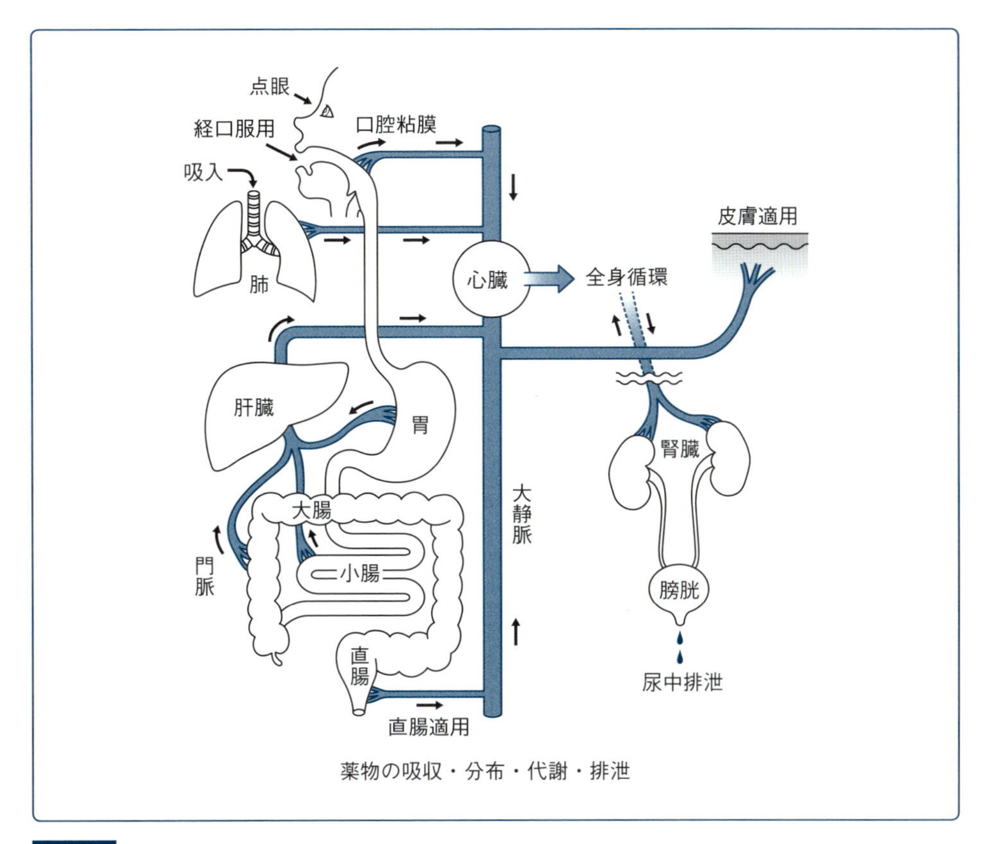

図4-9　体内循環図
（文献56）より引用）

薬の効き方が早いということになる。経口投与の場合には，全身を巡るまでの過程が複雑であるので，濃度変化もIVの場合とは大きく異なる。**図4-10**は，代表的な投与経路による血中濃度曲線の例である。

この血中濃度曲線図において，曲線と横軸（時間軸）で囲まれた面積を血中濃度曲線下面積（Area Under the blood concentration-time Curve：AUC）と呼ぶ。身体を循環している血液中に入った薬物量は直接測定することができないので，このAUCが体内に取り込まれた薬の量を示す指標として使われる。

また，血液中での薬物最高濃度を最高血中濃度（Cmax），最高血中濃度に達するまでの時間を最高血中濃度到達時間（Tmax）という。そして，血中濃度が半減するまでの時間を半減期という（$T_{1/2}$と表記されることが多い）。消失半減期とも称される（**図4-11**）。

Cmaxに達した後に薬物血中濃度が徐々に下がる理由は，肝臓を含む多くの部位で代謝され，代謝により水溶化が進み，尿などで排泄されることによる。

この血中濃度曲線は，バイオアベイラビリティの算定にも使われるが，薬の反復投与の頻度を決めるためにも必要となる。薬の血中濃度を一定水準に保つために，血中

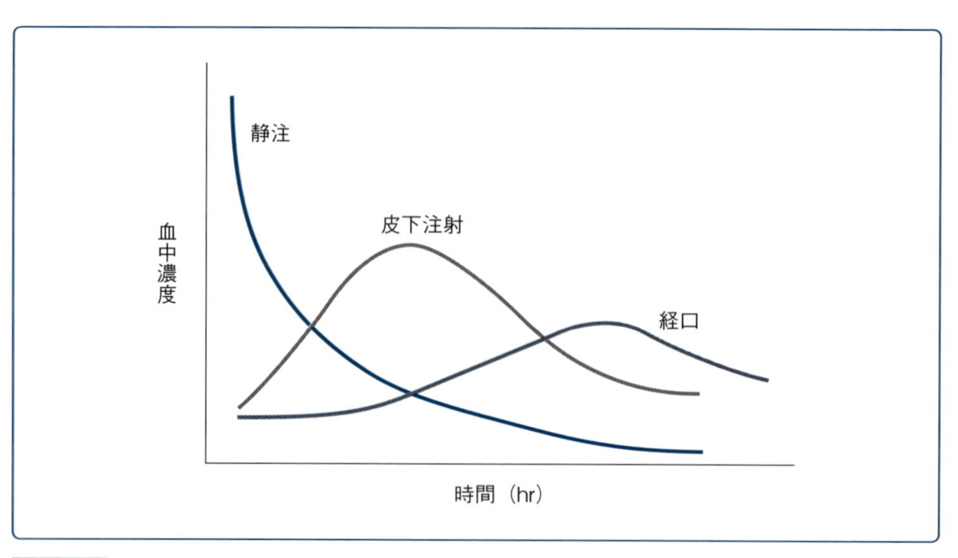

図4-10　血中濃度曲線

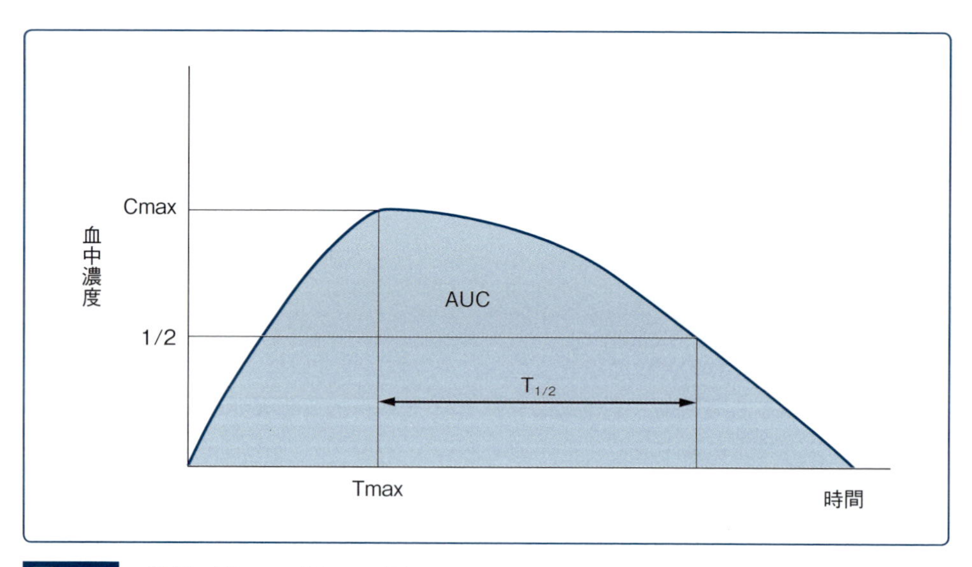

図4-11　AUC／Cmax／Tmax／$T_{1/2}$

濃度が最高濃度の半分以下になる前に，薬を再度投与することになる。この目安を得るために半減期の情報が必要となる。たとえば，半減期が8時間前後の薬の場合には毎食後に服用するという具合である。

体内動態（消化器からの吸収，組織への分布，肝臓などでの代謝，腎臓での排泄）は個人によって異なるので，同じ用量の薬剤を服用しても，血中濃度曲線は同じにはならない。

4.7.13　バイオアベイラビリティ

静脈内投与（IV）では，投与された薬物はほぼ完全に生体で利用されるが，経口で投与された薬物は，消化管からの吸収，肝臓・消化管での代謝の影響を受けるため，投与されたすべてが循環血液中に到達するわけではない。途中にいろいろな障壁があり，肝臓での代謝を免れて，最終的にやり過ごされたものだけが血液中を巡ることになる。

この割合をバイオアベイラビリティ（Bioavailability：BA）という。

BAは，薬理学のテキストでは次のように定義されている[55]。

「経口投与後，全身循環系に入った薬物量の割合をバイオアベイラビリティ（生体利用率）という」（第14章から）

また，日本薬学会の薬学用語解説では次のような定義がなされている（一部筆者補筆）。

「Bioavailability　生物学的利用能：
投与された薬物（製剤）が，どれだけ全身循環血中に到達し作用するかの指標。」

薬物が循環血流に乗る前の障壁にはいくつかある。

①消化管（多くは小腸）の壁の膜をどの程度透過できるかどうかがまず最初の障壁である。薬物が小腸の壁の細胞に取り込まれたとしても，それがすべて，肝臓につながる門脈に移行できるわけではなく，一部が戻される場合もある。消化管粘膜での透過率を示す数値をFaとする。

②小腸にも代謝酵素があるので，代謝されずに残ったものだけが，門脈に移動することになる。小腸で代謝を免れた割合をFgとする。

③門脈は肝臓につながっている。肝臓での代謝を免れてやり過ごされたものが，肝静脈を経由して，血液の循環系に入る。肝臓での代謝を免れた割合をFhとする。

④最終的なBAは，これらの積で計算される。すなわち，$BA = Fa \times Fg \times Fh$となる（**図4-12**）。

具体的に計算してみる。

ある薬を服用したところ，80％が消化管の粘膜から透過したとする（$Fa = 0.8$）。消化管では，20％が代謝を受けて，代謝されずに残ったものが門脈に移行したとする。結局は，80％が次に移行したことになるので，$Fg = 0.8$。そして，肝臓で代謝を受ける。代謝を免れて無事に循環血流に乗ったものの割合を80％とする（$Fh = 0.8$）。最終的なBAは，$BA = Fa \times Fg \times Fh = 0.8 \times 0.8 \times 0.8 = 0.5$となる。この意味するところは，服用した薬の約半分だけが循環する血流に乗ることができたことになる。これが薬効に寄与するわけである。

実際のBAの計算においては，化学物質（薬）の血中濃度の時間変化を求め，それをもとに血中濃度曲線を得る。そして，経口投与と静脈内投与の2つの経路による場合のAUCを求める。それぞれをAUC_{oral}，AUC_{IV}とする。BAはその比として得られ，

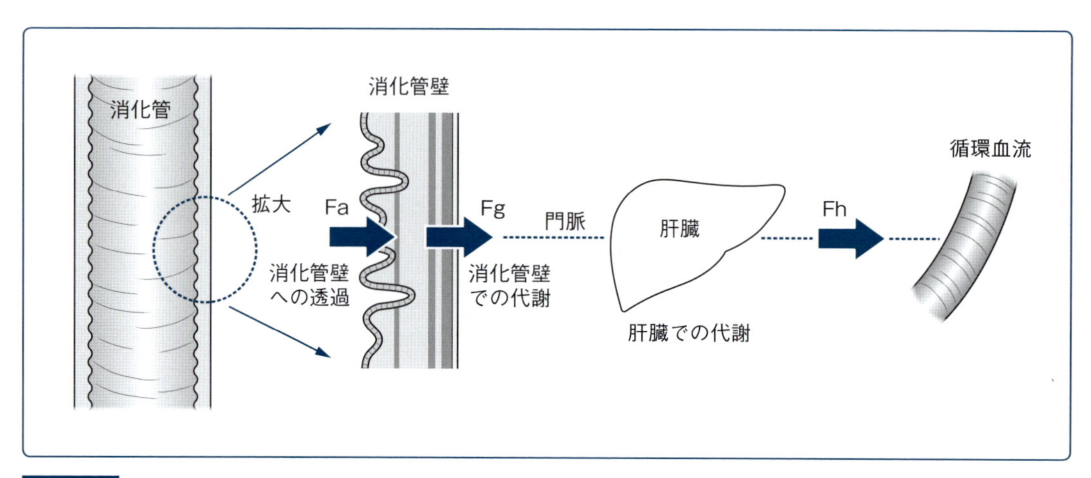

図4-12 バイオアベイラビリティ（BA）

$BA = AUC_{oral}/AUC_{IV}$ となる。

BAについての研究はごく最近のことである。ここでは，吸引でのBAの研究経過を簡単に紹介する。

摂取した化合物の体内動態において，摂取経路によって差が出てくることは薬理学者および毒性学者の中では当然認識されていたことである。医薬品のOELを提案したSargentらの報文（1988年）[13]，続くNaumannらの報文（1995年）[57]でも，計算式のなかに摂取経路の差を勘案する係数が用意されていた。しかしながら，具体的な数値については言及されていなかったのが実状である。

これらの報文が公開された当時にあっては，呼吸により体内に取り込まれた粉体（しかも，粒径の細かい粉体）が肺からどのように体内に吸収されていくのかの詳細がまだ十分に解明されておらず，摂取経路の差を勘案する係数（経口→吸引）は1とされていたわけである（Naumannの報文でも同様）。要すれば，経口のデータをそのまま吸引用に使うというものであった。Naumannの報文には，摂取経路の差についての研究は緒についたところであり，将来は容易に外挿ができるだろうという表現もある。

その後の研究により，2006年にはIGHRC（イギリス政府機関）から摂取経路間の外挿に関するガイドライン[58]が提示され，それを引用する形で，ECHA（European Chemicals Agency）が2008年にガイドラインを発出した経緯がある（最新版は2012年版）[59]。そこでは，経口でのBAを50%，吸引のBAを100%とするデフォルトが提示されている。

4.7.14 初回通過効果

薬を服用して，初めて小腸，肝臓に入ると，前述のように代謝がある。このために，循環血流に乗る量が減ることになる。これは，服用して初めて小腸・肝臓に入るときのことであるので，「初回」通過効果という。

BAが極めて低い薬物は，初回通過効果を受けやすい。小腸や肝臓で代謝されやすい薬は，循環血流に乗る量が減ることになり，作用部位での薬効発現のための濃度が不足し，あまり効かないということになる。このため，経口以外の投与方法を検討することになる。初回通過効果を避けるために，静脈内注射，舌下剤，貼付剤などの投与方法が用いられる。

4.7.15 TTCの概念

TTCの概念について，毒性学のテキストでは，次のような説明がなされている[45]。

「毒性学的懸念の閾値 TTC（Threshold of Toxicological Concern）は，・・・（中略）・・・あらゆる化学物質について，それ以下の曝露量では明らかな有害影響が現れないとするヒト曝露の閾値として設定される」（10.1 d項）。

また，ILSIの資料によれば，次のような説明がある[46]。

「TTCの概念による手法は，毒性データが不十分で摂取量（もしくは暴露量）が微量な化学物質の評価において近年用いられてきている手法である。・・・（中略）・・・

TTCの概念による閾値は，化学物質について，ある暴露量以下ではヒトの健康へのリスクを引き起こす確率が極めて低く，包括的な閾値を設定できるという考え方にもとづき設定される。その算出方法は，毒性が既知の物質の化学構造と毒性情報との対比から推定される」。

規制当局による最初のTTC概念の適用例として，FDAの食品包装材料物質に対する閾値規制が知られている（1995年）。このほか，香料，地下水，残留農薬などについても適用されている。

医薬品への適用では，後述のようにDolanらの報文が初めてである（2005年）。治験薬に対するBercu & Dolanの報文もある（2013年）。その適用範囲も広がっており，ICH M7「潜在的発がんリスクを低減するための医薬品中DNA反応性（変異原性）不純物の評価及び管理」ガイドライン（2014年）の例がある。Fariaの報文では，TTCの概念を皮膚感作性，変異原性物質，非変異原性物質へ適用する場合に関して詳しく論じている（2016年）[11]。

なお，国内では，内閣府食品安全委員会事務局からの委託により，民間調査企業が「毒性学的懸念の閾値（TTC）を用いたリスク評価手法に関する調査報告書」としてまとめた資料がある（2015年）[60]。TTC概念の開発経緯から，食品，医薬品への適用のほかに，一般化学物質のTTCに関する基礎的な報文についても，その内容がまとめられて報告されている。

4.7.16 アロメトリックスケーリング手法

アロメトリックスケーリング手法は，ヒトと動物の間における身体サイズの差を補正する場合の手法として使われる。同手法は，哺乳動物における生物学的機能のパラメータ（たとえば，酸素消費量など）は体重と直線関係にあるという経験則によるものである。現在，100以上のパラメータについてそのような関係にあるとされる[61]。FDAの資料でも，アロメトリックスケーリング手法について詳しく説明している[62]。ここでは，文献61）にある計算式を中心にして説明する。

アロメトリックスケーリング手法の一般式は，次のとおりである。

$$Y = aW^n$$

ここで，Yは生物学的な機能，Wは体重，a，nは比例定数である。

動物の生物学的機能と投与量（摂取量）がこの関係式に当てはまると想定すると，動物実験での観察された投与量X_{animal}（mg）をヒトに外挿して等価な投与量X_{human}とする場合には，次のような関係となる。

$$X_{human} = X_{animal} \times (W_{human}/W_{animal})^n$$

ヒトと動物の間における身体サイズの差を補正する基準として，今までに検討されているのは次の3つの方法である。

・体重による補正
・身体の表面積による補正
・カロリー需要による補正

上記の式におけるべき数nは，それぞれ1，0.67，0.75である。

順に説明する。

①体重による補正

実験動物とヒトの差を考えるうえで，わかりやすい体重でもって補正する方法である（n＝1）。

実験動物で得られた投与量データX_{animal}を実験動物の体重W_{animal}で除して得られる数値が，そのままヒトにあてはまるとするものである。

$$X_{human}/W_{human} = X_{animal}/W_{animal}$$

しかしながら，この体重基準で外挿するという考えは，毒物による効果にはあてはまらないとされて，現在では使われていない。

②身体の表面積による補正

次は，体表面積補正法である。この考えは，基礎代謝は身体の表面積に比例するという考えにもとづく（n＝2/3）。恒温動物では体温を一定に保つために，身体から逃げていく熱ロス分を補うだけのエネルギーを必要とする（これが基礎代謝量につながる）。その熱ロスは身体の表面をとおして逃げていくので，身体の表面積に比例するはずであるという考えによる[63]。

代表的な長さをLとすると，表面積はLの2乗であり，容積はLの3乗である。これから，表面積は容積の2/3乗に比例する。それでは，容積と体重の関係はどうなのであろう。「動物の体は，ほとんど水でできており，比重はほぼ1なので，・・・（中略）・・・，体積は体重で換えられる」とされる[63]。この説明で，体表面積と体重の関係が結びつく。

動物実験での観察された投与量X_{animal}（mg）をヒトに外挿して等価な投与量X_{human}とする場合には，次のような関係となる（一般式にある比例定数aの比はほぼ同じであるとされているので，以下の式は近似式である）。

$$X_{human} = X_{animal} \times (W_{human}/W_{animal})^{2/3} \quad \cdots\cdots \text{式①}$$

動物実験でのデータ（NOAELなど）は体重基準で表されている（たとえばmg/kgbw；bwは体重）ことが多いので，$Y_{animal} = X_{animal}/W_{animal}$，$Y_{human} = X_{human}/W_{human}$とすると，式①は

$$Y_{human}\ (mg/kgbw) = Y_{animal}\ (mg/kgbw) \times (W_{animal}/W_{human})^{1/3} \quad \cdots\cdots \text{式②}$$

これを不確実係数の形で表現すると，

$$Y_{human}\ (mg/kgbw) = Y_{animal}\ (mg/kgbw)\ /\ (W_{human}/W_{animal})^{1/3} \quad \cdots\cdots \text{式③}$$

となる。

FDAの資料のAppendix Aにおいて，上記の②に該当する一般式が記載されている[62]。そこでは，$(W_{animal}/W_{human})^{1/3}$をConversion Factorと称している。また，FDAの資料のAppendix Cにおいては，上記の計算式の算出過程について詳細な記述がある。さらにAppendix Dでは，算出の例がある。

実際に，ヒトの体重を70kg，マウスでは35g，ラットでは250gとした場合について，不確実係数を計算してみると次のような結果を得る。

マウス：$(70{,}000/35)^{0.33} = 12.3$
ラット：$(70{,}000/250)^{0.33} = 6.4$

③カロリー需要による補正

3番目のカロリー需要について述べる（n=3/4）。これは，前述の体表面積修正法に代わるものとして提案されているものである。たとえば，腎臓からの排泄，基礎的な酸素消費量（基礎代謝率），AUC，心拍出量などは，体重の3/4乗と強い相関があるとするものである[61]。現在では，この3/4乗のほうがうまく表現できるとされており，3/4乗則は「生命の設計原理」という表現もなされている[63]。

動物実験での観察された投与量X_{animal}（mg）をヒトに外挿して等価な投与量X_{human}とする場合には，次のような関係となる。

$$X_{human} = X_{animal} \times (W_{human}/W_{animal})^{3/4} \quad \cdots\cdots \text{式④}$$

表4-1　アロメトリックスケーリングによる種間差を勘案する係数の比較

	体表面積補正法による $S=kW^{0.67}$　W：Body Mass		カロリー需要にもとづく尺度補正法 $S=k\ W^{0.75}$　W：Body Mass		
出典	FDA（2005）	ICH Q3C（R7）（2018）	EPA（2002）	REACH/ECHA R.8（2012）	ECETOC TR-86（2003）
Monkey	3.1	3*	2	2	2
Dog	1.8	2	1.6	1.4	2
Guinea pig	4.6			3	
Rabbit	3.1	2.5	2	2.4	
Rat	6.2	5	4	4	4
Mouse	12.3	12	7	7	7
Micro-pig	1.4				
Mini pig	1.1				
Other animals		10			

注*：和文では5になっている

動物実験でのデータ（NOAELなど）は体重基準で表されていることが多いので，前例と同じように，$Y_{animal}=X_{animal}/W_{animal}$，$Y_{human}=X_{human}/W_{human}$とし，不確実係数の形で表現すると，

$$Y_{human}\ (mg/kgbw)\ =Y_{animal}\ (mg/kgbw)\ /\ (W_{human}/W_{animal})^{0.25}\qquad\cdots\cdots\ 式⑤$$

実際に，ヒトの体重を70kg，マウスでは35g，ラットでは250gとした場合について，不確実係数を計算してみると次のような結果を得る。

マウス：$(70{,}000/35)^{0.25}=6.7$

ラット：$(70{,}000/250)^{0.25}=4.1$

身体の表面積にもとづく場合の係数（それぞれ，12.3，6.4）と比較すると，体重の小さい動物の場合には大きな差があることがわかる。

種間差の不確実係数において，アロメトリックスケーリング手法の差による違いを**表4-1**に示す。

表4-1における数値の違いには，アロメトリックスケーリング手法で用いる乗数として，2/3を用いるか，3/4を用いるかによるほかに，用いている体重の違いもある。それぞれの体重数値の違いを**表4-2**に示す。

4.7.17　摂取経路

多くの毒性試験（反復投与毒性試験）では，医薬品の意図する用途を勘案して，摂

表4-2 アロメトリックスケーリングによる場合の体重の比較

	体表面積補正法による S=kW$^{0.67}$ W：Body Mass		体表面積補正法による S=kW$^{0.67}$ W：Body Mass	
	FDA（2005）	ICH Q3C（R7）（2018）	EPA（2002）	REACH / ECHA R.8（2012）
	Table 3 Reference Body Weight（kg）	Table A3.1 Values used	Table 4.3（kg）	Table R. 8-3（kg）
Human Adult	60	50kg	70	70
Mouse	0.02	28g	0.03	0.03
Rat	0.15	425g	0.25	0.25
Guinea pig	0.4	500g	0.5	0.8
Rabbit	1.8	4kg	2.5	2
Dog	10	11.5kg		18
Monkeys	3	2.5kg		4
Micro-pig	20			
Mini-pig	40			

取経路を特定して実施している。そのようなデータにもとづくADEはもともと摂取経路特定（route-specific）な値であるともいえる。

一方，Risk-MaPP改訂版では，ADEはすべての摂取経路を勘案しているものとされている（同ガイドラインの2.5.1項，5.3.5.1項および用語の定義集16.2項）。すなわち，ADEは「すべての経路により（by all routes of administration)」とあり，すべての経路を勘案した（すなわち，摂取経路によらない）限界値であるとされている（下線強調筆者）。

ところが，同ガイドラインの別項では，特定の摂取経路をもとにして得られるものであるとの説明もあり，その意味合いが明確でないように思える。

たとえば，5.3.2項（重大な影響の決定）では，

「・・・理想的には，ADEを用いて曝露評価を行おうとする場合，その曝露経路と，対象化合物の重大な影響の特定に用いられた試験の投与経路とは同じであるべきである。該当する投与経路に関するデータが入手できない場合には，他の投与経路についてのデータから外挿する必要もあるだろう」（文責下線強調筆者）。

また，5.3.5項（不確実係数の適用）では，

「・・・ADEは，理想的には，それを適用して評価する曝露と同じ経路に対するデータにもとづいて設定される。投与経路間の外挿が必要な場合には，異なる経路への適用を可能とする科学的かつ論理的に正しい妥当な根拠がなくてはならない」（文責下線強調筆者）。

なお，上記で下線を付した「理想的には」としている部分は，初版では「通常」と

されていた。

経路の考え方には2つある。すなわち，すべての経路について共通的なADEを求めるという考えと，経路特定のADEを求めるという考えである。Sargentは，「非経口を含むすべての曝露経路に対して一つのADEを設定するということが，複数の企業ではかなり共通的なものではあるものの，そのほかの企業（複数）では経路特定（route-specific）のADEを設定し始めた」（文責筆者）として，この件は国際調和をはかるうえでの今後の課題の一つであると指摘している[64]。

経路が特定されたHBELを表記するときには，その旨を記載するのがよいと考える。たとえば，添字などで経路を明記してPDE_{oral}，$PDE_{inhalation}$という具合である。

一方，摂取経路によらずに使える値であるとする場合には，たとえば，$PDE_{(oral, parenteral, inhalation routes)}$のように表記するのがよいと思われる。

一つの摂取経路で得られたHBELをほかの摂取経路に対して外挿しようとする場合，まず，最もデータが整備されている摂取経路にもとづいて最初のPDE（ADE）値を設定する。次に，この最初の値を出発点として，バイオアベイラビリティのデータを利用するなどして，ほかの摂取経路へ外挿するとされる（IGHRCからのガイドラインによる）[58]。最もデータが整備されているのは経口経路によるものが多いとされており，それを踏まえ，ICH Q3D（医薬品元素不純物ガイドライン）では経口データによる曝露限界値を最初の出発値とするべきとしている。

動物実験データを見る際には，投与経路について確認しておかねばならない。動物実験における投与経路が複数設定されていることがある。たとえば，経口だけではなく，静注，腹腔内などである。

4.7.18　治療の窓と治療係数

用量－反応曲線に関連して使われる用語に，治療の窓，治療係数がある。

薬の血中濃度はある程度高くないと治療には有効ではない。すなわち，効力を発現するための最低レベルの濃度がある。一方で，その濃度が大きいと副作用がでてくる（いわゆる中毒症状が発現する）。

このため，血中濃度において，上限である副作用発現濃度と，下限である最小有効濃度の間が治療に有効な濃度範囲となる。これを「治療の窓」という（**図4-13**）。家屋の窓と同じように見えることからそう呼ばれる。

治療係数（または安全域）は，薬の安全性を示す指標である。投与した動物の半数が死亡する用量である半数致死量（LD_{50}）を，投与した動物の半数において最小限の効果を示す用量である半数効果用量（ED_{50}）で除した値である（**図4-14**）。

$$\text{治療係数} = LD_{50}/ED_{50}$$

治療係数は大きいほうが安全で好ましいとされる。治療係数が小さいと，治療に効果のある濃度と危険な濃度との距離が小さく，管理が必要となる。治療係数が3以下

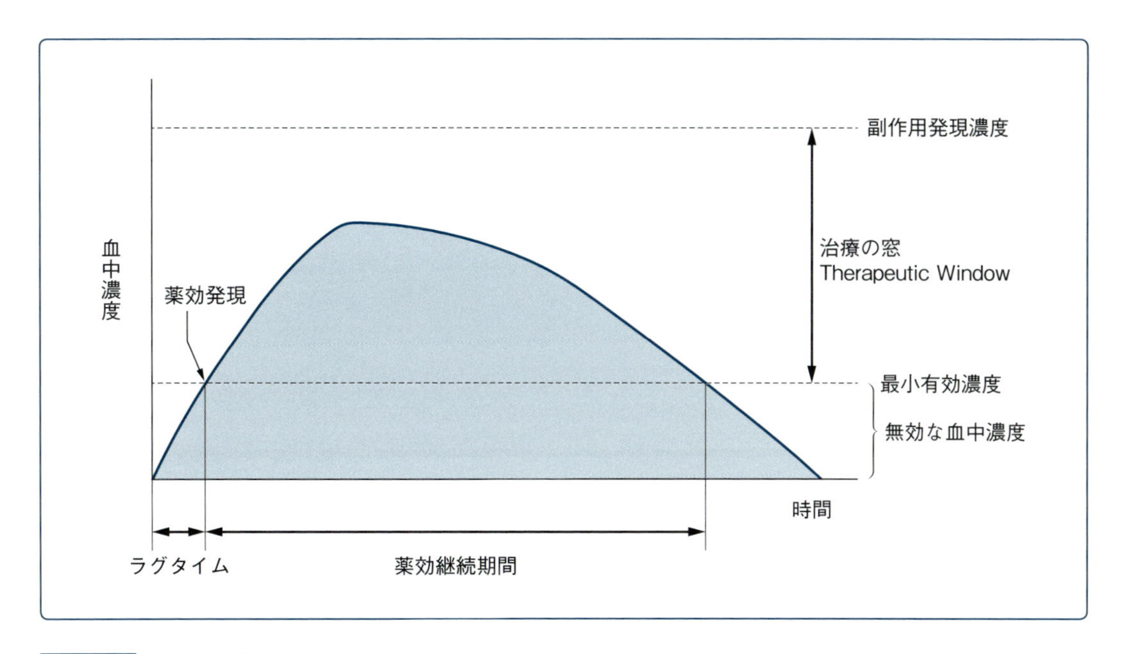

図4-13　治療の窓

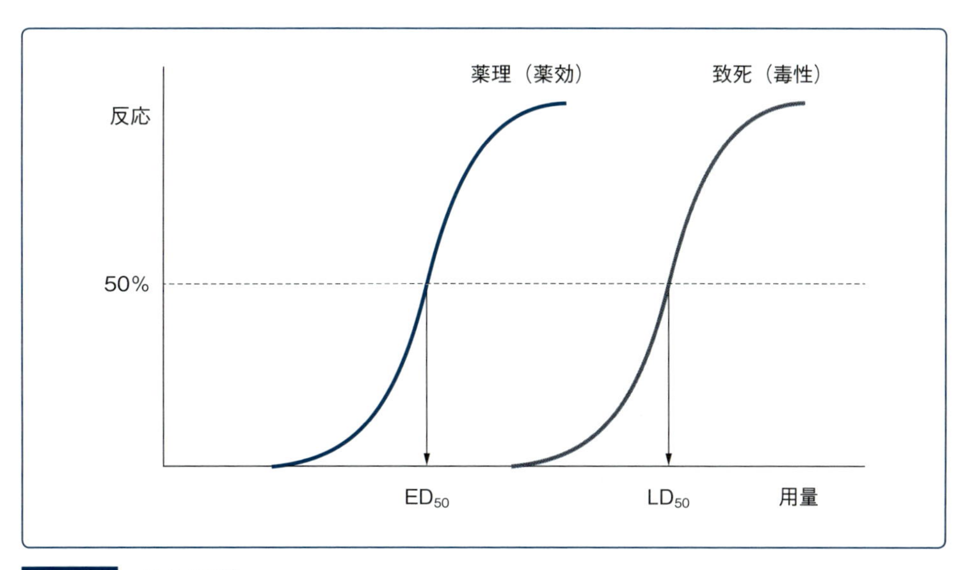

図4-14　治療係数

は危険といわれている。このため，病院では患者から実際に採血して，薬の血中濃度を測定しながら投与量を調節管理することがある。治療係数の小さい薬の代表例は，ワーファリンである。

5 HBELの設定

5.1 概要

今後の洗浄評価においては，科学的な根拠として，HBELを用いていく必要がある。以下では，EMA HBELガイドラインおよびRisk-MaPP改訂版を中心にして，HBELの設定と関連事項について説明する。

HBELは，臨床試験でのヒトデータおよび前臨床試験での動物を用いた実験データにもとづいて設定される。ここでは，後者の慢性毒性試験における用量－反応曲線からの情報にもとづく設定方法を中心に説明する。この場合，動物実験のデータからヒトへ適用することになるので，各種の不確実な要因を「不確実係数」という安全係数の形で勘案することになる。その値の設定が一つのポイントである。

しかしながら，不確実係数の値については，適用する分野によって，そして各種のガイドラインや報文によって，さらには企業によって差があるのが実状である。後述のように，EMA HBELガイドラインとRisk-MaPP改訂版でも整合がとられてはいない。同じ毒性データが手元にあるとしても，毒性学専門家によってその評価が異なることが多くあり，そのため数値が大きく違うこともあるとされる。10倍以内の違いは，同一のレベルであるとする専門家の意見もある（本書5.17項参照）。

このようなこともあり，HBELやOELを実際に求めて適用する際には，これらがきっちりとした性格をもつ数値ではないことを了解しておく必要がある。

そのためには，これらの曝露限界値を算出する際に用いられる各パラメータの意味合いやその背景を十分に把握しておくことが望ましい。

なお本書では，HBEL設定の時間経緯を説明していることもあり，従来の「不確実係数」という用語をそのまま用いている。後述するように，EMA HBELガイドライン，Risk-MaPP改訂版では「補正係数」と訳される英文呼称を採用している。

5.2 対象範囲と設定の優先順位

HBELを設定する必要がある化学物質の範囲について説明する。現状のGMPでHBELの設定およびその利用について規定しているのは，EU-GMPおよびPIC/S-GMPである。適用対象となるのは，ハザードレベルの大小を問わずに，医薬品（medicinal products）製造に用いるすべての化学物質となる。

EMA HBELガイドラインQ&A最終版での質問の1番目は，HBELを設定する必要がある化学物質の対象範囲について述べている（文責筆者）。

> *Q1. HBELは，すべての医薬品（all medicinal product）に対して必要とされるか？*
> *A：そのとおりである。HBELは，すべての医薬品に対して設定される必要がある。*
> *HBELを設定する基盤である毒性学的または薬理学的なデータは，製品のライフサイクルをとおして，定期的な再評価を必要とする。*

一方，Risk-MaPP改訂版では，HBELの設定に関して，通常考慮する必要がある主要な化合物には以下が含まれるとしている（5.1項）。

・API
・プロセス中間体
・溶媒
・添加剤

さらに，考慮する必要があるかもしれない化合物として，不純物，副産物，分解物をあげている。このほか，洗浄工程で用いる洗浄剤も該当するとしている（2.5.3項）。

ASTMのHBELガイドE3219では，API（低分子または高分子），中間体，洗浄剤，析出物，ほかの化学物質（試薬，製造残滓など）としている（同ガイド1.3項および1.5項）。

現状では，医薬品製造に用いられる化学物質のすべてについて，HBELが得られているわけではない。多数の既存上市製品の存在がある。さらには，ハザードレベルの大小にかかわらず，製造工程で出てくる中間体や分解生成物の存在もある。洗浄剤についてもHBELが開示されている例はまだ少ない状況である。このようなデータ整備をどうするかが今後の課題の一つであり，大きなテーマであると思われる。

ハザードレベルの低い既存上市製品は，伝統的な洗浄基準で洗浄評価を行ってきており，それで品質上とくに問題となっていない状況がある。これらの製品すべてについて，HBELを整備するためには多くの時間と投資が必要となる。

HBELの設定に関する優先順位の問題は，Hayesらが論じている[65]。そこでは，①ハザードの特性，②製造ボリューム，③交叉汚染の可能性という3つの視点で議論している。ヒトに与えるリスクが大きい高ハザード物質が優先されるとしている。投資の優先順位を現実的に考えたとき，ハザードレベルの高い新規化合物のHBEL設定が優先されるのはやむをえないのかもしれない。

5.3 使われ方

医薬品製造設備において（活性のレベルを問わず），品質リスクマネジメント（QRM）の基礎としてHBELを用いることを前面に打ち出したのは，Risk-MaPP初版が最初である（2010年）。そこでは，HBELを品質管理の面（洗浄評価）および労働安全衛生の面（封じ込め）で利用する形となっている。

そして，規制当局として，HBELを洗浄評価に用いることを初めて規定したのはEU-GMPの改訂版である（2014年）。

HBELはたんに洗浄評価においてのみ用いられるのではなく，労働安全衛生の場面でも用いられること，さらには化合物が製造エリアから外部へ拡散することを防止するための管理ツールとしても用いられることに留意が必要である（本書図1-2参照）。これはとくに，高いレベルのハザード物質を扱う封じ込め設備では必須な事項である。

5.4 HBELの定義と用語

HBELの定義であるが，EMA HBELガイドライン，Risk-MaPP改訂版およびASTM HBELガイドE3219では，大きな趣旨は同じであるものの，それぞれの定義は若干異なっている。

EMA HBELガイドラインでは，次のように定義している（同ガイドライン4.1項）（文責筆者）。

「PDEは，その量以下の物質を毎日，生涯にわたって摂取したとしても，健康に悪い影響を起こさないとされる，物質特有の用量をいう」。

Risk-MaPP改訂版では，次のように定義している（同ガイドライン2.5.1項および付属資料3-用語集 16.2項）（文責筆者）。

「一日曝露許容量（ADE）：個人が生涯にわたっていかなる経路により毎日曝露

しても，これ以下の投与量では有害な作用を引き起こしえない曝露量。この定義から，ADEは，すべての部分集団にとって，あらゆる経路を介した投与に対して保護的な役割を果たそうとするものである（以下省略）」。

ASTMのHBEL設定ガイドE3219では，次のように定義している（同ガイド3.1.16項および3.1.16.1項）（文責筆者）。

「個人が，その用量以下で毎日生涯にわたって，いかなる経路により曝露したとしても悪い影響を引き起こす可能性のない用量」

「クリティカルエフェクトにもとづいて設定されるHBELは，あらゆる経路による曝露に対して，すべての人々にとって保護的なものであるべきである。（以下省略）」

これらに共通することは，毎日一生涯にわたって体内に摂取（曝露）するとしても，健康に悪い影響を与えることはないとするものである。そのような意味合いから，これらの曝露限界値を「健康ベース」での曝露限界値と称しているわけである。

これらは，前臨床試験（動物試験）さらには臨床試験における入手可能な各種データにもとづいて設定されており，科学的な根拠をもつ値といえるものである。

用語として「健康ベース」という表現が使われ始めたのは，1970年代後半と思われる。その使用例は，1977年のWHO TRS 601，1979年のZielhuisらの報文[66]にも見られる。その後，1994年のWHO EHC 170，1995年のFairhurstの報文[67]，1999年のWHO EHC 210で使われ，2009年のWHO EHC 240では次のような定義が与えられた[48]。

「健康ベースでのガイダンス値：ポイントオブデパーチャー（NOAEL，BMD）を複合不確実係数で除することで算出される数値。その数値は，健康への感知しえるリスクを生じることなしに定められた期間（たとえば，生涯または24h（原文まま））にわたって摂取しうるレベルを決定するためのものである」（文責下線強調筆者）。

この定義の中に，PoDとしてNOAELが2009年の時点で明記されていたことは興味深い。

HBELに対する医薬品製造分野における代表的な用語としては，次の2つがある。

・EMA HBELガイドライン；PDE（Permitted Daily Exposure）

・Risk-MaPP改訂版；ADE（Acceptable Daily Exposure）

PDEとADEが意図しているところは同じであり，実質的な同義語（effectively synonymous）とされる。このことは，EMA HBELガイドライン（8. 定義の項の注），Risk-MaPP改訂版（2.2項および5.3項）のいずれにおいても，その旨が述べられている。

ASTMのHBELガイドE3219では特定の用語を設けておらず，HBELという用語を用いている。

本書で話題にしている高薬理活性物質，ハザード物質は，製品品質リスクの点（患者が医薬品を介して体内に取り込む）および労働安全衛生の点（職場で運転員が吸引して体内に取り込む）から曝露ということが話題になるので，用語としてexposureを用いている。

5.5 HBELの前提

前述のEMA HBELガイドライン，Risk-MaPP改訂版およびASTM HBELガイドE3219を整理すると，HBEL算出の前提は次のとおりである。

・曝露頻度：曝露（摂取）は毎日行われる

・期間：曝露期間は一生涯にわたる（長期慢性）

・効果：100％全身に作用する

・対象：患者，高齢者も含むすべての人間（all subpopulation）

これらからわかることは，HBELはコンサバティブなスタンスの限界値であるということである。

実際に適用する場面では，この前提と大きく異なる環境条件となることがある。たとえば，治験薬が投与される臨床試験では，限定された短期間での投与であり，また，投与対象も健常な成人である（Phase Ⅰ）。また，薬によっては，毎日投与という場合もあれば，そうでない場合もありうる。

職場について見てみると，多くの場合毎日曝露ということはなく，また生涯労働期間も約40年であり，一生涯ということはありえない。さらに，従事しているのは健康な成人であるという違いがある。これらの違いをどのように扱うのかは，項を改めて説明する。

なお，曝露経路については，Risk-MaPP改訂版およびASTM HBEL ガイド E3219では，定義の項で「すべての経路」（経口，非経口を問わない）としているが，EMA HBELガイドラインではすべての経路であるとは触れていない。一般的には，摂取経路ごとにHBELを設定していき，その旨を表記していくのが通常である（本書4.7.17項参照）。

5.6 用いるデータ

HBELは，「すべての関連するデータ」，すなわち「前臨床試験および臨床試験のデータのすべて」をレビューしたうえで，設定するとされている。

この意味するところは，前臨床での動物実験によるデータおよび臨床試験でのヒトデータの両方が必要であるということを意味している。このことはEMA HBELガイドライン，Risk-MaPP改訂版およびASTM HBELガイド E3219でも同様に明記されている。

EMA HBELガイドラインでは，その4.1項（Data requirements for hazard identification）において，「*all available animal and human data*」とされている（下線強調筆者）。同項ではさらに，「*ハザード特定のためのデータには，前臨床試験での，ファーマコダイナミクス（PD）データ，反復投与毒性試験，発がん性試験，in vitro/in vivoでの遺伝毒性試験，生殖発生毒性試験が必要であり，さらに臨床試験でのデータ（治療効果および有害事象）が必要である*」と，具体的な試験およびデータをリストアップしている。

Risk-MaPP改訂版では，その5.3.1項で，「ハザードを特定するためには，入手可能なすべての動物およびヒトに関するデータをレビューすべきである」としている（下線強調筆者）。

ASTMのHBELガイドE3219では，その3.1.16.1項に，前臨床試験および臨床試験の両方のデータが必要であるとの記載がある。

5.7 計算式

まず，Risk-MaPP改訂版における計算式を紹介する（5.3.5項）。

$$ADE = [PoD \times BW] / [AF_C \times MF \times PK]$$

ここで，

ADE＝一日曝露許容量（mg/day）

PoD＝出発点（mg/kg/day）（たとえば，NOAEL，LOAELなど）

BW＝体重（kg）

AF_C＝複合的不確実係数

MF＝修正係数

PK＝薬物動態に関する補正

複合的不確実係数は，次の計算式で求められる。

$$AF_C = AF_H \times AF_A \times AF_S \times AF_L \times AF_D$$

ここで，

AF_H：種内差（個体差）に関する係数。デフォルトは10。

AF_A：種差に関する係数で，アロメトリックスケーリング手法により，2～12の範囲となる。

AF_S：短期データから長期データへ外挿する場合の係数。デフォルトは3。

AF_L：データとしてLOAELしか得られていない場合に，NOAELを外挿する係数。デフォルトは3。

AF_D：データベースの完全性として，重篤性に関する試験が行われているかどうかを勘案する係数。デフォルトは3。

MF：上記以外の不確実性を勘案する係数（1～10とされている）。デフォルトは1。

PK：曝露経路の違いを考慮する係数。

一方，EMA HBELガイドラインにおける算定式は次のとおりである。

PDE＝［NOAEL × Weight Adjustment］／［F1 × F2 × F3 × F4 × F5］

ここで，

PDE＝一日曝露許容量（mg/day）

NOAEL＝無毒性量（mg/kg/day）

Weight Adjustment＝人の体重（男女を問わず50kg：安全側として）

F1＝種間の外挿を行うための係数（F1＝2～12）。

F2＝個人間のばらつきを考慮した係数（F2＝10）。

F3＝毒性試験の期間が短い（4週間より短期）場合に適用する変数（F3＝10）。

F4＝たとえば，遺伝毒性を伴わない発がん性，神経毒性または催奇形性毒性などの重篤な毒性の場合に適用される係数（F4＝1～10）。

F5＝NOAELの値が得られない場合に適用する変数（F5＝1～10）。LOAELしか得られない場合には，～10までの係数を毒性の重篤度に応じて用いる。

2つのガイドラインの不確実係数を比較すると，**表5-1**になる。

ASTMのHBELガイドE3219における計算式では，分母側に複合的不確実係数に加えて，蓄積係数およびバイオアベイラビリティが使われている。

5.8 PoDの設定

動物試験から得られる用量－反応曲線の結果をヒトに外挿してHBELを設定する際に用いる情報を出発点（PoD）という（本書4.7.5項参照）。現状のすべてのリスクアセスメントガイドラインにおいて，PoDという用語が使用されているわけではない。PoDはたとえば，次のように定義されている（US EPA）[49, 53]。

「用量－反応曲線におけるポイントで，低用量の外挿において出発となる点を意味する」（文責筆者）。

用量－反応曲線において毒性の閾値が得られる場合の具体的なPoDは，NOAEL

表5-1　不確実係数のまとめ

EMA　HBELガイドライン		
種差に関する係数	F1	2～12
種内差（個体差）に関する係数	F2	10（デフォルト）
毒性試験期間に関する係数	F3 4週間以下の試験期間	10
重篤な毒性に関する係数	F4 （遺伝毒性ではない発がん性，神経毒性または催奇形性毒性）	1～10
NOAELの入手に関する係数	F5 （LOAELしか入手できていない場合，重篤度に応じて）	～10

Risk-MaPP改訂版		
種差に関する係数	AF_A	2～12
種内差（固体差）に関する係数	AF_H	10（デフォルト）
短期から長期への外挿に関する係数	AF_S	3
LOAELからNOAELへの外挿に関する係数	AF_L	3（ベンチマーク用量法を優先）
データベースの完全性に関する係数	AF_D	3
修正係数	MF	＜1～10
薬物動態に関する補正	PK	

（無毒性量）またはLOAEL（最小毒性量）である。NOAELは，有害な影響が認められなかった最大の投与量であり，LOAELは有害な影響が認められた最小の投与量である（本書4.7.5項参照）。

以前にはPoDとしてNOEL（無作用量）も使われていたが，最近はNOAELを使うのが一般的とされている[68]。WHOなどの国際機関や欧米では，NOELよりもNOAELを採用していることが多いとされている[50]。たとえば，FDA[62]，WHO EHC 240[48]，ECHA[59]などのガイドラインではNOAELを使用している。

ICH Q3C付則3ではPoDとしてNOELを使っているが，EMA HBELガイドラインそのものではNOAELを採用している。これは，ICH Q3Cのオリジナルが作成されたのは1990年代とやや旧いこと，また，規制当局として最近の考えを取り込むということである。ちなみに，EMA HBELガイドラインのドラフト段階では，ICH Q3Cと同じくNOELを採用していたが，パブリックコメントの集約段階において，NOAELにするべきであるという業界の多数意見があり，最終的にはそれを反映したものとなっている（本書2.4.2項参照）。

PoDの選定についてまとめると，次のようになる。

①閾値を示す化合物の場合

PoDとして，NOAEL（無毒性量），LOAEL（最小毒性量），$BMDL_{10}$（ベンチマークドーズ）が使われる。

毒性試験でNOAELが得られている場合には，PoD＝NOAEL，毒性試験で

NOAELが得られていない場合には，次のいずれかの方法によるが，BDM法による値が推奨される。

- LOAELから外挿でNOAELを推定する（不確実係数を織り込む）
- $BDML_{10}$をNOAELとする（一般毒性の場合。この場合には，信頼性のあるNOAELとして考え，不確実係数は適用しない）

②閾値を示さない化合物の場合

PoDとして，$BMDL_{10}$を用いる。

5.9 体重の設定

体重については，個人差があることは自明である。このため，きめ細かく設定するのが理想であるが，現実にはそうもいかないので，代表的なヒトを想定してその体重を使うことになる。しかし，この代表的なヒトの体重数値が，国によって，ガイドラインによってさまざまな状況であるのが実際である。

EMA HBELガイドラインにおける体重は，男女を問わず50kgとしている。これは安全側としての数値である。

一方，Risk-MaPP改訂版では「・・・（たとえば，体重50kgに対して補正を行った後）・・・」という記述のみである（5.3.5項）。また，Naumannらの報文では言及されていない。

ASTMのHBELガイドE3219では，標準的成人として，体重を50kgとしている。ただし，特定の集団（たとえば，小児）に対しては補正することができるとしている（同ガイド5.9.2.2項および6.1項）。

海外のガイドラインや文献で知られている範囲では，50kg（EMA HBELガイドライン／ICH Q3C），60kg（WHO EHC 240），70kg（国際放射線防護委員会（ICRP）（1975年），EPA（1980年），Ku[69]）という3つに分類される。

国内での報文では50kgを用いている事例がある[70]。厚労省の通達では60kgという例もある。

5.10 不確実係数

5.10.1 概要と用語

HBELの算出では，PoDの設定に加えて，不確実係数をどのように設定するかがポイントである。不確実係数は，動物実験のデータをヒトに外挿していく際の変動性

(variability) と不確実性 (uncertainty) を勘案するために必要である。不確実性については各種の要因がありうるが，現状ではすべてについて把握できているわけではない。

Risk-MaPP改訂版では，不確実係数について複数の報文を引用しているが，確実で科学的な合理性があるのであれば，ほかのファクターを用いてもよいとしている。また，不確実係数の設定は，一種の高度な意思決定であり，検証された方法によるべきで，通常，毒性学専門家の知見にもとづいて決定されるとする記述がある (5.3.5項)。

EMA HBELガイドラインでは，不確実係数の設定の詳細はICH Q3C付則3によるとしている。

現時点では，不確実係数について国際的な整合がとられていないのが実状である。一方のガイドラインには規定されているが，他方には同じ内容の係数が設定されていないということもある。

種間の差や個人間の差については大方のコンセンサスがある。しかし，微妙なところでの不調和がある。たとえば，種間の差については，アロメトリックスケーリング手法で不確実係数を設定すること自体は同じであるが，その際の「べき数」には差があり，同じ動物種でも不確実係数は微妙に異なる。一方，個人間の差を勘案する係数はコンセンサスがあり，医薬品では安全側として10とすることが一般的である。

このほかの係数，たとえば短期試験から長期試験へ外挿する場合の係数，重篤性についての係数などはEMA HBELガイドラインとRisk-MaPP改訂版では差がある。Risk-MaPP改訂版での計算式には，MF，PKという係数が使われているが，EMA HBELガイドラインでの計算式にはそのような表記が見当たらない (ただし，本文中でその旨を追記している)。

このように，不確実係数について国際調和がとれていない状況は，毒性学専門家からも課題の一つとして指摘されている (本書5.20項参照)[64, 71]。

EMA HBELガイドラインとRisk-MaPP改訂版における不確実係数の全体を**表5-1**に示す。

不確実係数については，いろいろな呼び方がされてきている。

- Safety Factors (WHO，FDA)
- Adjustment Factors (EMA／PIC/S HBELガイドライン，Risk-MaPP改訂版)
- Modifying Factors (ICH Q3C)
- Uncertainty Factor (EPA，WHO，Risk-MaPP初版)
- Assessment Factors (ECETOC，REACH/ECHA)

個々の不確実係数の名称および表記については，米国内でも団体，報文によってさまざまな表記がなされている (**表5-2**)。

国内の毒性学のテキストでは，安全係数 (Safety Factor：SF) または不確実係数 (Uncertainty Factor：UF) という用語が使われている[45]。

表5-2　不確実係数の表記（米国系）

EPA（1993）		Risk-MaPP改訂版（2017）		Risk-MaPP初版（和文）	Dankovic et al.（2015）		Naumann & Weideman（1996）
UF_H	Human to sensitive human	AF_H	Intraspecies Differneces (Interindividiual Variability)	種内差　固体差	UF_H	Interindividual (Human) Variability	Interindivual variability
UF_A	Animal to human	AF_A	Interspecies Differences	種差	UF_A	Animal-to-Human	Interspecies Extrapolation
UF_S	Subchronic to chronic	AF_S	Subchronic-to-Chronic Extrapolation	短期から長期への外挿	UF_S	Shorter-Term-to-Longer-Term	Subchronic-to-Chronic Extrapolation
UF_L	LOAEL to NOAEL	AF_L	LOAEL-to-NOAEL Extrapolation	LOAELからNOAELへの外挿	UF_L	LOAEL-to-NOAEL	LOAEL-to-NOAEL Extrapolation
UF_D	Incomplete to complete database	AF_D	Database Completeness	データベースの完全性	UF_D	Database Inadequacy (incomplete data)	
MF	Modifying Factor	MF	Modifying Factor	修正係数	MF	Modifying Factor	Modifying Factor
		PK	Pharmacokinetics Adjustments	薬物動態に関する補正			Route-to-Route Extrapolation

5.10.2　不確実係数の種類

不確実係数は，多くの場合，次の5つが用いられる。このほかに，ガイドラインに特有のものがある。

ここでは，毒性学のテキストにおける説明文を借用する[45)]。

・種差（interspecies differences）
　実験動物でのNOAELを一般ヒト集団のNOAELに外挿するための係数。疫学研究から得られたNOAELには適用しない。

・個体差（individual differences）
　一般のヒト集団のNOAELから高感受性集団，たとえば新生児や高齢者などのNOAELへ変換するための係数。

・投与期間の不十分さ（inadequate exposure duration）
　生涯曝露を原則として評価するため，曝露期間が不十分な場合に適用する短期曝露NOAELから長期曝露NOAELへの外挿係数。

・毒性データの不十分さ（inadequate experimental data）
　LOAELしか得られなかった場合に，NOAELの代用としてLOAELを使用する際の外挿係数。

・毒性の重大性と重篤性（nature and severity of effect）
　発現した毒性影響に回復性がなく重大な有害影響であることなどにより，追加

UF／SFの適用を考慮すべき場合に付与される係数。

ICH Q3C付則3の和訳版（医薬品の残留溶媒ガイドライン）での記述は，いたってシンプルである。

F1＝種間で外挿を行うための係数

F2＝個人間のばらつきを考慮した係数

F3＝毒性試験の期間が短い場合に適用する変数

F4＝重篤な毒性，たとえば，遺伝毒性を伴わない発がん性，神経毒性または催奇形性の場合に適用される係数

F5＝NOELが得られていない場合に適用する変数

Risk-MaPP改訂版では，次の表記がなされている（和訳は初版から引用）。

AF_A＝種差

AF_H＝種内差（個体差）

AF_S＝短期から長期への外挿

AF_L＝LOAELからNOAELへの外挿

AF_D＝データベースの完全性

MF＝修正係数

PK＝薬物動態に関する補正

ASTMのHBELガイドE3219における不確実係数の記号は，EPAとEMA HBELガイドラインのものが併記されている。英文の名称は，Risk-MaPP改訂版のそれとほぼ同じである。不確実係数の説明においては，ICH Q3C，EMA HBELガイドラインに加えて，各種報文が引用されている。また，個々の不確実係数を設定する際の留意事項などが記されている。一方，個々の不確実係数についての具体的な数値は記載されていない。例外は，個人間のバラつきを示す係数（F2またはAF_H）であり，伝統的にデフォルトの10という数値が使用されてきているとの記述がある。

5.10.3　最初期の不確実係数

曝露限界値の考えおよび不確実係数の導入は，食品添加物の安全性を検討する必要性から，FDAのLehman & Fitzhughによって提案された（1954年）[72]。彼らは，長期の動物実験により得られるmaximum safe dosage（筆者注：現在の用語でいえば，慢性ベースのNOAEL）を100の安全係数で除することで，食品添加物質の安全なレベルが得られるということを提案した。

彼らは，この安全係数を「100倍の安全性のゆとり（100-Fold Margin of Safety)」とし，「この安全係数は一つのよい目安であって，安全性をはかるための絶対的な基準ではないものの，食品添加物による危険有害性を最小限にするには十分に大きいも

のであり，合理的なsafeguardとして役に立つ」と述べた。

1961年には，WHOの専門部会JEFCAがこの考えを正式に採用し，前述の安全レベル（NOAEL/100）をADI（Acceptable Daily Intake）という用語として，次のように定義した（体重は70kg）[73]。

「ADIは，人の健康において判別できるリスクを生じることなく，一生涯にわたって毎日摂取することができる，体重基準で表記される，食品添加物量の推定値である」（文責筆者）。

1983年には，Dourson & Staraが，4つの不確実係数を提唱した[74]。それらは，種差，個体差，短期／長期の外挿，LOAELからNOAELへの外挿である。そして，今後に研究の余地はあるものの，100を構成するとされていた2つの10（種差および個体差）は，それぞれ妥当であると思える旨を報告した。

1987年には，WHO/IPCSがEHC 70において，ヒトは動物よりも10倍感受性が高いこと（種差），さらにヒトの集団における個人間の差は10倍の範囲内であること（個体差）を報告し，100は2つの10からなる係数と位置づけた[75]。

1993年にEPAは，それまでのさまざまな考えを環境汚染の規制の中に取り入れた[76]。その際に，次の不確実係数と記号を導入した。それらは，現在まで広く使われてきているものである。

- ・種差　UF_A
- ・種内差（個体差）　UF_H
- ・短期から長期への外挿　UF_S
- ・LOAELからNOAELへの外挿　UF_L
- ・データベースの完全性　UF_D

これらの内の最初の4つの用語は，Dourson & Staraの報文によるものである。また，EPAは同時に，ADI，安全係数（Safety Factor）という表記に換えて，Reference Dose（RfD），Uncertainty Factor（UF）という用語を採用した。

Lehman & Fitzhughが提唱した安全係数の100については，オリジナル報文において実データの詳細が示されているわけではないこともあり，100という数値の選定は「恣意的」であるという意見もある（Vermeire et al.（1999））[73]。

しかしながら，この報文を契機に各種の研究が進展し多くの提案がなされてきたこと，そして，それらが現在のPDE/ADEにつながっていることは事実である。

5.10.4　種差に関する係数

EMA HBELガイドラインではF1，Risk-MaPP改訂版ではAF_Aが該当する。種差を表す用語としては，interspecies，animal-to-humanなどの用語が使われている。

種差は，動物実験のデータをヒトに外挿する際に，動物とヒトにおける化学物質に対する敏感性の差を考慮するものである。ヒトは実験動物よりも感受性が高いということを前提としている。

多くの場合の出発点は動物実験のデータである。それをヒトに外挿する場合において，各種の方法が提案されている。

①すべての動物に対して，10を用いる方法（従来からの方法）

②体表面積修正法（投与量を体重の2/3乗で補正する方法）

③カロリー需要にもとづいた尺度補正法（投与量を体重の3/4乗で補正する方法）

④動態学的TKおよび動力学的TDパラメータに分割して，化学物質特異的調整係数（Chemical Specific Adjustment Factor：CSAF）で置き換える方法

ここで，①は，WHO／IPCS EHC 70で提唱されている10である[75]。②および③はアロメトリックスケーリングといわれている手法である（本書4.7.16項参照）。④は後述する。

現時点でのデフォルトの方法は，アロメトリックスケーリング手法にもとづくものである。留意点としては，あくまでもデフォルトであるということであり，TK/TDのデータが得られている場合には，CSAFによるのが最善であるとされる。

規制およびガイドラインにおける，アロメトリックスケーリング手法の取り扱いの違いを見てみる。

①医薬品の場合には，FDAの「臨床試験におけるヒト初回投与量算定に関するガイダンス」が参照される[62]。その中で，体重の2/3乗で補正するアロメトリックスケーリング手法が採用されているので，通常はこれによっている[41,77]。

FDAガイダンスのAppendixでは，2/3乗と3/4乗の両方を比較検討したうえで，医薬品としての安全性を勘案して，2/3乗を用いるとする経過を記載している。

②EMA HBELガイドライン自体にはアロメトリックスケーリング手法についての記述がないが，ICH Q3Cの付則では体表面積修正法によっていると明記されている。

③Risk-MaPP改訂版では，次のとおりである（5.3.5.1項）。初版では，体表面積修正法のみが紹介されていた。

・体表面積補正法（$BW^{2/3}$）にもとづく場合には，種差の不確実係数は2～12となるとしている。FDAガイダンスが引用されている。

・カロリー需要にもとづく尺度補正法（$BW^{3/4}$）による場合，種差の不確実係数は2～7となるとしている。アロメトリックスケーリング手法に関して，「より適切なものとしてEPAはカロリー需要の考えを推奨している」，という記述がある。

④環境汚染物質および一般化学物質による曝露を考える場合には，体重の3/4乗で補正する方法が採用されている。たとえば，EPA[49]，ECETOC TR No.86[73]，ECHA R.8[59]などで採用されている。

種差に関する係数の一覧を**表5-3**にまとめている。

同じアロメトリックスケーリング手法による場合でも不確実係数に差が生じることがあるが，これは，それぞれの方法で用いている体重の数値が微妙に異なることによ

表5-3　種差に関する係数

FDA（2005）		ICH Q3C（R7）（2018）		Risk-MaPP改訂版（2017）
		F1		AF_A
AS　$W^{0.67}$		AS　$W^{0.67}$		AS　$W^{0.67}$
mouse	12.3	mice	12	
hamster	7.4			
rat	6.2	rats	5	2～12
ferret	5.3			
guinea pig	4.6			
rabbit	3.1	rabbits	2.5	以下の論文などを引用
monkey	3.1	monkeys	3	Davidson et al. 1986
dog	1.8	dogs	2	Mordenti and Chappell 1989
micro pig	1.4			FDA 2005
mini pig	1.1	other animals	10	
人体重　60kg		人体重　50kg		人体重　記載なし

注）AS：アロメトリックスケーリング手法

るものである（本書4.7.16項　表4-2参照）。

5.10.5　個体差に関する係数

EMA HBELガイドラインではF2，Risk-MaPP改訂版ではAF_Hが該当する。個体差を示す用語として，interindividual，intraspecies，human-to-humanなどの用語が使われている。

個体差に関する係数は，ヒト集団における個人の感受性の差を考慮するものである。健康な大人だけではなく，子供や高齢者などの感受性の高いサブ集団を含めて，ヒト集団の大多数を保護するためのものである。

通常，デフォルトの10が用いられている。この数値の妥当性はさまざまな研究者によって検討されてきた経過がある。毒性学のテキストでは，次のように記している（10.1.2項）[45]。

「10の妥当性に関しては，薬剤に対する最大耐量MTDや薬物動態（PK）パラメータの解析結果から，ヒトでの分布は10倍以内に入ることで検証されている」。

デフォルトとしてこの10を使うことは，たとえば，FDA[62]，EPA（2014年），WHO／IPCS（2005年）など，多くの公的機関から出されているガイドラインで共通的である。EMA HBELガイドライン（ICH Q3C付則3），Risk-MaPP改訂版およびASTM HBELガイドE3219でも，デフォルトとして10である。

後述する化学物質特異的調整係数（CSAF）を提唱しているWHO／IPCSでは，個体差に関する係数もTKの部分とTDの部分に分けている。その重みは同じであり，それぞれ3.16となっている（$3.16 \times 3.16 = 10$）。

個体差の係数で問題となるのは，OELを設定するときである。

表5-4　個体差に関する係数

ICH Q3C（R7）（2018）	Risk-MaPP改訂版（2017）	EPA（1993）	REACH／ECHA-R.8（2012）
F2	AF_H	UF_H	
10	10	10	10（一般環境） 5（労働環境）

OELの設定においては，個体差に関する不確実係数は10以下でよいのではないかという議論が以前からなされている。というのも，職場環境で曝露の対象となる関係者は，一般のヒト集団よりも，均一な集団といえるからである。

SCOELでは，職場環境と一般環境での差を次のようにまとめている[78]。

・労働者集団は，一般ヒト集団よりも，より均一である。年齢の視点では，子供もいないし，老人もいない。また，健康の視点では，重篤な病気をもつ人はより少ない。

なお，SCOELの2013年版では，上記に加えて，職場での曝露時間は1日8時間，就労期間は45年であるとし，生涯曝露ではないとしていた。

ECHA R.8では，個体差に関する係数として，次のような値を提案している[59]。

・一般環境　10
・労働環境　5

一般環境に対する10は，デフォルトとして広く使われている数値である。しかしながら，労働環境に対する5については批判的意見もあり，たとえば，Dancovicらは，「このように数値を違えている根拠が十分に文書化されていない」としている[77]。

ECETOC TR No.86では，一般環境に対して5，労働環境に対して3という数値を提案している[73]。この数値を引用している報文は少ないので，実際の使用においては留意がいるのかもしれない。

労働環境において，どのような数値を用いるのがよいのかについては今後も議論される必要がある。Dancovicらは，職場環境と一般環境では異なる状況であるので，「フルのデフォルトとして10を用いることが適切かどうかは，明らかに科学的な疑問である」としている[77]。しかし，同じ化合物について，2つの基準値（品質管理用のADEと労働安全衛生管理用のOEL）における不確実係数として異なる数値を用いることは，管理の点から煩わしさを生じることも事実である。

個体差に関する係数の一覧を**表5-4**にまとめている。

5.10.6　化学物質特異的調整係数

今まで種差，個体差に関する不確実係数をみてきたが，それらは対象とする化学物質による生組織への影響および生組織からの反応の違いがあるにもかかわらず，いわば包括的なデフォルトとして設定されていた。これに対して，化学物質による体内動態および薬理の影響を勘案して，不確実係数を考えようとする提案がなされた。それが，化学物質特異的調整係数（Chemical Specific Adjustment Factor：CSAF）である[45]。Risk-MaPP初版では「化学物質別調整係数」という用語をあてている。

この考えは不確実係数における不確定要因を減らすために提唱されたものであるが，とくに，小児，高齢者，肝臓または腎臓の機能障害をもつ個人など，化学物質による影響を受けやすい集団を保護するうえで，重要とされる（Risk-MaPP改訂版5.3.5.2項）。

経緯を簡単に紹介する。

Lehman & Fitzhughらによる100という安全係数が提唱された後に，その妥当性について研究が進んだことは前述のとおりである。

Renwickは，種差の10，個体差の10の妥当性について検証するとともに，10という安全係数は2つの部分，すなわち，体内動態に関するTK（トキシコキネティクス）の部分と，薬理に関するTD（トキシコダイナミクス）の部分から構成されるとする新しい考えを提唱した（1991年，1993年）[79,80]。

たとえば，種差に関する不確実係数はデフォルトとして10とされていたが，Renwickは，これを2つの部分に分割し，体内動態（TK）の部分で動物とヒトとの間で違いがあるかどうか，化学物質に対する反応（TD）の部分で動物とヒトとの間で違いがあるかどうかを検討した。

その結果として，Renwickは，種差については，動物とヒトとの間において，体内動態（TK）のほうで大きい差がでること，薬理効果（TD）についてはあまり差がないと判断した。そして，種差の10を，TKの部分での差異を勘案する係数として4を，TDの部分での差異はこれよりも少ないので係数として2.5を提案した（10＝4×2.5）。個体差についても，種差と同様と考えた（これは当初の考えとして）。

この考えは，その後WHO／IPCSに採用されることになった（EHC 170）[81]。その際に，一つだけ修正がなされ，個体差については，TKとTDを同じ重みづけで分割することとされた（10＝3.2×3.2）。これは，ヒトの集団内では，大人でも子供でも，健康な人でも病弱な人でも，体内の動態と化合物に対する組織の反応（薬理）は，変わらないとしたためである。

結局，WHO／IPCSでは，種差についてはTKの部分として4（$10^{0.6}$），TDの部分として2.5（$10^{0.4}$）とした。個体差については，TKおよびTDの部分のいずれも，3.16（$10^{0.5}$），3.16（$10^{0.5}$）とした（**図5-1**）[82]。

前項で説明した種差および個体差に関する不確実係数のデフォルトと，CSAFの使い分けについては次のとおりとされている[71,83]。これは，ASTM HBELガイドE3219でも同様である（同ガイド5.9.2.1項）。

①手元に化学物質特定のデータがない場合には，デフォルトを用いる。

②対象化学物質に特定して，TKおよび／またはTDの部分に関するデータが得られている場合には，それを使うことが推奨されている。

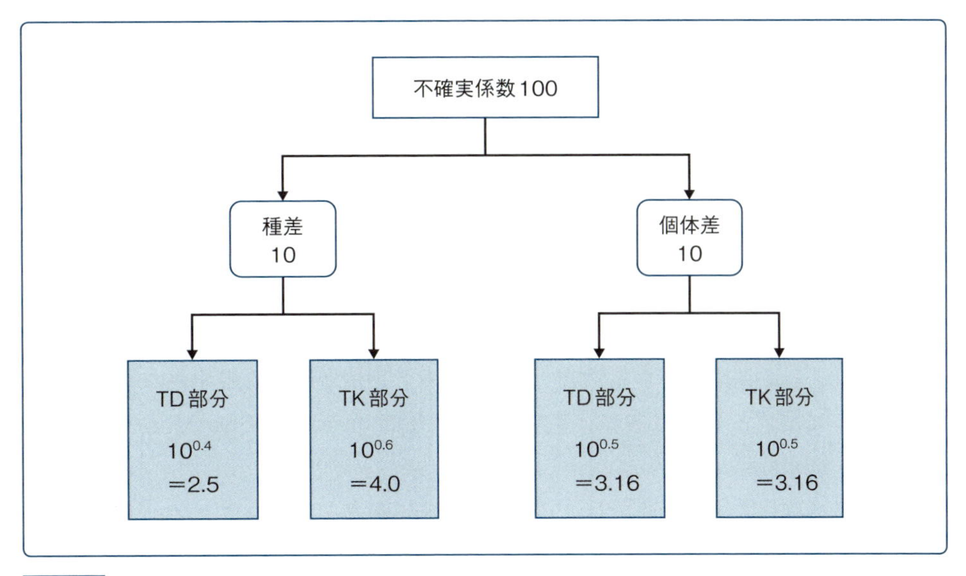

図5-1 CSAFの設定
（筆者が文献82）を参考に作成）

今後の新規製品では，化学物質についてのTK/TDに関するデータが整備されていくことが期待されるので，CSAFを使うことが多くなると想定できる。

適用例を次に紹介する。たとえば，種差でのTKの部分についてのみデータが得られているとする（それをFTKとする）。この場合，種差を構成する係数は，TKの部分ではFTKの数値を用い，TDの部分ではデータが得られていないのでデフォルト（2.5）を使うということができる。結局，種差を勘案する不確実係数は，FTK × 2.5となる。このようにして，伝統的なデフォルトの10を使うよりも，不確実性の程度を低減しようとしたわけである。

もし，ある化合物について，動物とヒトにおけるTKが同一であることが判明した場合には，不確実性はないのでTKの部分は1となる。TDの部分としてデフォルトの2.5を使うと，種差に関する不確実係数は，結局2.5となる。これと，個体差の不確実係数としてデフォルトの10を使うと，種差と個体差に関する総合的な不確実係数は2.5 × 10＝25となり，伝統的な10 × 10＝100よりも小さくなる。

このCSAFの考えは，科学的なデータを用いることで不確実性を低減しようとする試みであるが，実際にこの手法で算定される不確実係数は，結果として，デフォルトによる不確実係数よりも小さくなる場合もあれば高くなる場合もある。

このCSAFの考えを用いた実際の例が報告されているので，紹介する[84)]。この報文では，化合物timolol maleateについてのOELを設定する際に，個体差の不確実係数AF_HへCSAFの考えを適用している。同報文では，AF_HのうちTKに関する部分は，動物とヒトとの間で差が大きく9.8とされた。しかし，TDの部分では差が小さく1.2とされた。これらの積として得られるAF_Hは，9.8 × 1.2＝12となるとしている。

これはデフォルトの10より大きい。物質によっては，デフォルトよりも大きくなるということを示している。

なお，CSAFはWHO／IPCSの表記である。環境汚染物質を扱うEPAも同じ考えを提案しているが，こちらはDDEF（Data-derived extrapolation factors）と称している[85]。

5.10.7　試験期間に関する係数

EMA HBELガイドラインではF3，Risk-MaPP改訂版ではAF_Sが該当する。

試験期間に関する係数は，動物実験の期間が短いか長いかに伴うデータの不確実性に関する係数である。英文の資料では，duration of exposure，exposure duration，study duration，shorter term-to-longer termなどの表記例がある。

動物実験の期間が長ければ不確実性は減り，良質なデータが得られると考えられるので係数として小さくする（1に近くなる）。逆に，実験期間が短ければ不確実性が高くなるので，係数としては大きくすることになる。

EMA HBELガイドライン（ICH Q3C付則3）では，実験動物の大まかな種類，試験期間に応じて係数を違えている。

- *少なくとも半生涯（げっ歯類またはウサギでは1年，ネコ，イヌおよびサルでは7年）の試験の場合には，F3＝1*
- *げっ歯類の6ヵ月の試験または非げっ歯類の3年半の試験の場合には，F3＝2*
- *げっ歯類の3ヵ月の試験または非げっ歯類の2年の試験の場合には，F3＝5*
- *より短期の試験の場合には，F3＝10*

注意点として，すべての例について，中間的な試験期間の場合には高いほうの係数を用いるとしている（コンサバティブ側の数値を用いる）。たとえば，げっ歯類の9ヵ月の試験の場合には係数2を用いる。

一方，Risk-MaPP改訂版では，「信頼性の高い多数の毒性試験（a large number of high quality toxicology studies）をレビューした結果」として，短期から長期へ外挿する係数は「3で十分である」としている。これは，後述のNaumann & Weidemanの報文によっているものと思われる。

他の分野のガイドラインや報文も見てみたい。

①ECHA R.8でのデフォルトは，次のとおりである（R.8. 4.3.1項）[59]。

- 亜急性から慢性の場合：6
- 亜慢性から慢性の場合：2
- 亜急性から亜慢性の場合：3

ここで，亜急性は通常28日試験，亜慢性は通常90日試験，慢性試験は通常1.5～2年（げっ歯類について）としている。亜慢性から慢性へ外挿する場合には，係数は2となる。

②Naumann & Weidemanは，それまでに公開されている多くの報文のデータから

判断して，NOAELsubchronic（90日間）からNOAELchronicへのベストの推定は3としている[57]。なお，オリジナル報文では，「a limited number of high quality data sets」という表現になっている。Sargentら[41]，Dancovicら[77]はこの報文を引用している。

③上記のNaumann & Weidemanの報文は1995年のものであり，当然のことながら，参照としているデータはそれ以前のものである。それ以降では，Kalberlahらの報文（1998），Vermeireらの報文（1999）がある[61]。

文献61）から，亜慢性から慢性だけを抜き出してみると，

・Kalberlahらの報文では，幾何平均値として，1.7～3.3という数値が示されている。

・Vermeireらの報文では，幾何平均値として，1.7～2.5という数値が示されている。

これらの数値は，Naumann & Weidemanの報文にある3という数値の妥当性を支持している。

④Sussmanらは，多くの団体・関係者からさまざまな異なる数値がでているとして，それらを総括している[71]。それによれば，亜急性（通常は28日期間）から慢性曝露へと補正する代表的な係数は6～10であり，亜慢性（通常は90日間）から慢性へは2～3としている（**表5-5**）。さらに，Batkeらの報文（2011年）を紹介している。それによれば，

・亜急性から慢性に対しては，幾何平均値は3.4

・亜慢性から慢性に対しては，幾何平均値は1.4

という数値になっている。

試験期間の長短に関する係数の一覧を表5-5にまとめている。

試験期間に関して，Sussmanらの報文で興味深いと思える記述を紹介する（文責筆者）[71]。

「ADEは生涯曝露に対して計算される。しかし，製品の交叉汚染リスクという視点からすれば，生涯曝露という想定はきわめて保護的である。

多くの状況では，患者で起こりうる交叉汚染のリスクは，最長でも90日間の期間である。メール注文によって提供される医薬品の場合，一度に出せる薬は最大3カ月分であるからである。

表5-5　試験期間に関する係数

	ICH Q3C（R7）（2018）	Risk-MaPP改訂版（2017）	REACH／ECHA-R.8（2012）	EPA（1993）	Naumann & Weideman（1995）
	F3	AF_S		UF_S	
亜慢性試験（90日）から慢性への外挿	5（げっ歯類3ヵ月）	3	2	10	3

同じ設備で製造される特定の製品に対して，長期にわたって，同じ汚染物質が次製品バッチに存在しているということは，ほとんどありえないと思われる。

そうではあるとしても，PoDが生涯曝露よりも短い研究結果から得られる場合，ADEの定義に即して，不確実係数が適用されるべきである」。

「いくつかの適用では，生涯曝露は現実的でない場合がある。たとえば，治験用医薬品のみを製造している設備などはそうである。Phase I などでは，限定された期間でのみ，投与されるからである。また，医薬品の中には，単回投与または短期間治療用として使用されるものもある。このような場合では，プロダクト特定の曝露限界値が設定されてもよい。それは，試験期間の長さに関する係数に対して，より低い値を用いるか，または何も不確実係数を用いないというものである」。

このプロダクト特定の曝露限界値の概念は，Risk-MaPP改訂版でも登場してくる。また，90日間という部分の趣旨は，Risk-MaPP改訂版で試験期間に関する項目（5.3.5.1項のc）で付け加えられた文章の内容と符合する。

5.10.8 重篤度に関する係数

EMA HBELガイドラインではF4，Risk-MaPP改訂版ではMFにて考慮する。英文では，severity of effect，nature and severity of effectと称される。

EMA HBELガイドラインおよびICH Q3C付則3の説明は次のとおりである。

「重篤な毒性，たとえば，遺伝毒性を伴わない発がん性，神経毒性または催奇形性毒性の場合に適用されうる係数で，1-10」。

Risk-MaPP改訂版では，重篤性に関する係数は独立した形では設けていないが，後述するMFがそれに該当する。MFを説明している項で，「Modifying Factorは，毒性の重篤性または用量－反応曲線の傾きを考慮するために適用される場合もある。これらは，EMA HBELガイドラインでF4およびF5として考慮されている」としている（5.3.5.1項のf）。

毒性学のテキストでは，重篤性に関する不確実係数は，「NOAELの根拠となった毒性影響が神経影響など重大な影響であり，かつ回復性がないような影響である場合には，通常の実験手法の検出感度に伴う不確実性や統計学的分散性をより確実に保証するため，適用を検討する」としている[45]。

重篤性に関する係数について，Sussmanらは次のように述べている[71]。

- 重篤性に関する係数を独立した形で設けることについては，すべての組織団体で整合性がとれておらず，その利用については明確でないのが現状である。
- EMA HBELガイドラインおよびICH Q3Cでは，F4という係数を設けている。
- Risk-MaPP初版（筆者注：および改訂版）では，Modifying Factorにおいて考慮されている。
- 一方，EPAおよびREACH（ECHA R.8）では，該当する係数を含んではいない。

・企業によっては，総合的な評価の中で重篤性を勘案しており，Modifying Factorに組み込んでいる。
・重要なことは，重篤性がほかの不確実係数においてすでに考慮されていないかどうか，重複していないかどうかを確認することである。
・重篤性の係数は，化合物が重篤で不可逆的な毒性を引き起こす場合で，PoDの設定に直接的に関連しないような場合に限り適用すべきで，さらなる安全マージンを導入するために用いられる。
・この係数がよく使われている例は，遺伝毒性，発がん性，形成不全，生殖的な影響を有する物質に対してである。
・この係数を適用するに際しては，科学的な判断が重要である。

重篤性に関する係数について留意すべき事項として，重複の問題がある。個々の係数を設定する中で，重篤性について個別の考慮が行われている場合に，さらに重篤性について加味すると数値的に重複するからである。Sussmanらは，重複の可能性が生じうる例として，次のような場合を述べている[71]。

・LOAEL-to-NOAELへ外挿する係数を用いる際に，もしLOAELにおいて重篤な影響があるような場合
・データベース完全性に関する係数で，現状データが不十分であると判断される場合

そのような視点からみてみると，実際にも，EMA HBELガイドラインでは次のような表記があり，重篤性の重複が生じる可能性があることに留意がいる（下線強調は筆者）。

・LOAEL-to-NOAELに関する係数F5の説明の中で，「*LOAELしか得られない場合には，10までの係数を毒性の重篤性に応じて用いる*」としている。
・データの不完全性がある場合，とくに生殖発生毒性に関するデータがない場合には，「*追加的に補正する係数（たとえば10）を適用できる*」としている。

Nielsenらは，重篤性の項の結論において，次のように述べている（5.8.1項）[61]。

「不確実係数の選定において，重篤性に関する考慮がなされるべきである。しかし，実際には，重篤性に関する考慮はNOAELおよびLOAELの決定においてなされるべきであり，用量－反応曲線に関連することであるといえる。このため，デフォルトは1である」としている（文責筆者）。

重篤性についての重複がないように，慎重に検討することが望まれている。

重篤性に関する係数を**表5-6**に示す。

5.10.9　LOAEL-to-NOAELに関する係数

EMA HBELガイドラインではF5，Risk-MaPP改訂版ではAF_Lが該当する。

英文の資料では，LOAEL-to-NOAEL extrapolation，LOAEL-to-NOAEL uncertaintyと表記される。

表5-6　重篤度に関する係数

ICH Q3C（R7）(2018)	Risk-MaPP 改訂版（2017）	REACH／ECHA-R.8（2012）
F4		
重篤度に応じて設定する（遺伝毒性でない発がん性，神経毒性，催奇形成毒性など）。 生殖毒性の場合には，1~10の係数が用いられる。	Not specified	Not specified

毒性の閾値に関連して，前臨床試験で得られる実験ポイントがNOAELとなるかLOAELとなるかは，実験計画時の用量レベルの設定（4～5点）と，各用量間の間隔をどのように設定するかに大きく依存する。NOAELが得られれば最善であるが，LOAELしか得られないということが起こりうる（本書4.7.5項参照）。

このような場合に，2つの方法が提唱されている（本書5.8項参照）。

①望ましいとされているのは，ベンチマークドーズ法（BMD）による$BMDL_{10}$を求めることである。$BMDL_{10}$はNOAELの代わりとしての位置づけなので，この場合には不確実係数は1となる。

なお，Sussmanらの報文では，医薬品の場合には$BMDL_{10}$が使われるのは稀である（rarely used）と一言指摘している[71]。

②上記によらない場合には，手元にある具体的なデータはLOAELのみとなるので，それを活用してPoDを設定する必要がある。その場合の不確実係数は，3～10とされている。

EMA HBELガイドライン（およびICH Q3C付則）では，「*NOAELが求められていない場合には，LOAELが利用できる*」としており，その際に外挿する係数F5は「*NOAELが得られていない場合に適用する変数であり，定数ではない。LOAELしか得られない場合には，10までの係数を毒性の重篤度に応じて用いる*」としている。具体的に，どのような値を用いてよいのかは不明である。

一方，Risk-MaPP改訂版では，BMDによる方法または係数3を使うとしている。この3という数値は，Naumann & Weidemanの報文によるものである[57]。

ECHA R.8では，外挿するための係数は多くの場合には3であり，例外的には10としている（R.8.4.3.1項）[59]。この例外的な場合として，次のケースをあげている。

- ・用量－反応曲線の傾きが浅い場合（不確実性が増すため）
- ・重篤な不可逆的な影響がLOAELのポイントで特定される場合（遺伝毒性など）
- ・実験データの品質がよくない場合
- ・NOAELの特定において不確実性が増す場合（感作性，発がん性）

上述のように不確実係数は3～10とされているが，この数値の由来として2つの報文がある。一つはDourson & Staraの報文であり，それまでの実例データについてLOAEL/NOAELの比を求め，それらを解析した結果として，その比は10以内にな

表5-7　LOAEL-to-NOAELの外挿に関する係数

ICH Q3C（R7）（2018）	Risk-MaPP改訂版（2017）	EPA（1993）	REACH／ECHA-R.8（2012）
F5	AF_L	UF_L	
1〜10	・BMDLをPoDとして使う（係数1：推奨） ・LOAELからNOAELへ外挿してPoDとする（係数3：デフォルト）	1〜10	・3（多くの場合） ・10（特殊な場合）
重篤度による			特殊な場合とは ・用量反応曲線が浅い ・重篤な不可逆性がある ・データの品質が悪い

ると報告している[74]。ほかの一つはNaumann & Weidemanの報文であり，LOAEL/NOAELの比は，多くの良質なデータにもとづいて3となると報告している[57]。

Dankovicらは，上限の値をとるか，中央値に近い値をとるかは企業の方針次第であるとしている[77]。

LOAEL-to-NOAELの外挿に関する係数を**表5-7**にまとめている。

5.10.10　経路補正に関する係数

EMA HBELガイドラインでは，計算式には出てこないが，本文中に文章にて記載されている。Risk-MaPP改訂版では，計算式におけるPK（薬物動態に関する補正）が該当する。ASTMのHBELガイドE3219では，計算式におけるα（バイオアベイラビリティ）が該当する。Route-to-route extrapolationと称されることもある。

HBELは動物実験のデータをもとにして算出されるが，その実験での化合物の投与経路は製品化された場合の意図する経路と同じとするのが一般的である。しかしながら，何らかの事情により，想定する投与経路に関するデータが入手できないか，入手しにくい場合がある。そのような際には，すでに得られているほかの投与経路についてのデータを用いて外挿するということが行われている。

投与経路間で外挿を行う場合の科学的な根拠として，バイオアベイラビリティ（BA）の数値が使われる。最もデータが整備されているPDEまたはADE（多くは経口ベース）を出発点として，BAを用いて補正する形となる。

設備の運用管理において，このBAを考慮する必要が生じるタイミングには2つある。

1つ目は，共用設備での品種切り替えにおける洗浄時である。次製品が静注製品である場合には洗浄を厳しく実施しないと，交叉汚染した場合の影響が大きい。そのために前製品のHBELを見直すことになる。また，HBELを用いた洗浄閾値があまりにも小さく洗浄が不合格になりそうな場合に，HBEL設定の前提自体を見直すことがある。そのような場合に合理的な対処を可能にするツールとして，BAを利用することになる。詳細は別途に説明する（本書9.4項参照）。

2つ目は，職場での曝露限界値であるOELの設定時である。OELは肺呼吸による吸引曝露を対象としているが，動物実験の多くは経口ベースであるためである。

EMA HBELガイドラインでは，摂取経路の差による外挿について，同ガイドライン4.3項にて以下のような説明を加えている（文責筆者）。

- *摂取経路が変わることによって，BAが違ってくる場合もある。したがって，摂取経路によるBAに明確な差（たとえば>40%）がある場合には，摂取経路の差による外挿のために，補正係数を適用しなければならない。*
- *BAは種によって変わりうるので，補正係数は，望ましくは人間によるデータにもとづくべきである。*

そして，OEL設定時のように経口から吸引への経路補正をする場合に，次式で求められる補正係数を経口ベースのPDEに乗じて，吸引ベースのPDEに補正するとしている。

補正係数（経口から吸引）＝経口でのBA（%）/吸引でのBA（%）

Risk-MaPP改訂版では，HBELを算出する計算式の中に，PK（薬物動態に関する補正）という項目があり，これで摂取経路を考慮することになる。ほかの投与経路に関するデータから外挿する場合については，たとえば，5.3.2項（重大な影響の決定），5.3.5.1項（不確実係数の適用）で説明している。また，OEL設定時については，BAを考慮して補正する必要があるとしている（5.4項 OELの設定）。

「・・・　たとえば，ADEから算出されたOELは，重大な影響を特定する際に設定された経路（たとえば，経口）と想定される曝露経路（たとえば，吸入）とのBAの違いに対して，補正する必要があるだろう」。

現時点でのBAのデフォルトは次のとおりである。

- 静注の場合＝　100%（定義から）
- 吸引の場合＝　100%（低分子の場合：EMA HBELガイドライン 4.3項参照）
- 吸引の場合＝　5%（高分子の場合の推奨値）[86]
- 経口の場合＝　50%[41, 58, 59]

したがって，デフォルトを用いると，吸引ベースでのHBEL（すなわち$ADE_{inhalation}$）は，補正係数として1/2（＝50%/100%）を経口ベースのHBEL（すなわちADE_{oral}）に乗じることで得られる。

BAを利用する場合の優先順位としては，次のようになる[59]。

①実際のBAのデータ（経口および吸引の両方）が手元にあり，かつ，数値間に明確な差がある場合（EMA HBELガイドラインでは40%超え）には，実データにもとづいて補正する。

②経口のデータのみが利用できる場合には，吸引はデフォルトの100%のままとし

て，補正する。

③どちらの経路についても実際のデータがない場合には，ワーストケースとして，経口のデフォルト50%，吸引のデフォルト100%を用いて，係数を2として補正する。

上記の①～③は，文献59）のR.8.4.2項にて説明されている。

なお，皮膚外用剤などでは経皮吸収経路におけるBAのデータが必要である。これについては，本書10.6項にて触れている。

5.10.11　データベースの完全性に関する係数

Risk-MaPP改訂版ではAF_Dにて考慮する。EMA HBELガイドラインでは独立した形での係数を設けていない。英文では，database completeness，confidence in the database，database inadequacy，incomplete data，data base qualityなどと称される。

動物実験などのデータについては，その信頼性が問題となるときがある。すべてのデータが揃っているかどうか（完全性），データそのものの内容がよいか（質），ほかのデータと比較できるかどうか（整合性）などが話題になる。これらをすべて完備した，いわば良好で質の高いデータセットである場合には不確実係数は1とされる。

しかしながら，事情により揃わない場合もある。そのときに，重大な影響を及ぼす毒性（たとえば，生殖発生毒性）の発現がありうるという不確実な状態を避けるために，不確実係数を考慮する必要がある。

EMA HBELガイドラインでは，「*データセットが不完全である場合には，信頼性のあるHBELを算出するうえでの影響について，慎重に評価する必要がある*」としている（4.1項 ハザードの特定に必要なデータ要件の項）。そして，とくに生殖発生毒性に関するデータがない場合には，追加的に補正する係数（たとえば10）を適用できるとしている（5.4項）。

Risk-MaPP改訂版では，毒性データベースが不完全なものである場合（たとえば，生殖発生毒性試験が未実施）に考慮する係数としている（5.3.5.1項のe)）。本文中では，Doursonらを引用する形で，係数として3という数値が記載されている[87]。ただし，同ガイドラインの表5.2中では，「1～10」とされていることを付記しておきたい。また，Doursonらの報文自体では「3または10」という表記であり，コメントとして，さらなる研究が必要としている[87]。

ECHA R.8では，R.8.4.3.1項（Quality of whole database）において，概念的に説明を加えている[59]。データが完全に揃っているかどうか（completeness）のほかに，データそのものの品質（quality）も重要であるとしている。データベースの品質が良い場合には，デフォルトは1である。必要に応じて，より大きい係数を使うべきであるとしている。

Sargentらは，データベースの完全性に関する係数は利用できるデータに応じて

表5-8　データベースの不完全性に関する係数

ICH Q3C（R7）(2018)	Risk-MaPP改訂版 (2017)	REACH／ECHA-R.8 (2012)	EPA (1993)
	AF_D		
生殖毒性データがない場合には10	1～10 デフォルト：3	Not specified	Not specified

1～10であり，デフォルトは3としている（Doursonらの報文を引用している）[41]。

Sussmanらは，薬理学的および毒性学的データのフルセットが利用できる場合にはこの係数は1となること，生殖毒性または発育毒性または発がん性のような重要なパラメータが示唆されていない場合には，値として3または10が適切であろうとしている[71]。同報文では，「この不確実係数を利用する場合は，伝統的には専門家の判断に大きくよってきている。しかし，最近では，これらの値をより客観的に算定するための試みがなされている」としている。

データベースの不完全性に関する係数を**表5-8**に示す。

5.10.12　修正係数

この係数は，Risk-MaPP改訂版においてのみ考慮されている。なお，修正係数という訳語は，Risk-MaPP初版によるものである。

Risk-MaPP改訂版では，「修正係数は，ほかの係数では対応できない残りの不確実性を勘案する必要がある場合に，その使用が検討されうる。また，影響の重篤性または用量－反応曲線における傾きの具合を勘案するためにも利用されうる」(5.3.5.1項のf）とし，データベースの全体的な品質に関する専門家の判断を反映するためのものとしている。そして，Doursonら[87]を引用する形で，＜1から10までの係数を用いるとしている。

なお，Doursonらの報文では，その不確実係数の一覧表において，EPAでの例として「0＜to≦10」，またWHO EHC 170での例として「1-10」としていることを付記しておく[87]。

EMA HBELガイドラインでも，4.1項中において，修正係数という用語が見られる。内容的には，Risk-MaPP改訂版の示唆している意味合いと同じである。すなわち，

「(上述のF1～F5では）カバーされていない残りの不確実性を勘案するために，追加での修正係数の適用は許容される。たとえば，生殖発生毒性に関するデータがない場合である」。

修正係数（Modifying Factor：MF）は，EPAがDourson & Staraによる4つの不確実係数を導入した際に，あわせて提唱したものである[76]。その際の説明は次のとおりである。

「修正係数：

専門家の判断によりMFを決定する。それは，追加の不確実係数であって，ゼロよりも大きく，10以下の数値である。MFの数値の大きさは，研究結果およびデータベースについての科学的な不確実性に関する専門的な評価に依存するもので，上記の係数（筆者注：4つの不確実係数のこと）では明確に規定できない場合に利用する；たとえば，総合的なデータベースの完全性および試験される種の数などである。MFに対するデフォルトは1である」（和訳文責筆者）。

Sussmanらは，MFについて，次のように述べている[71]。

・MFを導入しようとする場合には，完全にということではないにせよ，すでにほかの不確実係数にて反映されているかもしれないということに留意がいる。

・MFは，データベースの総合的な品質を勘案し，ヒトのリスクアセスメントに対して明確な関連性があるような場合に，科学的な判断にもとづいて適用される。

・MFは，<1から10までの数値である。

・MFを用いる際には，同じエンドポイントに対して，不確実係数の間で重複がないことを確認する必要がある。これは，総合的な複合不確実係数を評価することによって行う。

MFが実際に使われる状況には，どのような場合があるのだろうか。Sargentらは，今までの研究報文では，MFは次のことを勘案するために用いられているとしている[41]。

・データベースの質

・PoDを選定するデータの科学的明晰性

・エンドポイントの重篤性

・感受性の高いサブ集団の存在

・リスクアセスメントにおける規制／方針要件

同様に，Dancovicらは，MFを利用する場合として多く引き合いに出される状況は，次のような点で懸念があるときであるとしている[77]。

・用量－反応曲線の傾き

・クリティカルエフェクトの選択

・その影響の重篤性

・経路間の外挿

・感受性のあるサブ集団の存在

・クリティカルエフェクトの臨床的な重要性

・クリティカルエフェクトの可逆性

・データベースの総合的な品質

・クリティカルエフェクトの作業員への関連性

・関連する化合物との類似性または違い

・個々の不確実性の間で独立性がない場合

表5-9　修正係数

ICH Q3C（R7）（2018）	Risk-MaPP改訂版（2017）	Sargent（2013）	Dankovic et al.（2015）
	MF	MF	MF
Not specified	<1から10まで	通常は適用不要（MF＝1） 重篤度，データベース完全性は他の係数で勘案されている	<1から10まで

今後のMFの位置づけについてであるが，興味あることに，MFを導入したEPA自身が2002年の報告書において，次のような提言をしている（4.4.5.7項）[49]。

・MFの利用についての明確な定義が欠けている。

・ほかの不確実性係数でカバーされているので，MFを今後利用することは取りやめるべきである。

Sargentらは MFの位置づけについて，「ADEを算定する目的のためには，MFは必要であるとは思われない。というのも，重篤性およびデータの品質については，すでに別の係数で勘案されているからである」としている[41]。

修正係数についてのまとめを**表5-9**に示す。

5.10.13　複合的不確実係数の上限

総合的な不確実係数の上限について説明する。

たとえば，EMA HBELガイドラインのように5つの不確実係数がある場合を考える。個々の不確実係数の最大値を10として，それらを掛け合わせると，全体での複合的不確実係数は100,000となり，非常に大きい値となってしまう。このような場合には，不確実性の程度（レベル）が高いということになり，別の方法を用いるべきなのかどうかを含めて再検討する必要があるとされている。

Sussmanらは，複合化した不確実係数はおおむね5,000程度に制限するのが望ましいとし，その値を超えた場合には他の手法を検討するのが賢明であると述べている[71]。

EPAのガイドラインでも5つの不確実係数があるが，複合化不確実係数の最大値は3,000程度にするべきであるとしている[49]。

5.11 閾値がない化合物への対応

これまでの説明では，毒性の閾値がある物質の場合について述べてきた。一方，遺伝毒性物質，発がん性物質，呼吸感作性物質などについては，曝露量がゼロにならない限り有害な影響が発現する可能性があるとされる（用量－反応曲線は本書図4-4に示すように線形となり，閾値というものが出現しないことになる）。ごくわずか（極端にいえば一分子）でも，人間の健康に影響を与える可能性があるため，この限界値を動物実験で求めることは現実的に極めて困難である。

そのため，曝露限界値の設定に際しては，化学物質のヒト曝露に対する低濃度での評価ツールである毒性学的懸念の閾値（Threshold of Toxicological Concern：TTC）の概念を用いる（本書4.7.15項参照）。非常に低い確率（10万分の1あるいは100万分の1）でがんを発現する曝露量を限界値として設定している（このようにして得られる限界値を，「リスクベースによる曝露限界値」ということもある）。

このような設定をすることについては，EMA HBELガイドラインでは，Executive Summary，5.1項（遺伝毒性物質）および5.2項（高感作性物質）にて規定している。Risk-MaPP改訂版では，「5.3.5.4 遺伝毒性物質のリスク受容可能レベルへの外挿」および「5.3.5.5 感作性物質に対する許容曝露レベルの設定」にて記載がある。

遺伝毒性物質の曝露限界値については，EMA HBELガイドラインおよびRisk-MaPP改訂版の両者とも，EU-GMP・FDAなどの規制と同じく，1.5μg/person/dayとしている（すでに人間ベースに換算されている）。なお，この値は，10万分の1の確率を用いる場合のものである。

5.12 毒性データが限定されている場合の対応

新規化合物を扱う際には，HBELを設定するための基本となるデータ自体（NOAELなど）が間に合わない場面が多い。また，中間体，添加物，洗浄剤などでは，毒性データを得にくい場合が多い。

このような場合に備えて，対処方法が提案されている。ここでは，次の2つの方法を紹介する。両者に共通的なこととして，暫定的な処置であることに留意する必要がある。

- 毒性学的懸念の閾値（TTC）の概念による方法
- コントロールバンディングの下限値から求める方法

なお，LD_{50}を用いる方法については，EMA HBELガイドラインQ&AおよびRisk-MaPP改訂版では推奨されていないので，ここでの説明は省略している（本書1.5.5項参照）。

①TTCの概念による方法

Dolanらは，毒性情報が限定されている中で医薬品のHBELを設定しなければいけない場合には，TTCの概念により求められる次の値を用いることを提唱している（経口ベース）[88]。

- 発がん性を有する可能性がある物質の場合には1μg/day

・薬理活性，高い毒性を有する可能性がある物質の場合には10μg/day
・薬理活性，高い毒性，発がん性を有するとは思われない物質の場合には100μg/day

EMA HBELガイドラインでは，5.5項の脚注にてDolanらの報文を引用している。

Risk-MaPP改訂版では，5.3.5.3項にて，上記の数値を紹介している。あわせて，これらの値はデータが限定されている場合の洗浄評価や開発初期の化合物に対して利用されるとしている。さらに，TTCの概念は，皮膚感作性物質，生殖発生毒性物質にも適用が拡大していることを記している。一方，TTC概念の適用においては，公式の手順によるHBELが設定されるまでの「暫定的な処置（interim strategy）」として考えるべきであるとしている。これは，次に述べるコントロールバンディングの手法の場合と同様である。

ASTM HBELガイドE3219では，上記のDolanらの提唱とICH-M7「潜在的発がんリスクを低減するための医薬品中DNA反応性（変異原性）不純物の評価及び管理」ガイドラインにおける提唱を統合した形としている（同ガイド7.3項）（本書2.10項参照）。

・変異原性を有する可能性がある物質および発がん性を有する物質の場合には，1.5μg/day
・薬理活性，高い毒性を有する可能性があるが，変異原性でも発がん性でもない物質の場合には10μg/day
・薬理活性，高い毒性，発がん性を有するとは思われない物質の場合には100μg/day

さらに，TTCの概念を適用する場合のフロー図において，抗がん剤で発生毒性を有する物質の場合には，1μg/dayという数値を示している。この数値は，Stanardらの報文にもとづいている[89]。

Fariaらは，皮膚感作性物質，変異原性物質（遺伝毒性不純物を含む），非変異原性物質についてのTTC概念の適用に関して論じている[11]。その中で，最近の適用事例について紹介するとともに，TTC概念を適用するケースは，物質特定のデータがないか，または限定されている場合の対処であるとしている。さらに，利用するときに考慮が必要な事項について，次のように述べている。

・特定の化合物に対するTTCの概念による値を導出する際のデータベースが適正なものであること
・TTCの概念による値は化合物の構造に関連した推定であり，化合物特定のものではないこと
・TTCの概念による値では摂取経路間の外挿はできないこと
・TTCの概念による値はすべての化合物の種類に対して利用できないこと（すなわち，バイオ医薬品には適用できないだろう）。

TTCの概念は，データが限定されている場合の暫定措置であり，コンサバティブ側の数値を与える。とくに，ハザードレベルが低い物質についてはそうである。この

ため，過剰なコントロール措置につながることもありうるので，注意がいる。

②コントロールバンディングの下限値から求める方法

創薬ラボなどでは，毒性情報が十分ではない段階で作業を開始する必要がある。その場合，最小限の実験（たとえば，Ames試験）から，ハザード区分表の区分けを暫定的に設定することが行われている（本書3.2項参照）。それを用いて初期の対応措置を設定し，各種情報が得られるに伴い，当初の値を見直していくことになる。バンディングでは，OELについての数値幅をもっている（本書3.3項および表3-2参照）。たとえば，国内で広く使われているバンディングのOEB＝4では，OEL＝1～10μg/m^{3}という具合である。

このOEBの情報だけが入手できている場合であっても，HBELを必要とする状況が出てくる。そのような場面に対応して，Risk-MaPP改訂版では，OELおよびOEBからADEの値を推定する方法を述べている（5.2項）。OEBのデータしか手元にない場合には，その区分け数値幅の下限値（前述のOEB＝4の例でいえばOEL＝1μg/m^3）を10倍すること（これは呼吸量Vのデフォルトである10m^3/day（8hr）を乗じることを意味している）で，HBELとするものである。そして，OEBからADEを推定する例を一覧表にてまとめている（表5.1）。簡単な計算例が9.3項に記載されている。

Risk-MaPP改訂版では，この方法を用いる場合の留意点も記されている（5.2項）。すなわち，OELおよびOEBを用いてADEを推定することに関しては，いくつかの制約があることに留意がいるとしている。対象とする集団構成，クリティカルエフェクト，バイオアベイラビリティの差などがありうるからである。そして，この方法については「暫定的な処置」としており，完全なる毒性学的評価によってADEが設定されるまでの一時的な措置であるとしていることに注意がいる。さらに，このように設定する際には，毒性学専門家の参画を求めている。

なお，このようにして設定されたADEは，暫定のものであることを関係者に周知する必要があり，そのための表記を社内でルール化しておくことが望ましい（本書3.4.3項参照）。たとえば，pADEのように記載して区別する（添字のpは，preliminaryの意味）。添字は，それぞれの企業でわかるように設定すればよく，たとえば，海外某社では「cADE」としている例がある（添字のcは，category-basedの意味）。

5.13 ヒトデータの利用

医薬品は，臨床試験という特殊な場において，ヒトデータが得られる唯一の化合物である。そのヒトデータは，HBELを設定するうえでの貴重なデータとして位置づけられる。しかしながら，Naumann & Weidemanは，臨床試験から得られるデータにはある種のバイアスが組み込まれているとしている。すなわち，臨床試験で用いた新規化合物は特定の効果（期待される薬理学的な効果）を実際に生じており，特定の疾病に対して治療効果がありそうである，ということを示そうとする方向のバイアスである[57]。そして，臨床試験でのデータは用量の増加に対して，幅を持つ形で反応を示すことが多くあり，このため，薬理学的な効果についての明確な閾値を示すものではないとしている[57]。

このような背景から，Sargentらは，臨床試験では多くの場合NOELまたはNOAELを明確に特定することは難しいとしている[41]。

このため，代替えの方法として，最小臨床用量では何らかの影響を生じていることから，それをLOAELとして取り扱うことが行われている。そして，HBELを設定する場合には，LOAELからNOAELに外挿することになる。

実際にSargentらは，4つの化合物について，ヒトデータによるOELを求めて，動物実験のデータにもとづくOELの数値と比較している[90]。同報文では，臨床試験で得られた最小臨床用量をLOAELと見なして，HBELを設定している。この場合の不確実係数は，個体差の係数10と，LOAELからNOAELへ外挿する係数3（この数値はNaumann & Weidemanの報文による）であり，複合的不確実係数としてそれらの積である30が用いられている。

同報文の結果では，細胞毒性以外の化合物については，ヒトデータによる場合と動物データによる場合の数値の大小関係はケースバイケースであり，動物実験データとヒトデータの両方（すなわち，すべての関連するデータ）が必要であることを示唆している。

同報文での計算例の一部を，後述するOELの計算例の中で示している（本書12.2.5項参照）。

なお，臨床データおよびそのほかのデータ（疫学データ，事故・労働安全データなど）を含めた形でのヒトデータの利用については，ECHA R.8のAPPENDIX R. 8-15（Use of human data in the derivation of DNEL and DMEL Introduction）に詳しい[59]。

ヒトデータとして，LOAELのみが得られる場合には，LOAELからNOAELへの外挿を行うことは前例と同じである。その場合の不確実係数は3（多くの場合の最小値として）から10（例外的な場合の最大値として）としている。個人差を示す係数は，一般ヒト集団では10，労働環境では5としている。

5.14 プロダクト特定HBEL

HBELの前提は以下のとおりであることをすでに述べた。

・曝露頻度：曝露（摂取）は毎日行われる
・期間：曝露期間は一生涯にわたる（長期慢性）
・効果：100％全身に作用する
・対象：患者，高齢者も含むすべての人間（all subpopulation）

この前提はコンサバティブなものであり，状況によってはこの前提と大きく異なる場合がある。たとえば，粉扱いの作業は週に数日だけでしかも周期的である場合には，上記の曝露頻度は毎日ではなく間歇的となる。また，投与が臨床試験の期間のみである場合や，製造がキャンペーン生産のみである場合などでは，長期慢性ではなくて，期間が限定されているといえる。さらに，製造現場での運転員は，健常者で成人のみである。また，臨床試験フェーズⅠでは健常者が対象であり，all subpopulationとは異なり，いずれも均一な集団といえる。

このように，前提と大きく異なる場合には，HBELを設定する際の前提を見直して，その製品特定のHBELとすることが認められている。それを，プロダクト特定（product-specific）HBELと称している。

EMA HBELガイドラインでは，この考えを治験薬に適用する場合について言及している（5.5項）。

「5.5 多くのデフォルト値は，慢性曝露試験に対して規定されているので，機器がほかの製品と共用される医薬品であって，短期の臨床試験に対して用いられる計画の医薬品である場合には，より高い限界値であってもよいかもしれない」。

その項の注記には，Bercu ＆ Dolanの報文が引用されている[91]。同報文では，臨床試験Phase Ⅰ（期間～30days）では，TTCの概念によるデフォルトの10倍とすることが許容されるとしている。

Risk-MaPP改訂版でも，プロダクト特定HBELの概念と用語が取り込まれている（5.3.5.1項および13項）。

Bercuらは別の報文で，プロダクト特定HBELを利用するうえで，前提条件を見直すことができる場面として，具体的な4つの事例を紹介している[92]。

・摂取経路に違いがある場合
・投与（曝露）頻度に違いがある場合
・対象人口に違いがある場合
・投与期間に違いがある場合

実際にHBELの前提条件を見直す際には，専門家の判断によることが必要である。また，OEBにおけるOELの数値幅の下限値からHBELを求めるときと同様に，ハザードコミュニケーションの観点から来歴を明確にするために，表記の仕方を社内でルール化しておくことが望ましい（本書3.4.2項参照）。

プロダクト特定HBELの考えは，洗浄評価においても利用される。とくに，洗浄閾値が非常に小さくなり分析機器の検出限度に近くなるような場合には，洗浄閾値の算定に用いる前製品のHBELの前提を見直すことで対応できることがある。また，切替え洗浄時において前製品Aと次製品Bの投与経路が異なるときには注意がいる（本書9.4項参照）。

5.15 HBELの有効数字と単位表示

5.15.1 HBELの有効数字

HBELを用いる際には，有効数字に留意がいる。その算出過程で述べてきたように，いろいろなパラメータが計算式に用いられている。それらのパラメータにおける数値設定では各種の不確実性が入り込んでいる。代表的な数値という場合もある。このため，電卓などでの計算結果として出てくる数字のままを並べたとしても，あまり意味がないことになる。実務的には，有効数字（有効桁数）の設定とそのための数値の丸め（端数処理）が必要となる。

しかしながら，HBELの有効数字および端数処理の考え方については，筆者の知る範囲では，世界共通のものがないのが実情である。有効数字については，多くの場合に1桁または2桁とされているが，欧米の毒性学専門家からの報文に出てくる数値は，さまざまであるのが実態である。端数処理については，通例の四捨五入とするか，HBELが患者の安全を担保するために使われるという趣旨から安全側の考え（すなわち，切り捨て）に立つのかは企業の考えによる。このため，有効数字の設定と数値の丸め方に関する社内ポリシーを事前に取り決めておく必要がある。HBELにもとづいて算出される洗浄閾値の計算にも影響するためである。

HBELの有効数字については，EMA HBELガイドライン，Risk-MaPP改訂版，ASTM HBELガイドE3219のいずれにおいても，触れていない。

ここでは，いくつかの事例を紹介する。

まず，欧州食品安全機関（European Food Safety Authority：EFSA）からのガイダンスでは，HBELの有効数字は1桁（優先）または2桁である（同ガイダンス第6章）[93]。端数処理の基本は四捨五入の方法であるが，その丸めの影響が10%を超えない場合には有効数字は1桁のままとし,1桁にすることの影響が10%を超える場合には有効数字は2桁にするとしている。同ガイダンスにおける例を**表5-10**に示す。たとえば，1.784という数字を丸めて2とすると，丸めの影響の程度は（2-1.784）/1.784で計算され，12.1%となる。これは10%を超えている。これに対して，2桁の1.8とすると影響の程度は0.9%に低減する。また，1.839は一桁の2とすると，影響の程度は8.8%であるので，最終的には2のままとする。さらに，26.24という数字を30にすると影響の程度は14.3%となるが，26とすると－0.9%となるとしている。

メルク社およびその関係者の報文では，有効数字は1桁とすることが述べられている[41, 94]。Naumannらは，文献94）において，次のように述べている。

表5-10 丸めの影響

丸め前の数値	有効数字1桁へ丸め	丸めの影響の程度（%）	丸めの最終結果（1桁/2桁）	最終結果での影響の程度（%）
0.098	0.1	2.0	0.1	2.0
0.268	0.3	11.9	0.27	0.7
1.784	2	12.1	1.8	0.9
1.839	2	8.8	2	8.8
5.198	5	−3.8	5	−3.8
14.86	10	−32.7	15	0.9
26.24	30	14.3	26	−0.9
346.3	300	−13.4	350	1.1

（文献93より引用）
注：網掛け部は，影響の程度が10%を超えていることを示す（筆者加筆）

「ADEおよびOELを設定する際に重要なことは，数値の精度について過度に表示しないということである。PoD（たとえば，NOAEL）として用いられる用量における有効数字，さまざまな不確実係数における有効数字を考える必要がある。これらの有効数字における桁数の最小の数値を超えるべきではなく，典型的には，ADEおよびOELは，有効数字1桁で表記されることになる」。

ただし，端数処理の方法については明確ではなく，計算結果として得られる数値の最初の数値のみを採用し，それより下の数値を切り捨てるのかどうかは不詳である（患者にとって安全側に立つ考えではあるが，場合によっては過剰になることがありうる）。

コンサルティング企業のセイフブリッジ社は，1桁が好ましいものの状況によっては2桁とする考えを示している[71,95]。2桁とする場合の基準および数値の丸め方については不明である。2桁とする場合には中間値の取り扱いに留意がいる（次に示す例を参照）。

> 有効1桁が好ましい
> 有効2桁も認められるが，それは次に限る
> 　−最初の桁の数字が5未満であり，かつ
> 　−2桁目は5とする
> 例：
> 　・10，15，20，25，30，35，40，45，50，60，70，80，90
> 　・1，1.5，2，2.5，3，3.5，4，4.5，5，6，7，8，9

例にある1桁および2桁の数字を見てみると，次のような処理をしていることがわ

かる。すなわち，最初の桁の数字が5未満（つまり1〜4，10〜40など）であるときに，中間の値が必要な場合には，2桁目の数字は5としている（1.5，2.5，3.5，4.5，15，25，35，45）。決して，3とか7とかという数字にはしていない。最初の桁の数字が5以上（つまり5〜9，50〜90など）になる場合では，刻みの幅を大きくして，中間の値は採用していない。計算結果が，たとえば23とか27になった場合，また63とか67になった場合にどのように丸めるのかについては記述がない。

そのほかの事例として，WHO EHC 170では，1桁とすべきであるという記述が本文中にある（同ガイド2.1.1項）。一方，データベースの品質および不確実性の程度に応じて1桁または2桁とすべきであるとしている（同Appendix 1）[81]。

今まで述べてきたことは，ガイダインスおよび報文などによる丸め方の一例である。実態として，毒性学専門家による報文中に出てくる数字も，さまざまな例があるのが実状である（**表5-11**，**表5-12**）[8,11]。

また，Risk-MaPP改訂版，ASTM HBELガイドE3219で例示されている数値は必ずしも1〜2桁という具合になっていない。たとえば，Risk-MaPP改訂版のAnnex 4では9,750μg/dayという数値がある。

5.15.2　単位の表記について

単位表示についても，メルクによる次のような意見がある[94]。

「ADEおよびOELを用いる場合の表示については，よく用いられている慣習に従うべきである。原則として，単位の表記においては，ゼロの数が最小になるようにすべきである。たとえば，OELを表記するときに，5,000μg/m³とするよりは5mg/m³とするべきである」（文責下線強調筆者）。

5.16 文書化（モノグラフ）

HBELを設定する過程について文書化しておくことが必要である。各種のパラメータを設定する場面において専門家の判断が入るために，その根拠を明確にしておくことが要請されているためである。この文書をモノグラフということがある。

EMA HBELガイドラインでは，6項（Reporting of the PDE determination strategy）にて，その概要を述べている。要約すると，次のとおりである。

- 包括的な文献調査にもとづくクリティカルエフェクトの特定
- 調査の方針およびその調査結果の一覧（使用するデータベース，参照文献リスト）
- 動物（非臨床）およびヒト（臨床）に関するデータ
- 対象とするクリティカルエフェクトに関するPoDの設定根拠

表5-11　HBEL表示の実際例ーその1

Product（API）	PDE（μg/day）
A	7
B	67
C	200
D	83
E	83
F	33
G	10
H	333
I	15
J	1000
K	5

（文献8）より引用）

表5-12　HBEL表示の実際例ーその2

API/Compound class	ADE（μg/day）
A	400
B	0.3
C	10
D	1100
E	0.3
F	1800
G	4500
H	2000
I	50
J	2

API/Compound class	ADE（μg/day）
K	20
L	50
M	2
N	40
O	12
P	400
Q	10
R	10
S	200

（文献11）より引用）

・不確実係数に関する根拠
・GMP査察官用に，評価過程の要約
・文書作成担当者の経歴

設定のもととなったデータ，参考資料の出典，PoDとした根拠，各種不確実係数の設定根拠，所見などを詳しく記述しておくことが必要となる。また，設定担当者の該当分野での略歴（CV）を書き加えることも要求されている。さらに，サマリーを表紙に付けて，査察官に明示できるようにすることも求めている（その雛形が示されている）。

Risk-MaPP改訂版では，モノグラフの項が追加されている（5.5項）。標準化されたものはないとしている。モノグラフ文書における記述の詳細さの程度は，化合物のハザードとリスクのレベルに相応しいものとすることも記されている。文書化されるべき項目として次の10項があげられている。

①化学物質特定情報，物理-化学的な性状および化学構造

②意図する用途および作用機序

③動物およびヒトでの薬物動態（PK）と薬理（PD）

④動物実験のデータ（急性毒性，局所的な影響，反復投与毒性，生殖発生毒性，遺伝毒性，発がん性）

⑤動物医薬品として利用する場合の留意事項（必要により）

⑥ヒトを対象としたデータ（臨床データ，副作用，敏感なサブ集団，妊産婦への影響）

⑦クリティカルエフェクトの特定

⑧参考文献

⑨専門家著者（たとえば，毒性学専門家）の資格

⑩付録（詳細情報：たとえば，ADE値を計算する過程，CSAFなど）

Olsonらの報文では，設定に関する文書は必ずしも標準化される必要はないとしつつも，モノグラフに記載すべき項目について触れている[35]。項目の内容は，Risk-MaPP改訂版とほぼ同じである。

ASTMからのHBELガイドE3219では，モノグラフのテンプレートがAppendix X1に例示されている。記載する項目はRisk-MaPP改訂版などと同じである。項目の並び方が少し異なっている。また，具体的な製品のモノグラフの例がAppendix X2に示されている（対象は，非ステロイド系鎮痛剤（NSAID）の1種であるイブプロフェン（Ibuprofen）である）。HBELの計算値も示されている。

各種の資料を参考にしてまとめると，次のような構成の文書になる[41, 95]。

1. 対象化合物についての情報

①識別情報（Identification）

- 正式名
- 通常名称，商取引上名称
- CAS番号
- 構造式
- 分子量

②物理化学的性質（Chemical and Physical Properties）

- 外観，性状

・溶解性
・そのほかリスクアセスメントに必要となるもの

2. 非臨床の安全データ
①急性毒性
②反復投与毒性
③遺伝毒性
④発がん性
⑤生殖毒性
⑥皮膚眼刺激性
⑦そのほか

3. 臨床の安全データ
①治療効果
②薬物動態および代謝
③治療用量
④副作用

4. ADEの算出
①採用するクリティカルエフェクト
②採用するPoD（Point of Departure）
③採用する不確実係数とその根拠
④計算結果とその説明
⑤そのほかの摂取経路の場合の情報
⑥複数の値がある場合に最終的に採用する値の根拠
⑦デフォルトを用いる場合／デフォルトを用いない場合の根拠

5. 結論

6. 参考文献
①検索したデータベース
②引用する文献リスト

7. 著者情報など（必要により）
①著者の経歴
②著者の資格
③レビュー者の経歴，資格など

5.17 HBELのバラつきについて

HBEL（PDE/ADE）およびそれから導出されるOELは，きっちりとした性格をもつ数値ではないことに留意がいる。

いままで，HBELを設定するプロセスについて説明してきたが，設定する際の各種パラメータにおいて，変動要因，不確定要因が内在していることを念頭におく必要がある。

変動要因，不確定要因は，いくつかあげられる。たとえば，次のようなものである。

・クリティカルエフェクトの判定においては，毒性学専門家の個人差が出やすい(病理標本の観察時)。
・動物実験で得られるデータ（NOAELまたはLOAEL）は，実験開始時の投与量設定，その間隔などの計画によるところが大きい。
・動物実験でのNOAELなどは，本来的に厳密な意味での閾値ではなく，近似的な意味合いをもっているものである。
・体重の設定においては，ガイドラインでも差がある。また，本来的にも，成人男性，成人女性，子ども，高齢者で差がある。
・OELを算定する際の呼吸量も，成人男性，成人女性，子ども，高齢者で差があるのに加えて，作業状況によって異なるものである。軽い作業をしている場合と，重作業をしている場合では自ずと呼吸量は違ってくる。
・バイオアベイラビリティに関するデータを含め，体内動態および薬理については個人差が生ずる。
・不確実係数の設定が，ガイドラインでも数値が異なることがある。また，不確実係数の設定自体は，毒性学専門家の判断によらざるをえない。重篤性などの判断，データの有無についての判断などで，個人的な見解の差が生じやすい。不確実係数が重複していることもありうる。

これらのために，得られるHBELの数値は，同じ物質でも適用する規制／ガイドライン，製造企業，毒性学専門家によって異なる値となることがある。

実際に，同じ化学物質でも数値が異なることが，すでに報告されている。Doursonらは，医薬品ではないが，65の農薬について，同じデータを用いてWHOとEPAが算出した数値を検証している[96]。その結果としては，

・18個（28%）は，同一（有効数字の丸めで1桁にしたとき）
・20個（30%）は，～3倍以内
・20個（30%）は，3倍～30倍以内
・6個（9%）は，30倍～300倍以内
・1個は，700倍離れていた。

平均すると，EPAの数値は，WHOの数値よりも小さいとされている。

このようなバラつきが生じることについて，毒性学専門家からもいろいろな意見がでている。Barleは，Doursonらの報文を引用する形で，3倍までの範囲では差があってもごくわずかである（trivial）と考えてよいとしている[97]。Olsonらは，数値のバラつきは「不可避のことであり，ある程度は当たり前のことでもある」，「10倍以内

の違いはありえないことではなく，懸念すべきことではない（should not be concerning）」としている（同報文5項）[35]。さらに，「不確実係数の設定においてルール化した枠組を構築するのが一つの対策ではあるが，毒性学専門家の裁量のフレキシビリティを阻害することになる」と指摘している（同報文5項）。Sussmanらの報文でも，この問題について触れている[71]。

Weidemanらは，「唯一の「正しい」とするOELがないのと同様に，唯一の「正しい」とするADEの値もないということを，すべての関係者が理解することが重要である。ADE/PDEの値においては，さまざまなパラメータにもとづく結果として，ある程度のバラつきが起こりうるのである」としている[98]。

PIC/Sからの査察官用ガイドHBEL評価文書備忘録PI 052では，HBELのバラつきについて触れている（2.4項および備忘録No.11）。査察官が赴いた企業で見たHBELの値が，同じ物質について他企業で見た数値と異なることは起こりうることである。いずれのHBELの数値も専門家の判断による値であり，どちらの数値も正当性をもっている数値と考えられる。このため，基本的には，査察官自身が，一方がおかしい，他方の値が正しいという具合に指摘できないことになる。そのような場面に遭遇した場合の対処について，査察官へのアドバイスとして，次のように述べている。

- *3倍までの差異は通常のことであり，懸念すべきことではない。*
- *3倍～10倍の差異は注意が必要であるものの，正当性について検証しうる範囲である。*
- *10倍を超える差異がある場合は，一般には，正当性があるとは考えられない。*
- *差異が10倍を超えていて，該当のHBELを用いることで患者の安全性にリスクがありうる場合には，（所属する）査察機関内の専門家と相談することが推奨される。*

5.18 HBELの性格

前述のように，HBELは専門家の判断によってその数値が異なることがありうる。このため，ある程度の幅を持った数値として了解する必要がある。

このことは，EPAが5つの不確実係数を導入した時点（1993年）において，すでに話題になっていたことでもある[76]。少々長いが引用する（和訳文責筆者）。なお，ADIは当時の用語であり，ADEと同じ意味合いである。

「ADIは多くの人々によって，曝露の“許容される”レベルとして見られている。そして，推論であるが，ADIよりも大きい曝露は“許容されない”とみられている。この厳密な区分，すなわち，“許容される”と“許容されない”という具合に区別する考えは，多くの毒性学専門家の見方と相反するものである。

毒性学専門家は，ADIを比較的に粗い推定値（relatively crude estimates）として考えており，長期曝露において，ヒトに悪い影響を生じることはないであろう曝露のレベルと解釈している。

ADIは一般的に，リスクアセスメント担当者による変動性の限界（bounds）として，10倍程度になりうる“ソフト”な推定値として見られている。

すなわち，ADIよりも幾分か高めの曝露であると，悪い影響をもたらす可能性が増すということであり，その場合の確率は確かなものではないのである。

同様にして，ADIよりも低い曝露では，悪い影響が生じる確率は低いと見られるけれども，すべての人々に対してリスクがまったくないということはありえないのである」（1.2.2.2項 マネジメント関連事項）。

HBEL（PDE/ADE/OEL）は，このような性格をもっている数値であるので，数学の理論のように，きっちりとしていない。安全か非安全かという，明確な線引きができるわけではない。この点について，Schwartz（ファイザー社）は，「・・・OELは，安全かそうでないかを線引きするための“bright lines”ではない・・・」と述べている[99]。また，同様な趣旨であるが，Farris（セイフブリッジ社）も，「・・・ハザードバンドの区分けする線引きは，“hard”なものではなく，“soft”なものであるとして考えるべきである・・・」と述べている[14]。

このことを認識したうえで，HBEL（PDE/ADE/OEL）を利用していく必要がある。

5.19 医薬品開発の進捗に伴うHBELの見直し

医薬品は市場に出るまでにいくつかのステップを経て安全性が確認される。合成実験室レベルでの化合物探索から始まり，前臨床試験，臨床試験（Phase Ⅰ～Ⅳ）という具合である。各段階に応じて，化合物のリスクアセスメントに利用できる情報の質・量が違う。このため，開発プロセスの進捗に伴って，HBEL（PDE/ADE/OEL）の設定と見直しが行われていくことが通例である。国内某製薬企業の例を**図5-2**に示す[70]。

文献70）によれば，パイロットスケールでの原薬製造が前臨床試験段階から始まるとし，この段階での入手できる毒性および薬理情報は限定されているために，少ない情報をもとにOEBを設定するとしている。このOEBは，開発の進捗により新しいデータが得られる都度に見直しされる。そして，臨床試験のPhase Ⅲでは，将来を見据えて原薬製造の規模も大きくなりコマーシャルスケールとなる。この段階では，動物実験によるデータおよび臨床試験によるヒトデータがほぼ整備されているので，完全な形での毒性評価が可能となり，商用製造時の最終的なPDE/ADE/OELが設定

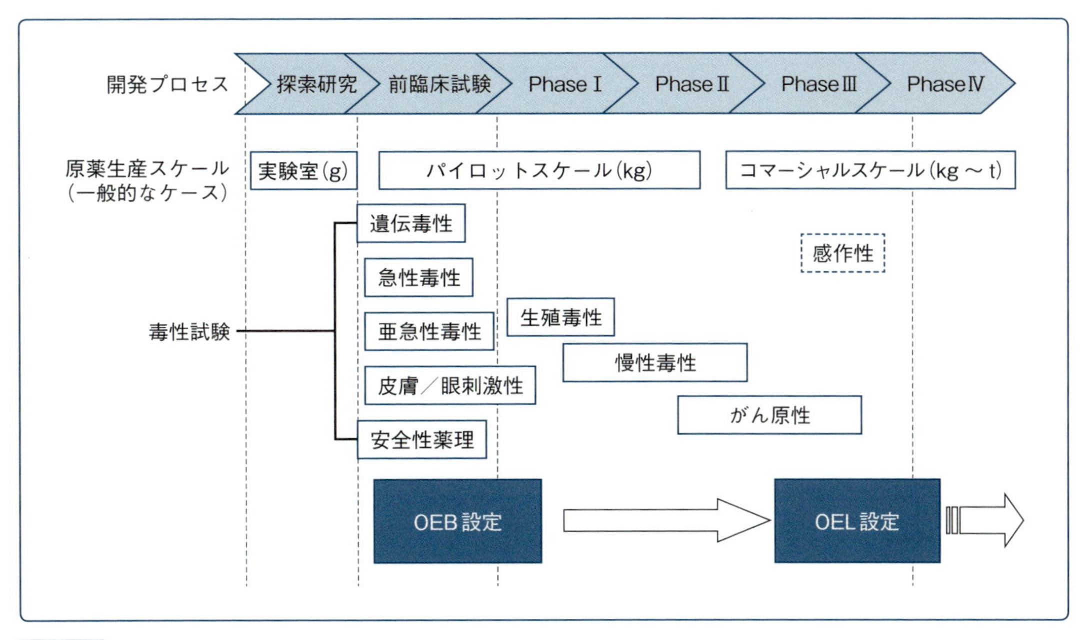

図5-2 医薬品開発段階とOEB／OEL設定
（文献70）より引用）

されるとしている。

このような流れは，OEBおよびPDE/ADE/OEL設定のタイムラインが各社で若干異なるものの，国内外の製薬企業でほぼ同じである[57,65]。

海外製薬企業の例（ベーリンガーインゲルハイム社）では，まず探索研究段階では，社内ハザード区分け表の中位のクラスに区分けする（デフォルトとして）。前臨床試験がスタートする時点では，最小限の情報から暫定的なハザード区分を設定する。そして，Phase Ⅰが開始する前に社内OELを設定する。その後の臨床試験の進捗に伴って，定期的に社内OELの見直しを行い，必要によりその値を変更することもあるとしている（2014年ISPE日本本部年次大会時の講演説明資料による）。

Schwartzの報文でもこの見直しの必要性について言及している（対象はOEL）[99]。同報文では，医薬品の開発初期段階，その後フルのデータが入手できた段階について，具体的な不確実係数の数値を用いたOEL計算事例を紹介している。その事例によれば，開発初期段階で設定されたOELは0.13mg/m^{3}であったが，その後0.3mg/m^{3}と見直しされている（本書12.2.5項参照）。

EMA HBELガイドラインQ&A最終版では，医薬品の開発の進捗に伴ってより多くのデータが利用できるようになった場合には，HBELの見直しを行うように求めている（Q&A No.1および13）。

Q&A No.1では，「*HBELを設定する基盤である毒性学的または薬理学的なデータは，製品のライフサイクルを通して，定期的な再評価を必要とする*」（文責筆者）という記述がある。また，Q&A No.13は治験薬（IMPs）に関するもので，IMPsの開発は連続的に進展しているので，「*該当するHBELを設定するための情報ベースは定期的に見直しされて，新規の関連データを勘案すべきである*」（文責筆者）としている。

Naumannの報文では，正式なPDE/ADE/OELが設定された後も，新しい情報が得られた場合には数値の見直しが必要かどうかを判断することが必要であるとし，見直しに関する社内プロセスを構築しておくことを提唱している。同報文ではさらに，正式の定期的な見直しは，たとえば5年ごとに行うとしている[94]。

5.20 今後の課題

医薬品のHBELの設定に関しては，現状，ヨーロッパ系のEMA HBELガイドライン（PIC/S HBELガイドラインを含む）と，米国系のRisk-MaPP改訂版およびASTM HBELガイドE3219がある。

よく話題になることに，どちらのガイドラインを用いるべきなのかということがある。

どちらのガイドラインを使うかについては，取り決めはとくになく，企業ごとに判断せざるをえない。

HBELに関する今後の総括的な課題として，次のようなことがある。

①化学物質のすべてについて，HBELが得られているわけではない。たとえば，中間体，分解生成物については，動物実験を実施することは考えられない。
②すでに市場に出まわっている医薬品のすべてについて，HBELが得られているわけではない。
③投与ということになじまない物質（たとえば洗浄剤）についても，HBELが得られているわけではない。
④摂取経路が異なる場合には，体内動態の差を外挿する必要がある。そのためには，バイオアベイラビリティについての情報を必要とするが，すべての物質について整備されているわけではない。
⑤専門家の判断の差があるため，クリティカルエフェクト，不確実係数などの設定において違いがでてくることがありえ，同じ化合物でもHBELが異なることが生じる。
⑥設定する際のパラメータについて，国際的な協調が取られていない場合がある。
⑦個体差，種差については，化合物質特異的調整係数（CSAF）が望ましいとされているが，そのデータはまだ少なく，多くはデフォルトを用いている。

Sargentらは，さらなる国際調和が必要とする領域を次の4つとしている[64]。

・不確実係数の設定に関する一致
・クリティカルエフェクトおよびPoDの選定
・すべての曝露経路に対して一つの値とするか，曝露経路に特定の値とするか
・モノグラフに対する統一されたフォーマットの利用

このほかに，洗浄閾値計算式の分母側にでてくる次製品の「最大臨床用量」についても，Hayesらは，公式な定義が明確ではないこと，投与レジメンの違いをどう反映するのかについて統一的な見解がないことを指摘している[65)]。

5.21 HBELを理解するうえで有益な報文の紹介

EMAがHBELに関するガイドラインを発出したのは2014年である。それを踏まえて，毒性学専門家が集まり複数のワークショップが行われた。その結果として，有益な報文が多数出てきている。その例を紹介する。

Weidemanは，自らがリーダー役を果たしたワークショップ（2014年10月に開催）の内容について詳しく報じている[98,100)]。同ワークショップの趣旨は，HBELの導出と応用における国際調和とベストプラクティスの模索である。具体的なワークショップの目的は次のとおりとされた。

・オープンで中立的なフォーラムを提供して，ADE/PDEを算出する現状のアプローチを議論する。
・複数のガイダンスを俯瞰して，不整合の内容を評価する。
・そのうえで，国際調和を要する重要なエリアを特定する。
・医薬品をリスクアセスメントするための，最善の方法を文書化する。

このワークショップには，医薬品産業界からの毒性学専門家，リスクアセスメントに関連する科学者，コンサルティンググループ，学会メンバーなどが参加した。

次に示す，調和を必要とする3つのカテゴリーについて，議論がなされた。

A　規制ガイダンスと適用の問題
　A-1　デフォルトvs健康ベースアプローチ
　A-2　規制当局間における差異
B　HBELを運用・管理する場合の問題
　B-1　運用上の考察
　B-2　関係者間のコミュニケーション
C　ADE/PDEを設定するための方法論の問題
　C-1　PoDの選定
　C-2　薬物動態と投与量
　C-3　エンドポイントとプロダクト特定の考察

C-4　不確実係数

文献98）には，上記A～Cの項目についての問題点／対応が，毒性学専門家の立場から簡潔にまとめられている。以下にその要約を示す。

A-1　デフォルトvs健康ベースアプローチについて（要約）

・従来の洗浄評価で用いていたデフォルト（1/1,000基準，10ppm基準など）は，化合物のデータを考慮していない。このため，過剰に厳しい限界値となる場合もあり，またときには十分に保護的といえない限界値となる。

・LD_{50}は，いかなる場合であっても，ほかの選択肢が利用できる場合には採用されるべきではない。

・化合物に対して利用できる毒性学的なデータを考慮にいれた方法が望ましいし，優先されるべきである。

・適切なTTCの概念によるアプローチは，多くの医薬品にとって，保護的な値を提供するものである。

・OEBは，開発初期から中期のAPIについての，HBELを設定する基盤として利用してもよい。

・データが限定している状況の場合には，システマチックな階層的アプローチが採用されるべきである。

A-2　規制当局間における差異について（要約）

・GMP規制は国際的には調和がとられていない。洗浄バリデーションに対して時代遅れのガイダンスに依存していることがある。

・アプローチにおける調和の欠如，明確性の欠如が，GMP要件についての不整合な解釈と適用に結びついている。

B-1　HBELの運用について（要約）

・ADE/PDEおよびOELにおける差異には，曝露経路の差のほかに，対象としている集団の違いがある（患者対職場での健常な成人）。このほかに，体重，不確実係数に関連する設定においてわずかな差が企業間にあり，これが変動する要因となっている。

・OEBまたはOELからADE／PDEを推定する方法は，患者に高いリスクをもたらす物質を特定するうえで有用である。優先的な設定方法として利用できる。

・低分子医薬品と高分子医薬品では，いくつかの重要な差がある。低分子のAPIと製剤化された製品においても差がある。

・ADE/PDE/OELの設定に関する文書化は重要なことである。この文書において，データについての最小限の記述をすることは産業界にとって有益なことである。

B-2　関係者間のコミュニケーションについて（要約）

・コミュニケーションに関する基本的なコンセプトは，ADE/PDEを設定するアプローチは厳格な方法論を採用しており，それを複雑な組織の中で整合性よく適用するために，堅実な実行プランが用意されるべきである，というものである。

・ADE/PDEは，技術的に堅牢で，最も適切な方法論を利用し，科学的に根拠があるものでなければならない。
・ADE/PDEを算出するためのデータセットは十分に堅牢でなければならず，データが限定されることによる不確実性は，ほかの方法（不確実係数など）で適宜に勘案されなければならない。
・ADE/PDEを算出するための方法論は，現時点で有効なものでなければならず，産業界で受け入れられている最善のプラクティスを用いなければならない。
・ADE/PDEの設定に関する文書は，堅牢で，簡潔で，明断でなければならない。そして，資格のある担当者によって精査されなければならない。
・ADE/PDEの設定は，資格のある毒性学専門家，またはこの種のアセスメントに関して適切な資格と経験を有している同等の専門家によってなされなければならない。関連のある新しい情報が入手できた場合には，適宜フォローアップされなければならない。

C-1　PoDの選定について（要約）

・PoDは，ADE/PDEを算出するための出発となる用量である。
・医薬品は，ヒトデータを含む豊富なデータセットを有する唯一の化合物である。PoDの選定は，資格のある毒性学専門家またはリスクアセスメントに経験を有する同等な専門家によってなされるべきである。
・医薬品に対する「クリティカルエフェクト」は，薬理学的なものかまたは毒性学的なものでありうる。そして，臨床的に著しい薬理的な影響は，ADE/PDEの意味合いにおいては，悪い影響と捉えるべきものである。
・PoDは，「クリティカルエフェクト」について，ある影響レベルを示す用量を意味する。最適と思えるのは，著しい影響を与えない最も高い用量である。
・PoDと「クリティカルエフェクト」は，どのような不確実係数が必要なのかを決定する。

C-2　薬物動態と投与量について（要約）

・投与量の設定を支援するためにPKデータが利用可能である。
・毒性試験の条件が，患者へ投与する場合の実態と整合しない場合には，PKおよびPDデータを用いて補正することで対処できる。
・化学物質特定のPKおよびPDデータを利用して，デフォルトの不確実係数を置き換える方法が検討されている。
・最近の研究結果は，バイオアベイラビリティの利用に関しての基盤を提供しており，ADE/PDEを設定するために，いつ，どのように適用されるかについてガイダンスしている。
・最大一日用量（Maximum Daily Dose：MDD）は，交叉汚染を評価するうえでの重要な因子である。しかし，現状ではその情報を利用するための適切なガイダンスがほとんどない。

C-3 エンドポイントとプロダクト特定について（要約）

・医薬品は，幅広い毒性を引き起こすことがありうる。リスクアセスメントおよびADE設定のアプローチは，化合物の特性に応じて修正されるべきである。

・特殊なエンドポイントについては，さらなる考慮が必要とされる。たとえば，細胞毒性，遺伝毒性，生殖発生毒性，感作性，免疫原性，免疫抑制などである。

・ある種のAPIsおよび合成中間体についてはデータが限定されていることが多い。しかしながら，これらを評価するためのアプローチは存在しており，リスクを管理できる。

・特殊な分子を評価する場合には，プロダクト特定の検討がなされる。たとえば，抗体薬物複合体（Antibody Drug Conjugate：ADC），高分子ペプチド対低分子，溶媒および金属対不純物などである。

C-4 不確実係数について（要約）

・PoDに応じて，種差，個体差，曝露期間，NOAELへの外挿に関する不確実係数が適用される。さらなる係数（たとえば，重篤度，データベースの完全性）はケースバイケースにて適用される。

・企業ごとに，若干異なる不確実係数を用いることはありえるが，総合的な不確実性は一般的に考慮されている。

・不確実係数は個別に考えられるべきである。留意しなければならない事項として，それらはお互いに独立していないということである。

これらの議論の成果として，広範囲なテーマについて，毒性学専門家による複数本の報文が発表されている。HBELの設定に関する現時点で最良と思える論文集となっている。本書でも随所において，引用している。

Weidemanは，これらの報文を上記のA～Cのカテゴリーに分類し，各報文のタイトルと代表著者をまとめている[100]。とはいえ，各報文に何が記載されているか，どの報文がどういうテーマを扱っているかは判別しにくい状況である。そこで，本書では読者の便宜を図るために，これらの報文の各章のタイトルおよび章ごとの概要をまとめたものを用意している（**表5-13-1～表5-13-3**）。HBELに関する疑問が生じたときには，この表を出発点として，オリジナル報文にあたって欲しい。

上記以外のワークショップとして，おもに既存の上市製品の取り扱いについて議論した事例がある。この議論の結果はTeasdaleらの報文で紹介されている[18]。

また，このほかに，2015年にはAIHAから，特集号として，OEL設定に関する10本の報文が公表されている（ダウンロード可能）[101]。本特集号は，NIOSH，TERA（Toxicology Excellence for Risk Assessment），そのほかの機関による協同作業の結果である。

表5-13-1 有益な報文～ カテゴリーA

カテゴリー	参考文献	著者名／報文タイトル概略	1章	2章	3章	4章	5章
A Regulatory Guidance and Application	64	Sargent et al. The regulatory framework for preventing cross-contamination	Introduction 序論 規制の動向，洗浄評価基準の経緯について	Historical review of regulatory approaches for GMPs GMPに関する規制の動向概要 GMP規制の動向について，1978年から最近までの流れを簡潔にまとめている。	Historical review of approaches for establishing cleaning limits 洗浄基準設定について従来の経過概要 今後の基準はHBELによる基準と目視検出限界の2つであるとしている。伝統的な限度値の設定はかなり保護的であると指摘している。	Approaches to further harmonization of GMPs GMPについてさらなる調和のためのアプローチ さらなる調和が求められる4つの項目について説明している。	Summary and conclusions 総括と結論
	7	Sussman et al. b※ Identifying and assessing highly hazardous drugs	Introduction 序論 専用化要件について	Regulatory history 規制の経緯 現状の各GMPに見られる，専用化要件をレビューしている。	How to identify and assess highly hazardous drugs 高ハザード化合物の特定と評価 高ハザード化合物の区分けと細胞毒性関連／ホルモン／高ハザードの定義を提案している。	Summary and conclusions 総括と結論 従来の専用化要件で用いられてきた用語について，毒性学の立場から明確な定義を提供している。	

※Sussmanの報文は2016aおよび2016bの2つがあり，ここでは2016bを示している。

表5-13-2　有益な報文～　カテゴリーB

カテゴリー	参考文献	著者名／報文タイトル概略	1章	2章	3章	4章
B Operations and Process Management	35	Olson et al. Issues and approaches for ensuring effective communication	Introduction: ADE values and communication goals 序論　ADEとそのコミュニケーション	ADEs and program management ADEと設定プログラムマネジメント ADE設定のためのプログラム，社内体制について説明している。毒性学専門用語の定義と参考文献リストがある。	Identification of effective and timely means and venues for communication 効果的でタイムリーなコミュニケーションのための方法 関係者（査察官，CMO，創薬企業を含む）間のコミュニケーションについて説明している。	Documentation for ADE monographs ADE設定のための文書（モノグラフ） モノグラフの位置づけおよびモノグラフに含めるべき項目とその作成のポイントを説明している。
	65	Hayes et al. A harmonization effort for acceptable daily exposure application	Introduction: establishing ADE values 序論　ADEの設定	Impact of ADE implementation on cleaning operations ADE導入による洗浄工程へのインパクト ADEを洗浄工程に用いることにより,科学的な評価方法の実現が可能であると提案している。	Which substances may need ADE (s)? ADE設定の対象となる物質は？ 対象とする化合物は，APIs，出発原料，中間体，洗浄剤として，説明している。	Prioritization schemes for ADE development ADE設定における優先順位 ADE設定を行う場合の優先づけは，人に対するリスクが高いものを最優先するとしている。
	11	Faria et al. Using default methodologies to derive an ADE	Introduction 序論　データが不完全なときのアプローチについて	Survey of different default methods さまざまなデフォルトアプローチについて 0.1％投与量，10ppm，LD_{50}，TTC，OEBなどの方法の長所と短所を説明している。	Empirical comparisons of default approaches versus health-based ADE デフォルトアプローチ対HBELの実証的な比較 0.1％投与量基準，LD_{50}とHBELを用いる場合の数値比較をしている。	Conclusions/ recommendations 結論と推奨事項 TTC，OEBによる方法は推奨できるものである，としている。

5章	6章	7章	8章	9章	10章	11章
Dealing with variation in ADE values ADEの値における変動に対処する 同一の物質に対して異なるADE値となることはよくあるとしている。これは不可避であること，10倍近くの変動はありえないことではないとも指摘している。	Structuring communication to foster ADE implementation ADEの実施を促進するコミュニケーションの構築 特に外部とのコミュニケーションのために，設定プログラムを構築するときのポイントを例示している。	Summary and conclusions：What is the fundamental message? 総括と結論　基本的なメッセージ ADEを堅牢なものとするための8つのポイントを提案している。				
The value of interim ADEs 暫定的なADE設定 治験薬でのADEの設定について，説明している。	ADE document management, revision, and communication ADEに関する文書管理，改訂，コミュニケーション ADEの定期的な見直しの必要性，変更管理，共有化のポイントについて説明している。	Maximum daily dose for use in carryover limits 持越し閾値計算におけるMDD 持越しにおけるMDDに関する問題点について説明している。	Application of the ADE to pediatric formulations 小児用医薬品へのADEの適用 小児用医薬品へADEを利用する場合の留意点について説明している。	Differences in operational approaches for large molecules 高分子化合物における運用アプローチの違い 高分子化合物を扱う場合の留意点について説明している。	Shared versus dedicated facilities 共用設備対専用化設備 共用設備と専用化設備へのADE適用について触れている。	Summary 総括

表5-13-3　有益な報文～　カテゴリーC

カテゴリー	参考文献	著者名／報文タイトル概略	1章	2章	3章	4章
C ADE Derivation Methodology	42	Bercu et al Point of Departure（PoD）Selection	Introduction 序論　ハザードアセスメントについて	ADE calculation ADEの計算 ADEを計算するうえでの留意点などについて説明している。	Types of available data for hazard characterization ハザードを特定するためのデータ ハザードデータを検索する際のポイントなどについて説明している。	Identification of “critical”effect（s） クリティカルエフェクトの特定 クリティカルエフェクトの定義が紹介されている。クリティカルエフェクトごとのADE設定の必要性についても触れている。
	71	Sussman et al a※ A harmonization effort for ADE derivation	Introduction 序論　不確実係数の設定について	Interindividual variability 個人差に関する不確実係数 個人差に関する不確実係数について説明している。	Interspecies extrapolation 種差に関する不確実係数 種差に関する不確実係数について説明している。	LOAEL-to-NOAEL extrapolation LOAELからNOAELを外挿するときの不確実係数 LOAELからNOAELを外挿するときの不確実係数について説明している。
	83	Reichard et al Toxicokinetic and Toxicodynamic Considerations	Introduction 序論　デフォルトからデータに基づく手法について	Background and history: the move from default adjustment factors to data-derived approaches 背景と歴史：デフォルト不確実係数からデータベースアプローチへ 不確実係数設定の簡単な経緯を説明している。	CSAF values for intra- and interspecies adjustment 個人差および種差におけるCSAFの値 個人差および種差を勘案する不確実係数にCSAFを適用する場合の留意点について説明している。アロメトリックスケーリング手法についても触れている。	Bioavailability and route specific adjustments using TK/TD data TK/TDを用いるバイオアベイラビリティと経路特定の補正 バイオアベイラビリティによる経路補正について説明している。吸引，経口，非経口におけるBAについても説明。
	138	Gould et al Special endpoint and product specific considerations	Introduction 序論　各種毒性の詳細について	Cytotoxicity 細胞毒性 従来の「細胞毒性」という用語における問題点を指摘している。	Genotoxicity 遺伝毒性 遺伝毒性不純物および中間体の取扱について，説明している（ICH M7）。	Developmental and reproductive toxicity（DART） 発育生殖毒性 発育生殖毒性について，専門的に説明している。

※Sussmanによる2つの報文のうち，ここでは2016aを示している。

5章	6章	7章	8章	9章	10章	11章
Selection of the PoD PoDの選択 Adversityについて説明している。NOAELの定義，ヒトデータ（治療用量），遺伝毒性，バイオ医薬品におけるPoD設定について説明している。	Selecting PoDs for pharmaceuticals with data gaps データが不足している場合のPoDの選択 データが不足している場合のPoDの選択について説明している。	Sensitive subpopulations 感受性の高いサブ集団 感受性の高いヒト集団について説明している。	Portal of entry relevance 局所的な摂取経路を持つ製品 局所的に摂取される化合物に対する考えについて説明している。	Conclusions and outlook 結論と今後の見通し		
Exposure duration adjustment factor 曝露期間に関する不確実係数 動物実験での曝露期間に関する不確実係数について説明している。	Database completeness データベース完全性に関する不確実係数 データベースの完全性に関する不確実係数について説明している。	Severity of effect 重篤性に関する不確実係数 毒性の重篤性に関する不確実係数について説明している。	Modifying factor 修正係数について 修正係数について説明している。	Composite adjustment factor 複合的不確実係数について 複合的不確実係数の上限について，説明している。	Other issues 有効数字などについて ADEを表記する場合の有効数字などについて説明している。	Conclusion 結論
Time weighted averaging, study duration, and bioaccumulation adjustments ハーバーの法則，曝露期間の長短，生体内蓄積効果による補正について ハーバーの法則，曝露期間の長短，生体内蓄積効果による補正について説明している。	Summary and conclusions 総括と結論					
Immune system modulation 免疫システム さまざまな免疫反応のタイプについて，専門的に説明している。	Antibody drug conjugates (ADCs) ADCについて 抗体薬物複合体(ADC)でのADE設定について説明している。	Limited datasets データに制限がある場合について 治験薬，中間体，溶剤などデータが得にくい化合物について説明している。	Conclusion 結論			

6 HBELを用いる洗浄閾値の設定

6.1 洗浄閾値の計算式

設定されたHBELの情報をもとにして，洗浄閾値の計算を行うことになる。必要な情報は，前製品AのHBELのほかに，次製品Bの最大一日用量およびバッチサイズ，製造機器の共通面積，回収率である。

HBELを用いた洗浄閾値の計算式については，EMA HBELガイドラインでは触れていないが，Risk-MaPP改訂版およびISPE 洗浄ガイドにその例がある。その計算式は，従来の0.1%投与量基準の計算式において，分子側にあった0.001×最小臨床用量（前製品A）を，HBEL（ADE）に置き替えたものである。

ここでは，代表的にRisk-MaPP改訂版に例示されている計算式を紹介する。さらに，スワブサンプリングによる場合についてのみ触れる。その場合の洗浄閾値（SRL）は次の計算式で与えられる（Risk-MaPP改訂版 6.3.2.1項参照）。リンスサンプリングによる場合については，同ガイドラインを参照してほしい。

Swab Residue Level（mg/swab）＝［ADE × SB × TA × RF］／［MDD × SSA］

ここで，

ADE＝前製品の一日曝露許容量（mg/日）

MDD＝次製品の最大一日用量（mg/日）

RF＝回収率

SB＝最小バッチサイズ（mg）

SSA＝共用面積（cm^2）

TA＝検査面積（cm^2）

ISPE洗浄ガイドの計算式では，回収率に加えて，分析方法の違いを加味するTRC（Test Result Correction）という係数が導入されている。TRCは，非特異的な分析方法を用いた時に考慮するとしている（同ガイド6.1.4.3項）。

6.2 HBELにもとづく洗浄閾値の意味合い

洗浄バリデーションの分野では，従来から，許容残渣限界（Acceptable Residue Limit：ARL），最大許容持ち越し量（Maximum Allowable Carryover：MACまたはMACO）という用語が使われてきていた。これらの「許容限界」，「最大許容」の意味合いとして，ここまで残渣があってもよいというニュアンスがあるように思われる。

このような捉え方による混同を避けるために，Risk-MaPP初版では，MACまたはMACOに代わる用語として，安全閾値（Safe Threshold Value：STV）という用語を用いていた。患者の安全性に対するリスクが発生する限度という意味合いからである。そして，スワブサンプリングに用いる場合に対して，スワブSTVという用語をあてていた。

Risk-MaPP改訂版では，スワブSTVに代えてスワブ残渣レベル（Swab Residue Level：SRL）という用語を用いている（文責筆者）。ここで，「レベル」という表現になっていることに留意したい。許容されうる限度値（Allowable Limits）という概念との区別を明確にするために，このような表現にしたと考えられる。従来のリミットという言葉がもつイメージから脱却することが望まれているともいえる。

Risk-MaPP改訂版では，この洗浄閾値（SRL）について，次のような留意点を述べている（本書2.7.3項①参照）。

- HBELをもとにして設定される洗浄閾値は，ここまで洗浄すればよいという意味での限度値ではない。患者の安全を担保するためのレベルを示すものである。
- 実際の残渣は，できるだけ低いところにくるようにするべきである。洗浄閾値と実際のデータの間の距離が，「真の安全マージン」を推定するために用いられる。
- SRLが高い値となる場合には，表面に残ってもよいという具合に受け止められるかも知れないが，それは許容されない。「目視で清浄」ということが必要とされる。

ISPE洗浄ガイドでも，同様な趣旨を述べている（本書2.8.6項参照）。

また，EMA HBELガイドラインQ&A最終版でも，そのNo.6において，「*HBELは洗浄限度値を正当なものとするために使用されうるが，HBELにもとづいて計算される洗浄閾値のままの値が洗浄限度値として使われることを意図していない*」とある。実際の洗浄レベルは，HBELを用いて計算されたレベルのままではないとしている（本書2.5.6項②参照）。

HBELを用いて計算される洗浄閾値（たとえば，SRL）は，とくにハザードレベルが低い化合物の場合には，一般的に十分に高いところにある。後述するシミュレーション事例でもそのような結果が得られている（本書8章参照）。

洗浄閾値が大きいということは持ち越しの量を多くしてもよい，すなわち洗浄を緩くしてもよい，洗浄後の機器表面に目視で判別できる残滓があってもよいという具合にとらえられがちである。しかしながら，HBELを用いる洗浄閾値はそういう意味ではないことを認識しておく必要がある。すなわち，HBELを用いる洗浄閾値はここまで洗浄すればよいという意味での「許容限界値」とは異なる位置づけである。洗浄閾値は，患者に悪い影響のリスクが及ぶレベルの閾値として捉えるべきであり，患者の安全を担保するためのものである。

6.3 安全マージン

実際の洗浄においては，「できるだけきれいにすること」が重要である。この場合，「できるだけきれい」とは，HBELにもとづく洗浄閾値（たとえば，SRL）と実際のサンプリングデータとの間に大きな距離があるということでもある。

この距離は，患者の安全を確保することができる閾値に達するまでの洗浄工程の「余裕の度合い」を意味している。Risk-MaPP改訂版では，この距離を「安全マージン（Margin of Safety）」（同ガイドの図6.3参照）と称している。洗浄作業における不確実要因を勘案すれば，この安全マージンは大きいことが望まれる。

この安全マージンを大きくとるということは，規制当局からの各種文書でも触れられている。

まず，EMA HBELガイドラインQ&AのNo.6項では，実際の洗浄作業における洗浄限度値は，HBELにもとづく洗浄閾値のままではなく，余裕をもつ必要があることについて示唆している。さらに，既存製品を洗浄する際に用いていた洗浄限度値の取り扱いについても触れている（本書2.5.6項②参照）。すなわち，HBELにもとづく洗浄閾値との間で「十分な余裕」がある場合には，従来から利用してきた洗浄限度値をアラート限界として使うことでよいとしているのである。安全マージンが大きいことが，伝統的な洗浄限度値を用いることの要件となっている。

この点に関して，EMA HBELガイドラインQ&Aワークショップ終了後の総括報告書では，次のような記述がある[17]。

「Q&A No.6の意図は，HBELにもとづく洗浄閾値より下方に安全マージンが必要であるということを明確にすることにある。それは，たとえば，洗浄工程または分析方法における変動要因を勘案するためである。それは，HBEL自体において追加的な係数が含まれるべきであるということではない。多くの場合において，伝統的な限度値を遵守することは自動的にこの安全マージンを与えることに

なるだろう。」（文責下線強調筆者）

また，EMA HBELガイドラインQ&A最終版発出後の見解書では，次のような記述がある[20)]。

「HBELによって設定される洗浄閾値は受容限度（acceptance limits）であり，具体的な洗浄限度値は，洗浄閾値以下のところで安全マージンを考慮して設定され，アラートレベルとする考えが確立されるべきである」（文責下線強調筆者）。

その安全マージンを大きくするために，実際の洗浄データはできるだけ洗浄閾値から離れたところになるように洗浄パラメータを設定するべきである。

洗浄閾値が高いところにあるからといって，洗浄のグレードを落とすことは万が一の事故によるリスクを考えると認められないし，また，倫理的にも許されないことである（実際にもそれを防ぐために，「目視で清浄」ということがある）。

Crevoisierらの報文には，次のような記載がある[8)]。下記のMSSRは，HBELにもとづく洗浄閾値を示す用語である（本書表6-1参照）。

「MSSRの値が高いことは，切り替えに際して，リスクが低いことを反映している。それは，洗浄限度として読まれるべきではない。洗浄限度をHBELにもとづくMSSRまで設定できるだろうとする思い込みには根拠がない。MSSRの値が高いからといって，それをもってして洗浄の努力を惜しんでよいということにはならない。なぜならば，洗浄では依然として，目視できれいという要求を満足する必要があるからである。目視で清浄という要求は，適切な最小の衛生基準を確保するためには十分なものであろう。実際の洗浄レベルはまた，洗浄プロセスのケイパビリティと信頼性に関する知見にもとづくべきである。そして，それは理想的には，合理的に可能な範囲で，MSSRからできるだけ低いところに設定されるべきであろう」（文責下線強調筆者）。

低い管理値を設定する場合に，高いところにある洗浄閾値に対して何らかの安全係数を導入するという考え方がある。しかしながら，この場合には管理値と実際のデータまでの距離が小さくなり，その分安全マージンが小さくなることに加え，その安全係数自体の根拠が問われてしまうことになり，科学的とはいえないことになる。これは，Risk-MaPP初版以来の変わらない主張である[102)]。このために，安易に安全係数を考えるのではなく，実際の洗浄データが上記の洗浄閾値からできるだけ離れたところにくるように，洗浄工程を作り込む必要がある。

査察の際に，安全マージンが話題になることがありうる。PIC/S査察官用ガイドHBEL評価文書備忘録PI 052の第11項では，次のような記述がある。

「HBELによる値（筆者注：HBELにもとづく洗浄閾値）と洗浄限度値（cleaning limits）の間で設定される安全マージンを確認すること（筆者加筆：安全マージンとして）。10倍の係数は合理的であり，許容曝露（筆者注：HBELにもとづく洗浄閾値）を超えないという確信を与えるものである」（文責下線強調筆者）。

ここで，洗浄限度値（cleaning limits）とは，実際の洗浄作業の目標，目安として設定される数値（たとえば，伝統的な洗浄限度値）を指している。また，安全マージンとしての10倍という数値は，既存上市製品に関するTeasdaleらの報文をヒントにしているのではないかと推察できる（本書2.5.4項参照）。なお，安全マージンの定義がRisk-MaPP改訂版とは少し異なることに注意がいる。

査察時に安全マージンの大きさを問うてくることに備えて，企業はHBELにもとづく洗浄閾値と実際の洗浄データとの距離を常に把握しておくことが重要である。一方，安全マージンとして10倍という数字が記載されているが，安全マージンがハザードレベルの大小でどう違うのかということには触れておらず，すべてのケースにおいて10倍という設定をしていることになる。このため，この数字が独り歩きしかねない。

ハザードレベルの大小により，どの程度の安全マージンがあるのかについては，後述の洗浄シミュレーションの項で触れる（本書8.4項参照）。

6.4 投与量の情報

HBELを用いる洗浄閾値の計算式でも，その計算式の分母側に次製品の最大一日用量の情報が必要とされる。伝統的な0.1%投与量基準の計算では，分子側に前製品の最小臨床用量，そして分母側に次製品の最大一日用量が必要とされていた。

最近の毒性学専門家の報文によれば，最小投与量，最大投与量についての定義が産業界内で統一的なものがまだないとされている[19,65]。

Barleらは，計算式の分子側にくる前製品の「一日最小臨床用量」についての定義が明確ではなく，投与形態がさまざまとなってきている最近の状況では，合理的な判断ができにくくなってきていると指摘している[19]。そして，「最小臨床用量をどうするかについての答えは，個々の製薬企業によって主観的に設定されてきた」として，一日最小臨床用量についての問題点をいくつか提起している。たとえば，

①最小臨床用量の対象範囲は，健康な成人に対するものなのか，潜在的に敏感なサブ集団に対するものなのか。

②最近の複雑な投与形態，たとえば間欠ベースで投与されている場合，生涯に一度し

か投与されることのない場合，治療の初期段階とその後の段階で投与経路が異なるような場合にどのように設定するのか。

③承認されていない医薬品，または特定のサブ集団に対して禁忌されている医薬品について，一日最小臨床用量をどのように計算するのか。

Hayesらは，計算式の分母側に出てくる次製品の「最大一日用量」についても，分子側の最小臨床用量と同様に，公式な定義が明確ではないこと，投与レジメンの違いをどう反映するのかについて統一的な見解がないことを指摘している[65]。

6.5 現場でよく生じる問題

実際の現場でよく生じる問題に，ときとして洗浄閾値が小さくなることがある。この場合，分析機器の検出限度までの距離が小さくなり，洗浄工程における余裕が少なくなり，洗浄リスクが大きくなる。また，極端な場合には，洗浄閾値が検出限界以下になってしまい，専用化が必要となる事態を招くことになる。このような問題は，計算式における各種パラメータの組み合わせの中で生じることであり，現場的には起こりうることである。たとえば，HBELが小さい場合（ハザードレベルが高い物質の場合がそうである），共通面積が極端に大きい場合（バイオ関係がそうである），バッチサイズが小さい場合（治験薬などがそうである）である。

このような場合においても，今後は合理的な方法で対処していく必要がある。その方法の一つとして，プロダクト特定HBELを用いる方法がある（本書5.14項および9.5項参照）。HBELの前提の箇所で触れたように，その算定の前提はコンサバティブ側のものであり，現実の現場の状況とは大きく異なることがある。そのために，前提となる条件を現場の状況を踏まえて検討しなおすことができる（本書9.5項参照）。

6.6 洗浄評価で用いられる用語

洗浄バリデーションの際に用いる用語がガイドラインなどによって異なっているのが現状である。洗浄評価に関しては長い歴史があり，さまざまな報文，ガイドラインが発表されている。それらの中で独自で使っている用語もあり，その状況が混乱の要因の一つになっていると思える。

表6-1は，現状での各種報文，ガイドラインでの用語をまとめたものである（スワブサンプリングを対象としている）。

表6-1　持ち越し計算に使われる用語一覧（スワブサンプリングの場合）

	次製品中への持ち越し割合	次製品への持ち越し総量	共通部分の単位面積当たりの残滓量（共用面積SSAに均一に分布するとして）	スワブ測定値	
HBELにもとづく計算式	L1＝ADE/MDD	L2＝L1 × SB	L3＝L2/SSA	L4＝L3 × TA	文献
LeBlanc（1998）	Limit in subsequent product L1	—	Limit per surface area L2	Limit in the analyzed sample L3 Residue limit L3	103）
LeBlanc（2008）	Concentration in subsequent product L1	MAC L2 Maximum Allowable Carryover	Amount per surface area L3	Amount per analytical sample L4	2）
LeBlanc & Rivera（2014）	Concentration in next product L1	MAC L2 Maximum Allowable Carryover	Amount per surface area L3	Amount per swab L4	104）
Risk-MaPP初版（2010）	—	STV Safe Threshold Value 安全閾値	—	スワブSTV	
Risk-MaPP改訂版（2017）	—	—	—	スワブ残滓レベルSRL	
ISPE洗浄ガイド（2020）	—	Safe MACO	—	Swab Safety Limit	
Walsh（2011 Part 1）	—	MAC Maximum Allowable Carryover	Surface residue	Residue on swab	1）
Walsh（2011 Part 2）		MSC Maximum Safe Carryover	Surface residue	Residue on swab	22）
Crevoisier et al（2016）	—	MSC Maximum Safe Carryover	MSSR Maximum Safe Surface Residue	—	8）
ASTM洗浄ガイドE3106（2018）	—	MSC（定義あり）	MSSR（定義なし）	—	
APIC洗浄ガイド（2021）	—	MACO Maximum Allowable Carryover	Target Value	—	
PDA TR-29（2012）	ARL Acceptable residue level in the next drug product	MAC Maximum Allowable Carryover	SAL Surface Area Limit	Limit per swab	
Forsyth（2004）	—	—	—	ARL Allowable Residue Limit	23）
代表的な単位	—	mg	mg/m²	mg/スワブ	

注：
MDD：最大一日用量，SB：最小バッチサイズ，SSA：共用面積，TA：検査面積，RF：回収率（RFは100%として省略）

洗浄持ち越し量の計算は，4段階に分けて行うのが通例である。すなわち，持ち越し割合，次製品への持ち越し総量，それを共用面積で除した単位面積あたりの持ち越し量，そしてスワブでのサンプリング量という具合である。表6-1の上部には，HBELを用いる場合の各段階における計算式を表示している（LeBlancの表記L1～L4を利用している）。また，表下部には代表的な単位の例を示している。なお，表中で用いている記号はすべてRisk-MaPP改訂版にて使われているものである。

今後，本格的にHBELが使われていく中での洗浄評価に関する用語として，次のことが望まれると考えている。

・HBELにもとづくものであることが明確であること
・Risk-MaPP改訂版の考えを入れて，リミットなどを示唆する用語ではないこと
・VRLとの対応がしやすいこと
・世界的に調和が取られていること

そういう視点から個人的な意見を述べれば，Risk-MaPP改訂版では，
・次製品への持ち越し総量に関する用語（初版でのSTVに該当する用語）があると便利である
・単位面積あたりの持ち越し量に関する用語があると便利である。

一方，ASTM洗浄ガイドにおいては，スワブ測定値における用語（Risk-MaPP改訂版におけるSRLに該当する）があると便利である。

前記の望ましい形の用語はすぐには実現しないので，当面の次善策として，使用する際に単位を併記することが望ましいと考える。たとえば，Risk-MaPP改訂版でのスワブ測定値を表す用語は，SRL（単位：mg/スワブ）である。しかし，そのままでは，VRLとは比較できない。本来の意図をもちつつ，VRLと比較する際には，SRL（単位：mg/cm^2）という具合に単位を含めて表示すると，利用しやすくまた了解されやすいと考える。

なお，ISPE洗浄ガイドではSwab Safety Limitという表記を用いている。「Safety」は，HBELにもとづくものであるということを表している（本書2.8.5項参照）。

留意したいことがある。EMA関連文書およびPIC/S関連文書では，「HBEL」という用語を，HBEL（PDE）それ自体を表す場合，およびPDEにもとづいて得られる洗浄閾値を表す場合の両方において，区別せずに使っている。これは，HBELにもとづく洗浄閾値に該当する特定の用語が用意されていないためである。このため，文脈に応じて，使い分けて読む必要がある。なお，査察官用ガイドでは，HBEL（μg/day）という具合に単位を添えて表記して，区別していることがある。

7 目視検査について

7.1 今後の洗浄バリデーションにおける目視検査の位置づけ

今後の洗浄バリデーションにおける洗浄の合否判定の基準は，HBELにもとづく洗浄閾値と目視検査の2つとなる。目視検査は従来では脇役的な位置づけであったが，今後は重要な役割を果たすことになる。

目視検査および目視検出限界（VRL）は，次のような位置づけで使われることになる。

- ・VRLは，合否判定における一つの要素である
- ・VRLは，必要とされる洗浄の最低レベルを与える指標である
- ・VRLは，洗浄目標を設定するときの出発点である
- ・VRLは，製造開始の可否を決定する要件である
- ・目視検査は，ルーチンモニタリングツールである

以下，順に説明する。

7.1.1 合否判定における要素として

今後の洗浄バリデーションにおいても，洗浄後に「目で見てきれい」ということが必要とされる。このこと自体は，従来と変わりがないものの，目視検査の位置づけは大きく変わったといえる。

従来は，10ppm基準による洗浄限度値が一番厳しくなることが多く，目視検査はどちらかというと脇役的な存在であった。

今後は，その10ppm基準が合否の基準ではなくなり，代わりに目視検査が「できるだけきれいに洗浄する」,「目で見てきれい」ということを実現するうえで重要な役割を果たす立場になる。

今後の洗浄評価においては，HBELにもとづく洗浄閾値（代表的には，スワブ残渣レベル（SRL））とVRLの両方を勘案する必要がある。実際のデータと，SRLまたはVRLとの位置関係により洗浄の合否が判定されることになる（図7-1）。

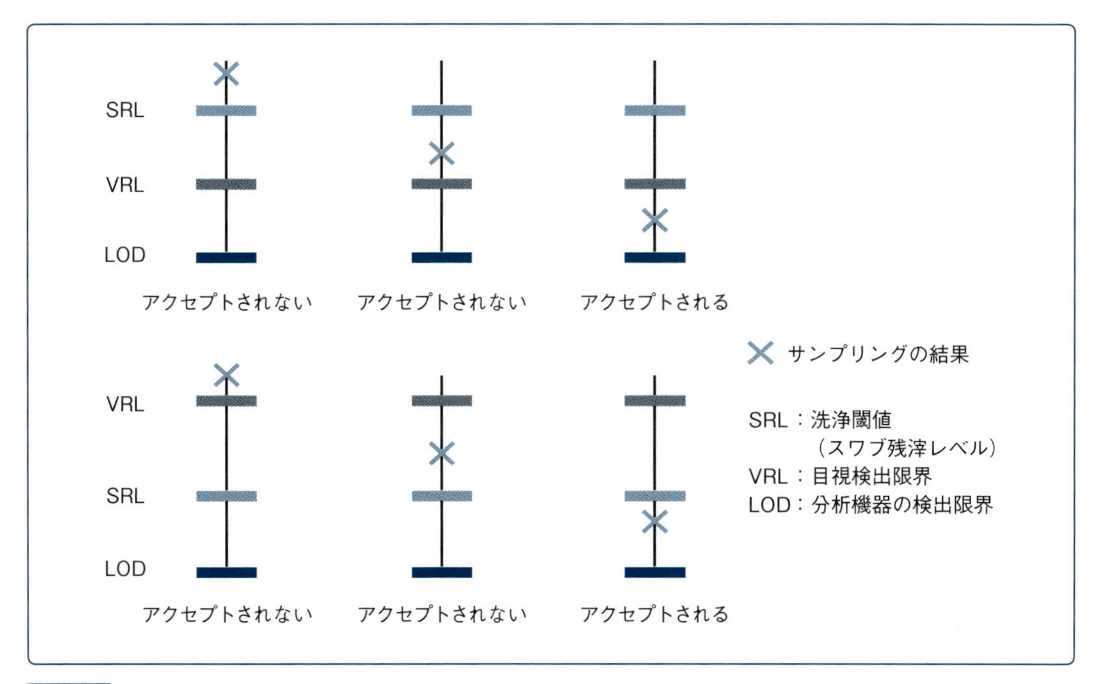

図7-1　洗浄評価におけるサンプリング結果とSRL／VRLとの関係
（筆者がAffygility社のWebseminarの資料を参考に作成）

①洗浄対象物質の活性（ハザードレベル）が低くて，SRLが大きくなり，VRLのほうが低いところに位置する場合（SRL＞VRL）
実際のデータがVRLよりも低いところにくることが洗浄合格の条件となる。このような例は，ハザードレベルが比較的に低い既存上市製品などで多く発生する。

②洗浄対象物質の活性（ハザードレベル）が高く，SRLが小さくなり，VRLよりも低くなる場合（SRL＜VRL）
実際のデータがSRLよりも低いところにくることが洗浄合格の条件となる。この場合には，当然のことながら，VRLは補完的な位置づけとなり，スワブサンプリングを優先して判定することになる。このような例は，ハザードレベルが高い高薬理活性物質の場合に多く発生する。

7.1.2　洗浄の最低レベルを与える指標として

ハザードレベルが低い場合には，HBELにもとづく洗浄閾値（SRL）は一般的に高いところにくる。SRLが高いということは，洗浄を緩くしてもよいというわけであるが，一方，従来から「できるだけきれいに洗浄する」，「目で見てきれい」ということがいわれている。

その「できるだけきれい」とするレベルをどのように設定すればよいのかということが問題となる。現実的には，VRLが洗浄として必要とされる最低レベルとなる。その意味で，VRLが一種の歯止めの役割をはたすとともに，最低レベルのガイド役になる。

このことは，Risk-MaPP改訂版でも次のように触れられている（6.3.2.3項）。

> 「すべてのケースにおいて，「目視で清浄である」ということが，期待される最低線である。機器表面上には，目で見える形でのいかなる残渣もあってはならない」（文責筆者）。

7.1.3 洗浄目標を設定するときの出発点として

実際に洗浄作業を行う際には，洗浄パラメータを決める必要がある。洗浄作業には各種の変動要因がありリスクが伴う。うまく洗えるかどうかについて不確定な部分がある。このために，必要とされるレベルに対して余裕をもって，すなわち安全側となるように，洗浄条件を設定することになる。

HBELにもとづく洗浄閾値が高いところにくるような場合（SRL＞VRL），VRLは洗浄の最低レベルを与える。実際の洗浄目標は，そのVRLからさらに離れたところにくるように洗浄パラメータを設定することになる。その意味で，VRLは洗浄パラメータを設定するうえでの出発点といえる。実際の洗浄残渣レベルがHBELにもとづく洗浄閾値よりも離れたところ，さらにVRLから離れたところにくるようにすれば，Risk-MaPP改訂版でいう安全マージンが大きなものとなり，患者の安全性が増すことは確かである。

ISPE洗浄ガイドでは，「VRLがHBELにもとづく洗浄閾値よりも著しく低い（たとえば，20％以下）場合には，「目で見てきれい」のレベルまで洗浄された機器表面は，次製品に与えるリスクが低いと考えられる」としている（同ガイド6.3.2項）。

実際的には，洗浄結果がそのVRL以下となるように，洗浄パラメータを決定することになる。このため，洗浄パラメータの検討に先立って，現場でのVRLのレベルを科学的に把握しておく必要があるわけである。

VRLとして，従来から$4\mu g/cm^2$という数字がデフォルト的に扱われている場合がある。しかしながら，この数値の由来元であるFourman & Mullenの報文を見ても，どのような条件のもとで得られた数値なのかについては一切の詳細が不明なのである。科学的な根拠を明確にするうえで，今後においては，VRLを自社ベースで決めておく必要がある。

7.1.4 製造開始の可否を決定する条件として

医薬品を製造する機器については，製造を開始する直前に「目視で清浄（visually clean）」であることが要求されている。この要求は，今までもそして今後も変わらない。「目視で清浄」が品質を確保することの出発点であり，前提であり続けることに変わりがない。

EU-GMP Vol.4では，Chapter 5の5.35項において，さらにはChapter 4の4.18 c)項において，使用する前に清浄であることが要求されている。

一方，cGMPでは，21CFR 211.67(b)(6)において，その旨が記載されている。この要求は，決して最近のものではなく，1963年のFDA GMP（133.4）にも，「機器は清浄な状態で維持されていなければならない」と規定されている。

7.1.5　ルーチンモニタリングツールとして

専用設備やキャンペーン生産でのロット間洗浄後の検査では，十分な検証を実施することが前提となっているものの，目視検査だけとすることは認められている。たとえばFDAでは，Validation of Cleaning Process（7/93）の「4項 Evaluation of Validation」に規定されている。

ICH Q7 Q&Aでは，Q5.1項（専用装置）およびQ5.5項（品目切り替え）において，目視検査について触れている（2015年）。両項において，目視による清浄性確認については含みがある（和文は厚労省通達から）。

まず，専用装置の場合である（下線強調筆者）。

Q 5.1専用装置では，清掃効果の確認に「目視による清浄確認」（即ち，特定の分析定量を求ないこと）は許容されるか。

A 5.1目視検査の検出能や清掃評価から得られた十分な補足データ（たとえば，清掃効果を示す分析定量結果）に基づき，専用装置に対して「目視による清浄確認」が許容されることはある。原薬の品質を低下させないよう，汚染物質（たとえば，分解物，一定レベルの微生物）の生成及びキャリーオーバーを防止するため，当該装置を適切な間隔（たとえば，時間やロット数を単位に）で清掃すること。

次は，品目切り替えをする場合である（下線強調筆者）。

Q 5.5品目切り替えでは，目視検査と分析試験の両方が，装置が清浄であることの確認に必要か。

A 5.5適切な洗浄のバリデーションにより洗浄プロセスの効果が確認される。洗浄のバリデーションにおいては，目視検査と分析試験の両方を洗浄の有効性確認に用いること。ひとたび洗浄プロセスがバリデーションを行われれば，品目切り替え時の装置の清浄性の日常モニタリングには目視検査を含むこととなるが，バリデーション済みの洗浄プロセスの恒常的な効果を確認するために分析試験を行う頻度は，原薬の製造業者がリスクに基づく手法により決める。洗浄プロセスにまだバリデーションを行っていない状況においては，目視検査と分析試験の両方が求められる。

HBELという科学的な根拠をもつ数値を利用し，合わせてVRLも科学的に設定されるという条件が整備されれば，多目的製造設備であっても，目視検査を定量的な試験に代えるということが実施しやすくなるかもしれない（前提条件はあるにせよ）。

7.2 規制における目視検査の位置づけ

現状のEU-GMPおよびPIC/S-GMP Annex 15では，目視検査について次のように規定している（10.2項）（文責筆者）。

- *清浄性を確認するための目視検査は，洗浄バリデーションにおける許容基準の重要な一部である。*
- *一般には，目視検査だけでもって，洗浄評価基準とすることは認められない。*

スワブ検査を省略して目視検査のみとすることは，「一般には」不可となっているものの，「一般には」とする部分に含みがある。この文言は，専用設備やキャンペーン生産におけるロット間洗浄後の目視検査を念頭においているためと推察できるが，切替え洗浄時については不明である。

興味深いことに，ドラフト段階のこの部分では「一般に」という表記もなく，もっと否定的な表現となっていた。すなわち，「清浄性を確認する目視検査は，洗浄バリデーションにおける許容基準の重要な一部を構成するかもしれない。しかしながら，この評価基準だけを用いることは許容されない」となっていたのである。ドラフト段階と最終版での取り扱いに変化があることがわかる。

EMA HBELガイドラインQ&A最終版では，追加された項目No. 7および8において，目視検査に関して，規制当局としては従来よりも踏み込んだ内容で，具体的な記述がなされている。詳細な内容は，本書2.5.6項を参照してほしい。

一方，国内においては，PMDAからのGMP事例集（2013年版）において，次のような項目がある。

［問］GMP13-59洗浄バリデーションに使用する試験方法は，目視による確認でもよいか。
［答］
1. 洗浄バリデーションに使用する試験方法は，その目的を達成するに足る方法であり，試験する残留物または汚染物が限度値以下となるような場合にも適切な検出感度を持つことを検証しておく必要がある。目視確認についても，これらの点が満たされるものについては，定量的な試験に代えても差し支えない。
2. （略）

一定の条件はあるものの，目視確認は定量的な試験に代えて利用できるとしている。

7.3 実際のVRL事例

目視検査で実際にどのレベルまで見えるのかについてであるが，現時点では3つのレベルがよく知られている。

・Forsyth（メルク社）の報文：0.4～10μg/cm²

・Jenkins & Vanderwielen（旧UpJohn社，現ファイザー社）の報文：1.0μg/cm²

・Fourman & Mullen（イーライリリー社）の報文：4μg/cm²

Fourman & Mullenの報文では，上記の数値を得た実験の条件などについて一切の説明がない[3)]。Jenkins & Vanderwielenの報文では，照明を使うということの記載があるものの，照明条件およびそのほかの詳細については記述がない[105)]。

最も広範に各種試験を実施してきているのはForsythであり，メルク社の製剤，原薬，そのほかの副成分について，VRL値を求めている[23, 24, 106～109)]。そして，目視検査を実施する場合の条件（たとえば，サンプルクーポンまでの距離，目視角度，照明の明るさなど）を模索し，さらに，検査データの堅牢性（判定のための人数，比較クーポンのセッティング方法，世界各国の運転員による判定の差など）についても細かに検証している。

また，最近ではWalshらが1～10μg/cm²の範囲になるのではないかと報じている[110)]。

これらの値は，あくまでも一例であることに留意が必要である。それぞれの企業・団体での実験結果であり，世界中どの現場でもこのようなレベルで検出できるというわけではない。

目視で判別できる限界は，対象化合物，機器の材質，表面粗さ，視認する距離，角度，現場での照明条件などによって数値が大きく変わることがある[24, 111)]。さらに，検査員の構成，検査員の視力，日頃の訓練でも変動する。このため，ガイドラインなどで一律に決めるというわけにはいかない。VRLは，現場に特定の数値となることに留意がいる。

伝統的な洗浄評価基準が使われていた状況では，10ppm基準による持ち越し限度がVRLよりも低い値を示すことが多くあり，VRLは脇役的な位置づけであった。このためもあり，VRLとして，社内での試験を経ずして，デフォルト的な扱いとして4μg/cm²をそのまま利用していたことはありうる。

しかしながら，今後の洗浄バリデーションにおいては，10ppm基準は使われなくなる。このため，企業内で具体的にVRLについての実験を行って，現場に特定な数値として設定していくことが必要とならざるをえない。というのも，自社工場でのVRLがどのくらいなのか，そのVRLがHBELにもとづく洗浄閾値との関係において，どのあたりに位置するのかを把握しておくことが，洗浄作業を立案するうえで必要となるからである。

7.4 目視検査に関する科学的アプローチの例

目視検査に関する科学的な取り組みの事例を紹介する。

7.4.1 統計的手法によるVRLの設定

現在のスパイクテストによるVRLを設定する方法は，ラボで検査員が見える・見えないについての判別を行うものである。すべての検査員が見えるレベルをもってVRLとしている。

これに対して，Ovaisは，従来のVRL設定方法は統計的に立証されていないので，科学的ではないとしている[29)]。そして，YES/NO（1または0）という2つの値を用いる場合に適するロジスティック回帰分析（logistic regression analysis）を用いて，VRLを推定する方法を提唱している。

その報文では，スパイクテストを模擬した具体的なデータセットを用いて，ロジスティック回帰分析の手法，留意点などについて，丁寧に順を追って説明している。

模擬したデータにもとづく結果として，従来の方法で設定したVRLは1.80 μg/cm^{2}であるが，統計的な処理をすると2.921 μg/cm^{2}となるとしている。そして，ロジスティック回帰分析の手法は，現状の方法より大きい数値のVRLを与えるだろうとしている。

ASTM目視検査ガイドE3263では，統計的な手法によりVRLを設定する方法について紹介している（同ガイドは，上記のOvaisの報文がもとになっていると思える）。その中で具体的な適用例として，Forsythの報文にある実験データにもとづいて，統計的な手法によるVRLを実際に求めている（同ガイドAppendix X4参照）。

計算の対象は，Forsythの報文にあるCarnauba Waxという補助剤についてであり，照明の条件が600Lxの場合である（なお，Forsythの報文の数値は，4人の目視検査担当者によるものである）[21)]。

統計的な手法による計算結果によれば，VRL(90％検出確率で95％信頼性下限) = 3.18 μg/cm^{2}という結果になっている。一方，もともとのForsythの報文では，VRL=5.15 μg/cm^{2}とされている[21)]。統計的な手法による数値のほうが小さい数値となっていることの理由については触れていない。

7.4.2 現場情報の把握

Baderらは，ラボの結果をどのように現場に適用するかについて論じている[112)]。

報文の趣旨は，ラボで決められたVRLを製造現場へ「翻訳」するうえで，明確な方法論を示している事例が少ないという認識によるものである。

まず，現場で目視検査する際の環境条件をきちんと把握する必要があることを指摘し，そのポイントがまとめられている。

①現場での照明条件

・現場の室内照明の状況（照度，照明光源の種類など）について，光度計などを利用して把握する。

・プロセス機器内での照明条件を把握する。

・分解手洗浄エリアの照明条件を把握する。

②接触面を観察する際の距離および角度

・これは個々の機器における利用可能な観察部位（たとえばマンホール）がどこにあるかに依存する。容器の形状，寸法によっても変わりうる。

・具体的な道具としては，レーザー距離計や傾斜計を用いる。機器図面からも決定しうる。

③プロセス機器内部の状況

・機器表面における既存の傷，マーキング，しみの有無について確認する。

・目視する際の障害物について確認する。

④目視検査時に持ち込む手持ち照明器具の選定

・手持ち照明については，3つの特性（色温度／色レンダリング指標／光束）を勘案して選定する必要がある。

・調整可能なスポットサイズをもつフラッシュライトも現場で役にたつ。

さらに，同報文では，ラボでVRLを設定するときに留意する事項についても，広範囲にわたってまとめている。Forsythらの報文では触れられていない事項も詳細に記されているので，参考になる。

①テストクーポンの準備

・テストクーポン上のありうる残滓を完全に除去する。

このための洗浄方法としては，ガラス製容器の洗浄方法USP<1051>をあげている。清浄性の確認は，ASTMのwater break free testによるとしている。

・テストクーポンは，表面の傷，脱色部，酸化などについて厳密に検査する。

②プロセスソイルの準備

・希釈液の選定を行う。

・濃度レンジの設定を行う。

③検査員の適格性と訓練

・検査員の視力検査を行う。

・検査員に対し，目視検査の重要性について教育する。

・汚れた容器を直接に見る機会を設ける。

・懸念する場所や不具合に関する情報を提供する。

④クーポンの配置

・バックグラウンドとする材料の上に，テストクーポンを配置する。

・バイアスを防止するためにクーポン配置について工夫する（ランダム配置など）。

⑤そのほか

・検査員が着用するPPE（更衣）の影響を確認する。

・見える・見えないという確認は口頭ベースで行う（紙へ記入する方法だと，記憶による判定結果の調整が行われる可能性があるため）。

・現場を模擬した人為的な制約を設置して実験を行う。

・フラッシュライトを利用する。

7.4.3　PAT技術の利用

目視検査では検査員の「眼」によることとなっている。このため，複数検査員間の差，検査員の体調，日頃の訓練，そして現場の照明条件などによって，その判定が変動するという蓋然性があり，目視検査の脆弱性の一つとされる。それを補うために視覚センサーなどの新しい技術を取り込み，継続的なベリフィケーションに用いようとする研究が進められている。

たとえば，近赤外線ケミカルイメージング（NIR-CI）という手法であり，洗浄バリデーションに用いる場合の有用性に関する報文ならびに，実際に堅牢性について検証した報文が出ている[113,114]。

さらには，デジタルイメージプロセッシング技術を使う場合の堅牢性に関する報文が出ている[115]。

7.4.4　サンプルクーポンの作成方法

LeBlancやForsythらの報文で例示されているスパイクテストは，サンプルクーポン（たとえばステンレス鋼の板）に，あらかじめ濃度設定した化合物溶解液を滴下するものである。滴下してクーポン表面上に広がり，乾燥が均一に行われれば，ほぼ円形状の膜ができる。その周囲には「きれいな」ステンレス鋼の板が併存しており，比較する対象がすぐそばにあるため，膜の存在を判別しやすいことになる。

現実の装置内にあって洗浄リンス後の様相は，こういう見やすい状況ではないことがある。これは装置内でのプロセス流体（たとえば反応液，混合粉体）の接触の様相が，容器形状，姿勢，寸法，容積などによって異なるからである。

このような状況を勘案して，Walshらの報文では，クーポン作成時にその全面にわたってスプレーコーティングする方法をとっている（スプレーコーティングの条件などは不明ではあるが）[110]。

7.4.5　目視検査における適格性確認試験の提案

Walshらは，目視検査における適格性確認試験の方法について，興味深い提案をしている[116]。その趣旨は，ハザードレベルが低い物質の場合には，目視検査を唯一の基準として用いることができるのではないかというものである。そのための確認試験のあり方を統計的な手法を含めて，具体的に提案している。同報文の中で，「適格性確認試験は，容易なプログラムで実施でき，文書化および管理も容易で，規制側にも受け入れられるものでなければならない」としている。試験方法自体はスパイクテストであるが，統計的な手法を用いた試験結果の属性解析も行われており，興味深いものである。この提案はASTM目視検査ガイド E3263 につながっている（本書2.11項参照）。

7.5 目視検査を唯一の基準とするための模索

現在の規制の中で，目視検査を唯一の基準とすることが認められているのは，次の場合である。

- 使用する直前の検査として用いる場合
- 専用設備やキャンペーン生産でのロット間洗浄後のルーチンモニタリングツールとして用いる場合

ここでは，分析によらずに目視検査だけで合否を判定できるのではないか，すなわち，目視検査を唯一の基準として使えるのではないかという議論に関して記す。

このために，HBELを用いる場合の洗浄閾値の一つであるMSSRとVRLとを用いて議論を進める（単位が同じなので，比較しやすい）。MSSRは，Crevoisierらの報文によるもので，HBELを用いて計算される持ち越し総量を共通部分の面積で除した，単位面積あたりの残滓量（単位はmg/m^2）である（本書表6-1参照）[8]。

ハザードレベルが低い化合物にあっては，HBELにもとづく洗浄閾値（具体的にはMSSR）の値は，VRLに比して十分高いところにくる。たとえば，後述のシミュレーション事例を参照すると，OEB＝3の化合物では，MSSRとVRLの比（MSSR/VRL）は数十倍～数百倍となる。

このようにMSSRが高いところに位置し，VRLが十分低いところにくる場合には，スワブなどの分析を必要とするのかという疑問が生じる。VRLの設定が科学的に行われていることを前提として，VRLを唯一の基準として扱ってもよいのではないかということになる（もちろん，企業の方針として，そのような場合でもスワブなどの分析を実施するということはありうる）。

もし，目視検査だけで済むのであれば，サンプリングおよび分析に要する時間および費用も軽減でき，機器のリリースも早くなる。

最近の洗浄に関連するガイドラインでは，このことについてより積極的な提案をしている。

たとえば，Risk-MaPP改訂版では，「目視検出の閾値を科学的に求め，さらにHBELにもとづく洗浄閾値との間で十分な安全マージンがある場合には，目視だけでもよいかもしれない」（6.3.2.1項），さらに，「堅牢性が確認できるのであれば，目視検査を唯一の基準として用いることも認められうる」（6.3.2.3項）としている。ただし，十分な安全マージンというのがどの程度なのかについては，示唆していない。

また，ASTM洗浄ガイドE-3106では，「目視検査のみをバリデーションのために用いることは，許容されるかもしれない。ただし，それはリスクが低く，機器表面の100％が適切な目視観察条件のもとで検査できるという場合のみである」としている（6.6.18.3項）。

Walshらは，「HBEL（ADE/PDE）の出現とともに，機器表面上の残滓の安全なレベルは今や科学的に決定しうる。そして，多くのハザードの低い化合物（その場合の洗浄閾値はそのVRLよりも十分高いところにある）の場合には，目視検査をバリデーションにおける唯一の基準として考えられるかもしれない」と述べている[110]。

一方，規制側からも，このような提案に反応してか，目視検査に関して前向きと思える方針（EMA HBELガイドラインQ&A最終版No.7およびNo.8）が打ち出されている（本書2.5.6項③参照）。

Walshらは，これらの流れを受けて，交叉汚染リスクが低い多品目製造設備において，目視検査を唯一の基準として利用することについての規制側の動向，ケーススタディ，そして目視検査適格性試験について論じている[116]。その中で，前述のQ&A最終版No.7およびNo.8を踏まえ，「これらのQ&Aを見ると，規制側の指針が十分な形で示されたこととなり，産業界はコントロールストラテジーとしての目視検査を実現するうえで，許容されるアプローチを決定することができる」としている。そのうえで，科学的なアプローチによるケーススタディを行い，そのステップを詳細に記している。その結論として，HBELにもとづく洗浄閾値（より具体的には，MSSR）から下方に100倍以上離れたところにVRLが位置するような場合には，目視検査を唯一の基準として使えるのではないかと提案している。

Walshらは同様の趣旨を別の報文でも述べている[117]。Walshらの提案は，ハザードレベルが相対的に低い場合を念頭に置いている。実際に，どの位のハザードレベルだとあてはまるのかについては，後述のシミュレーションの項で説明する（本書8.5項参照）。

Neverovitch（ブリストル・マイヤーズスクイブ社）は，同様の趣旨をRisk-MaPP改訂版に先立って，某セミナーにて提唱している[118]。

ところで，目視検査をこのような位置づけで使おうとするのはどこに由来するのだろうか。経緯を簡単に記しておく。

その考えの原点には，目視検査ではかなりのレベルまで判別できるという意見が以前からあるためである。たとえば，Mendenhallは1989年の報文において，「・・・代替えとして，非常に実際的なアプローチを採用できる。それは目視できれい（visual cleanliness）である。目視検査は，あまりにも簡単であるように聞こえるし定量的でないかもしれないが，われわれの経験では，定量的な計算は，ほとんどの場合において，目視検査ですぐにわかるレベルとなる。すなわち，目視できれいという基準は，より堅牢であり，明確に適切であるといえる」としている[119]（文責筆者）。

目視検査を唯一の基準にできるのではないかと最初に提唱したのは，LeBlancの2002年の報文であると思える[120]。同報文では，次のように提唱している。

・活性レベルの高い化合物の場合には，目視検査だけとすることは考えにくい
・多くの活性レベルの低い化合物の場合，「目視できれい」とする基準が0.1%投与量基準および10ppm基準よりも低い場合に限り，目視を唯一の基準とすることはありうる。

このLeBlancの報文に続いて，Forsythは，その2004年の報文で「VRLが定量的に確立できて，ARL（筆者注：HBELにもとづく洗浄閾値を指す）よりも低いことが示されるようであれば，VRLを洗浄バリデーションに用いることは合理的なのではないか」と述べている[23]。さらにForsythは，2007年の報文で，HBELを用いた数値シミュレーションと実際のサンプリングデータを比較して，「パイロットプラントでは目視検査が唯一の交叉汚染防止の限度値として利用できる」ことを提唱している[106]。

目視検査を唯一の基準とすることについては，規制当局側も業界側も，従来と比べて格段に前向きな方向であるが，そのために準備しなければならないこともある。次に述べる，標準的なガイドラインの整備である。

7.6 目視検査の課題

目視検査の今後を考えるうえでの課題について，私見を紹介する。

7.6.1 目視検査のガイドラインについて

目視検査の重要性が今後高まることが予想される。

これに応えるものとして，2つのガイドラインが刊行されている。第1の例はISPE洗浄ガイドであり，VRLを設定する方法をForsythの報文をもとに説明している。統計的な手法についての記述はない（本書2.8.8項参照）。第2の例は，ASTM目視検査ガイドE3263であり，統計的な手法でVRLを設定する方法を，Ovaisの報文をもとに説明している。しかしながら，同ガイドでは，在来の方法についてはほとんど触れていない（本書2.11項参照）。結局のところ，両方を統合して説明するガイドラインはないのが実状である。

2つのガイドラインでも微妙に異なる点がある。たとえば，観察者の人数である。ISPE洗浄ガイドでは，Forsythの報文をもとに，最小4人となっている（同ガイド9.7.1項）。ASTM目視検査ガイドE3263では，「担当者の数は，リスクアセスメント

の中で検討されるべきである」としている（同ガイド7.3.7.1項）。

この観察者の人数については，従来からさまざまな意見がある。LeBlancの報文では3人，Baderの報文では最小4人である。Ovaisは，YES／NOという判定をする場合には，観察者が多いほどよい結果が得られるとしている。Walshらは，ASTM 目視検査ガイドE3263を紹介している報文で，小人数（たとえば，4人）のグループによるVRLの決定では，統計的に正当性がないだろうとしている[30]。では，実際に何人とすればよいのだろうか。現実の現場を考えると，目視検査担当者の数は限定されていることが多いと思われる。このあたりをどうするのかについては，今後議論が必要と思われる。

このほかにも，解決すべき点がある。たとえば，サンプルクーポン作成の方法についても，前述のようにバリエーションが出てきている。さらには，判定する方法についてである。従来からのスパイクテストは，滴下した部分を目視で見えるかどうかを判定する方式となっている。一方，Walshらは，全面がスプレーコーティングされている標準クーポンをあらかじめ作成しておいて，それとの見え方を比べるマッチングという方法を採用している。

上記のように，目視検査の実務的な点に関しては，依然として，差異がある状況である。

現在の目視検査を巡る状況は，ちょうど薬塵測定に関する世界標準のSMEPACガイドラインが発刊される以前と同様な状況であるように思える。

封じ込めを必要とする現場では，封じ込め機器の性能を確認するために薬塵測定が実施される。その場合には，ISPEから発刊されているSMEPACガイドラインが標準的に使われている。このガイドラインが発刊される以前では，封じ込め性能の試験方法は機器メーカによってさまざまであり，世界的に統一されたものがない状態であった。SMEPACガイドラインが国際標準的な方法として用意されてはじめて，封じ込め性能を相互に比較することができるようになった経緯がある。

これと同様に，目視検査の方法についても，実務的なところをカバーする世界標準的な試験ガイドラインの整備が今後望まれるところである。

7.6.2　VRLの有効数字

今後の洗浄バリデーションでは，HBELにもとづく洗浄閾値とVRLが重要な基準となる。

HBELの有効数字はせいぜい1～2桁とされている。このため，HBELにもとづいて算出される洗浄閾値も有効数字は1～2桁となる（計算時には，表面積，バッチサイズ，臨床用量，回収率などは，細かい数字が並ぶであろうが）。このような時に，VRLの数値はどのように考えたらよいのだろうか。というのも，たとえば7.4.1項で述べた例では2つの手法による数値が例示されている。1つは在来の手法により得られたVRL（5.15 $\mu g/cm^2$）であり，他の1つは統計的な手法で得られたVRL（3.18 $\mu g/cm^2$）である。

在来の手法によるスパイクテストでは，一定濃度の溶液を作成し，それを順次希釈していくので，濃度の計算値は小数点以下で得られることになる。一方，統計的な手法でもそのデータを用いているので同様である。

しかしながら，目視検査は生身の人間の視力によるものであり，担当者のその時々の体調により微妙に変動する可能性もある。現場で観察する際の照明条件，状況にも依存する。また，適宜な訓練を受けているかどうかにもよる（訓練は定期的に行われるとしても）。このために，VRLは振れ幅が比較的に大きい数値であるといえる。

さらに，ハザードレベルが相対的に低い場合には，SRLはVRLに比べてずっと高いところに位置し，大きい数値となる（後述のシミュレーションから，SRLとVRLとの比が100倍以上離れていることがありうる）。

それらを勘案すれば，たとえば，3.18および5.15という数値の小数点以下のところは，実用的にはあまり意味をなさない。統計的な手法で求めること自体は科学的で，有用なことではあるものの，現場の実際を考えて，数字を設定することが最善であると思える。たとえば，3 $\mu g/cm^2$，5 $\mu g/cm^2$という具合である（従来からのVRLの代表的な数値も同様な桁数である）。この場合，有効数字を1桁とするか，2桁とするかは，企業による判断となる。

7.6.3 目視検査の訓練について

VRLの値は，訓練次第，測定環境次第というところがある。とりわけ，検査員の教育，訓練が堅牢性維持のためにも必要であることは，Forsythらの報文でも指摘されていることである[109]。Forsythの堅牢性に関する一連の報文は，訓練の体制を構築するうえで参考になる[121~124]。また，国内での実務的な訓練方法についての報告があるので，参照してほしい[125]。

8 HBELを用いた洗浄評価シミュレーション事例

具体的な数値を使ったシミュレーション事例を複数紹介する。

このシミュレーションの結果を分析することにより，従来の伝統的な洗浄評価基準のもつ問題点も把握できる。さらには，EMA HBELガイドラインQ&AおよびRisk-MaPP改訂版が意図しているところを理解することが容易になると思われる。

紹介する事例においては，HBELの数値について，ハザードレベルが低い場合から高い場合まで複数のレベルの数値を用いている。このため，伝統的な洗浄評価基準との違いに加えて，今後の洗浄実務における実際の様相もわかる。さらに，VRLについても，複数のレベルの数値を用いて比較している。このため，HBELを用いる洗浄閾値と目視検査との関係性についても，さらには目視検査が洗浄の最低線であるということも容易に理解できる。

また，ハザードレベルが低い場合に，洗浄目標としての伝統的な基準値が，HBELにもとづく洗浄閾値から下方へどのくらい離れているかを示す。これにより，安全マージンの大きさについての傾向がわかる。さらに，VRLがHBELにもとづく洗浄閾値からどの程度離れているかを示す。ハザードレベルの大小によって，目視検査を唯一の基準とすることができるかどうかの検討にも役立つ。

8.1 国内報文のデータによる事例

複数の製品（一般物質と高薬理活性物質）を製造する多目的設備での洗浄評価事例を紹介する。この事例では，0.1％投与量基準，10ppm基準，およびHBELを用いる基準（この場合をADE基準ということがある），ならびにVRLとして公開されている3つのレベルで比較している（**表8-1**）[12, 126]。

表8-1の左半分にある製造品目の臨床用量，HBEL，バッチサイズ，共有面積などの諸データ，およびスワブ残滓計算結果（スワブ面積：100cm^2）は，文献127）に示されているものである。原薬Xは遺伝毒性物質であり，そのADEを1.5μg/日と設定している。原薬Xは，いわゆるOEB＝6に相当する高い活性レベルのものである。原薬A，BはOEB＝3に，原薬CはOEB＝4に相当する（本書3.3項参照）。

表8-1 事例その1～ 前提条件と計算結果

前製品	エンドポイント	ADE (μg/日)	LDD (mg/日)	次製品	MDD (mg/日)	BS (kg)	共有面積 (m^2)	スワブ残渣 μg for 100cm^2			VRL for 100cm^2		
								ADE基準	0.1%投与量基準	10ppm基準	Forsyth	Jenkins & Vanderwielen	Fourman & Mullen
											40μg	100μg	400μg
原薬A	主薬効にもとづく作用	1000	400	製品B	60	100	57.9	290,000	120,000	170	○	○	
		1000	400	製品X	600	30	57.9	8,600	3,500	52	○		
中間体Ib		100	—	製品X	600	30	28.9	1,700	—	100	○	○	
原薬B	主薬効にもとづく作用	500	30	製品A	800	60	57.9	6,500	390	100	○	○	
		500	30	製品X	600	30	60.1	4,200	250	50	○		
原薬C	主薬効にもとづく作用	30	1.5	製品X	600	30	1.5	10,000	500	2,000	○	○	○
中間体Ix'		100	—	製品B	60	100	31.1	54,000	—	320	○	○	
原薬X	遺伝毒性	1.5	400	製品A	800	60	57.9	19	5,200	100			
		1.5	400	製品B	60	100	50.1	500	130,000	200	○	○	
		1.5	400	製品C	3	50	1.5	170,000	44,000,000	3,300	○	○	○

LDD：最小一日臨床用量，MDD：最大一日臨床用量，BS：次製品バッチサイズ
VRL：目視検出限界
○：VRL＜スワブ残渣の最小値（網掛け部）
注：表中左半分は，文献127）から引用

表8-1の右半分（VRL）は，筆者が付加したものである。VRLとして公開されている3つのレベルの数値（Forsythの0.4μg/cm^2，Jenkins & Vanderwielenの1μg/cm^2，Fourman & Mullenの4μg/cm^2）を考慮したときの判断を示している。すなわち，表8-1中の丸印は，VRLが，0.1%投与量基準，10ppm基準，ADE基準によるスワブ残渣計算値の最小値よりも小さい場合であることを表している。これは，洗浄評価の総合判定において，目視検査が最も厳しくなることを意味している。

8.1.1 ADE基準と伝統的な評価基準の比較

まず，スワブによる限度値について，ADE基準と伝統的な評価基準を比較して，伝統的な評価基準の問題点を明らかにする。

・0.1%投与量基準について見てみると，前製品のハザードレベルが相対的に低い場合（原薬A，B，C）では，伝統的な評価基準のほうがADE基準による場合よりも小さくなり，洗浄としては厳しい側となる。伝統的な基準は，過剰に保護的といわれる所以である。

逆に前製品のハザードレベルが高い場合（原薬X）には，0.1%投与量基準の値はADE基準の値よりも大きい数値になり，患者の保護という視点からは，保護が十分ではない可能性があることを示している。

・10ppm基準について見てみると，3つの評価基準の中で最小値となるケースが多いことが見てとれる（例外もある）。さらには，ADE基準による場合とは数値的な差異が大きいこともわかる（とくに，前製品のハザードレベルが低い場合）。このことは，ADE基準の立場からすれば，10ppm基準は過剰に厳しすぎるものであり，一方，原薬X→製品Aの場合などでは，患者のリスクを保護できていないということになる。
・全体を見てみると，HBELを用いる計算（ADE基準）だからといって，常に厳しい値（数値が小さい）を与えるわけではないことがわかる。

8.1.2 VRLとの比較

次に，スワブによる限度値（ADE基準，0.1%投与量基準，10ppm基準）とVRLとの比較をしてみる。VRLは本来的には社内での事前試験から設定されるものであるが，ここでは公開されているものを用いて比較する。
・もしVRLが400μg/100cm^2（=4μg/cm^2）のレベルである場合には，スワブサンプリングによる値のほうが低くなることが多い。このために，目視検査は補助的な位置づけとなる。
・もしVRLが100μg/100cm^2（=1μg/cm^2）のレベルであると，VRLのほうが低くなることが多い。最低限そのレベルまで洗浄しなければならない状態となる。
・もしVRLが40μg/100cm^2（=0.4μg/cm^2）のレベルであるとすると，VRLのほうが低くなることがほとんどである。最低限そのレベルまで洗浄しなければならない状態となる。

8.1.3 ADE基準と0.1%投与量基準の比較

さらに，本書第2章図2-2および図2-3に見られた状況を確認するために，ADE基準と0.1%投与量基準の2つだけで検討してみよう。
・前製品のハザードレベルが低い場合（原薬A，B，C）では，ADE基準＞0.1%投与量基準となる（表8-1中の太実線枠参照）。
・前製品のハザードレベルが高い場合（原薬X）では，ADE基準＜0.1%投与量基準となる（表8-1中の太鎖線枠参照）。
・例数は少ないが，傾向として，図2-2および図2-3で見られた状況と符合する。

8.2 海外報文のデータによる事例

このような具体的な数値にもとづくシミュレーション事例が紹介されることが多くなってきている。その例の一つを紹介する[8)]。

表8-2 事例その2〜前提条件

製品（API）	最大一日用量 mg	バッチサイズ kg	製造に要する 機器表面積 m^2	PDE μg/day
A	40	582	99	7
B	200	691	125	67
C	2,000	179	99	200
D	300	330	180	83
E	100	470	188	83
F	300	1,074	188	33
G	1,440	216	59	10
H	100	310	78	333
I	750	207	220	15
J	3,000	335	99	1,000
K	450	120	99	5

（文献8）より引用，文責筆者）

この例では，ハザードレベルがOEB＝3〜5である複数の製品の間で切り替えが行われるとして，HBELを用いる場合の洗浄閾値MSSRが計算されている。ここで，MSSRは，持ち越し総量を共通部分の面積で除した，単位面積あたりの残滓量（単位はmg/m^2）である。

シミュレーションにおける前提条件を**表8-2**に示す。

製品のそれぞれのハザードレベルを最初に紹介する。製品A，G，KはOEB＝5に該当するハザードレベルの高い化合物である。製品B，D，E，F，IはOEB＝4に，製品C，H，JはOEB＝3に該当する比較的にハザードレベルの低い化合物である。なお，OEBは国内で標準的に使われている数値を基準にしている（本書3.3項参照）。

文献8）では，比較は2つの場合について行われている。一つ目は，スワブ「実測データ」の上限値である$25mg/m^2$（＝$2.5\mu g/cm^2$）と比較している。この数値は，某社で2年間にわたって集められた約250個のスワブ実測値のほとんどが同数値より小さい値であったことによるものであると説明されており，実測上限値であると考えられる。実際は，その数値よりも低いところまでよく洗えているということであり，実現できている洗浄の最低レベルを意味していると考えてもよい。二つ目は，10ppm基準で計算した洗浄限度値と比較している。なお，文献8）では0.1％投与量基準との比較は行っていない。

MSSRについての計算の結果を**表8-3**に示す。

表8-3における青字下線強調部分は，MSSRがスワブ実測の上限値$25mg/m^2$よりも

表8-3　事例その2〜MSSRについての計算結果（単位：mg/m²）

	次製品										
前製品	A	B	C	D	E	F	G	H	I	J	K
A		193	6	43	175	133	18	278	9	8	19
B	9,847		61	409	1,675	1,276	170	2,663	84	76	180
C	29,394	5,528		1,222	5,000	3,809	508	7,949	251	226	539
D	12,198	2,294	75		2,075	1,581	211	3,299	104	94	224
E	12,198	2,294	75	507		1,581	211	3,299	104	94	224
F	4,850	912	30	202	825		84	1,312	41	37	89
G	1,470	276	9	61	250	190		397	13	11	27
H	48,941	9,204	301	2,035	8,325	6,341	847		418	376	897
I	2,205	415	14	92	375	286	38	596		17	40
J	146,970	27,640	904	6,111	25,000	19,043	2,542	39,744	1,255		2,694
K	735	138	5	31	125	95	13	199	6	6	

10ppm基準スワブ（mg/m²）	59	55	18	18	25	57	37	40	9	34	12

（文献8）より引用，文責筆者。青字下線強調はオリジナルのまま）

低くなる切り替えであるということを意味している。したがって，従来の洗浄よりも厳しく対応する必要があることを示している。そのような状況は，前製品のハザードレベルが高い場合（製品A，G，K）に生じている。

青字下線強調部分以外の箇所では，MSSRは逆に，従来のスワブ実測上限値よりも大きい値を示している。とくに，ハザードレベルの低い製品（製品C，H，J）の場合には，MSSRは25mg/m²よりもはるかに高い値となる（洗浄としては緩い側となる）。ハザードレベルがOEB＝4の場合（製品B，D，E，F，I）の場合には，ケースバイケースである。25mg/m²よりも高い値となることが多いものの，その程度は製品C，H，Jの場合よりも小さい。

全般的には，MSSRはスワブ実測上限値25mg/m²よりも大きい側にきているので，洗浄としては緩い側になる。この点に関して，文献8）では，MSSRが大きい側にきているからといって，洗浄を緩くすることはできないし，またするべきではないとしている（本書6.3項参照）。

次に，10ppm基準での洗浄限度値と比較してみる。前製品がOEB＝3，4である場合，MSSRは10ppm基準による洗浄限度値（表8-3下部）よりもほとんどの場合で大きい値となっている。その隔たりも大きく，10ppm基準が過剰に厳しいということを示唆している。一方，OEB＝5の場合（製品A，G，K）では，MSSRのほうが

10ppm基準よりも小さい値となることがある。従来の基準で厳しいとされていた10ppm基準でも，このようなケースでは安全な側に対処できないわけであり，状況によってはリスクが生じるということを意味している。これらの結果から，文献8）では，伝統的な10ppm基準は「過剰に保護的」であり，「安全な洗浄を担保しない」と主張している（本書1.5.3項参照）。

文献8）の中では検討されていないが，VRLとの比較をあわせて行ってみたい。VRLとして，Jenkins & VanderwielenによるVRL＝10mg/m^2（＝1μg/cm^2）と，表8-3中のMSSRを比較してみると，ハザードレベルが高いOEB＝5の場合（製品A，G，K）の数例を除いて，多くの場合でMSSR＞VRLであることがわかる。とくに，ハザードレベルが比較的に低いOEB＝3の場合（製品C，H，J）には，MSSRはVRLからかなり離れたところにある状態であるといえる。実際の洗浄においては，最低，VRLの10mg/m^{2}のレベルまで洗浄する必要があることになる。

8.3 Risk-MaPP改訂版のデータによる事例

Risk-MaPP改訂版の付属書-シナリオ4でも，洗浄シミュレーション事例が紹介されている。当然ながら，HBELにもとづいて洗浄閾値SRLを計算している。

対象としている化合物のハザードレベルは，OEB＝4〜2のものである。具体的には，OEB＝4のものは，抗高血圧剤1（Anti-hypertensive 1）および合成麻薬（Opioid）である。OEB＝3のものは，抗がん剤（Anti-cancer），抗てんかん剤（Anti-epileptic），統合失調症治療薬2（Anti-psychotic 2），抗高血圧剤2（Anti-hypertensive 2），統合失調症治療薬1（Anti-psychotic 1），統合失調症治療薬3（Anti-psychotic 3）である。OEB＝2のものは，ビタミンB_3（Vitamin B_3），その他化合物（Misc. Agent）である。

シミュレーションを行う際の各種設定の詳細は付属書を参照してほしい。同じ化合物でも，投与量，共通面積の値を違えている場合がある。

これらの製品群の間で切り替えが行われるとして，前製品および次製品の組み合わせによる洗浄閾値マトリックスが作成され，すべての組み合わせについての洗浄閾値が計算されている。そして，ワーストケースシナリオとして，それらの中の最小値である0.1μg/cm^{2}を代表値として，分析機器の検出限度（LOD）との間で合否判定の検討を行っている。

前製品と次製品の組み合わせによっては，洗浄閾値が検出限度以下となることがある。たとえば，次製品が抗高血圧剤2および統合失調症治療薬3の場合に多く生じている（ワーストケースでの0.1μg/cm^{2}もその一つの例である）。このような場合には，EU-GMPなどの規制の視点からは，専用化が必要とされることになる（洗浄閾値が検出限度以下であるため）。シナリオの中では，対処方法の一例について説明している。計算結果およびシナリオの詳細は同付属書を参照してほしい。

ここでは，付属書では触れられていないVRLとの関係について記す。OEB＝4～2までの化合物のほとんどのケースにおいて，HBELによる洗浄閾値SRLのほうがVRL（たとえばJenkins & Vanderwielenによる1 $\mu g/cm^2$）よりも大きくなっている(SRL＞VRL)。例外は，切り替えが抗高血圧剤1および合成麻薬→抗高血圧剤2のケースのみである。このため，洗浄としては，最低限，VRLのところまで達成できるようにしなければならないことになる。これは，Risk-MaPP改訂版の中で幾度も触れていることである。また，ハザードレベルが低い場合にはSRLがVRLから十分離れており，目視だけでもよいかもしれないとするRisk-MaPP改訂版の主張を裏づける結果となっている。

なお，Risk-MaPP改訂版（英語版）では，前述の洗浄閾値マトリックス中において，SRLに該当する洗浄閾値に対して「cleaning limit」と表記していること，また，合成麻薬についての洗浄閾値の計算値がほかと比して異常に大きいと感じられることを付記しておきたい。

8.4 安全マージンに関する事例

EMA HBELガイドラインQ&AのNo.6項では，既存製品を洗浄する際に用いていた洗浄限度値の取り扱いについても触れている。安全マージンが大きいことが，伝統的な洗浄限度値をアラート限界として用いることの要件となっている（本書6.3項参照）。安全マージンの具体的な数値については触れていない。

一方，PIC/S査察官用ガイドHBEL評価文書備忘録PI 052では，安全マージンとして10倍という数値が記述されている（同備忘録No.11項。本書6.3項参照）。しかしながら，ハザードレベルの大小でどう違うのかについては触れておらず，すべてのケースにおいて10倍という数値が妥当であるかのような印象がある。査察の際に，この数字を杓子定規に要求されると，現場は困惑することになりかねない。

ここでは，実際にどの程度の安全マージンがあるものなのかについて，検討してみたい。

そのために，HBELによる洗浄閾値とアラートレベルとして設定する10ppm基準値との関係を見てみる。このために，前述のCrevoisierらの報文によるデータを用いる。同報文では，HBELによる洗浄閾値と10ppm基準による値を比較することができるが，0.1%投与量基準は扱われていない。このため，以下の議論では，10ppm基準による値が0.1%投与量基準による値よりも低い側（厳しい側）になると想定して，以下の検討を進める。

HBELによる洗浄閾値と10ppm基準値との比を計算したものを**表8-4**に示す。なお，同表では，OEB＝５の部分を除いている（HBELによる洗浄閾値＜10ppm基準値であるため）。

この結果によれば，HBELによる洗浄閾値と10ppm基準値の比は，多くの場合で10を超えていることがわかる。とくに，ハザードレベルが低い場合にはそうである。しかしながら，ハザードレベルが高くなるに従い，マージンが10以下となる場合も生じていることがわかる。このことは，ハザードレベルが相対的に高くなっていくと，10倍という安全マージンがいつも確保されているわけではないことを示している。ときとして，安全マージンが小さくなることがあることを示唆している。

したがって，このような場合には，洗浄作業の不具合によりHBELによる洗浄閾値を越えるリスクがありうるので，気をつけて洗浄作業を進める必要があるといえる。

なお，Risk-MaPP改訂版が定義するところの安全マージンは，さらに大きくなると推定できる。というのも，実際のサンプリングデータは，目安である10ppm基準値よりも低いところに位置するためである。

このような傾向は，ほかのシミュレーション事例でも同様である。たとえば，8.3項で示した事例でも，各種数値から10ppm基準値を求めることができる。そして，HBELによる洗浄閾値との比をとると，多くの場合で10倍以上の安全マージンがあるものの，前製品のハザードレベルが高くなっていく場合には，安全マージンは10以下となってくる。

これらからいえることは，HBELにもとづく洗浄閾値に対する10ppm基準値の安

表8-4　事例2にみる安全マージン

				HBELにもとづく洗浄閾値と10ppm基準との比（前製品OEB＝3および4）							
				次製品							
	PDE μg/day			I	F	B	D	E	C	H	J
前製品	15	OEB＝4	I		5.0	7.5	5.1	15.0	0.8	14.9	0.5
	33	OEB＝4	F	4.6		16.6	11.2	33.0	1.7	32.8	1.1
	67	OEB＝4	B	9.3	22.4		22.7	67.0	3.4	66.6	2.2
	83	OEB＝4	D	11.6	27.7	41.7		83.0	4.2	82.5	2.8
	83	OEB＝4	E	11.6	27.7	41.7	28.2		4.2	82.5	2.8
	200	OEB＝3	C	27.9	66.8	100.5	67.9	200.0		198.7	6.6
	333	OEB＝3	H	46.4	111.2	167.3	113.1	333.0	16.7		11.1
	1000	OEB＝3	J	139.4	334.1	502.5	339.5	1000.0	50.2	993.6	

（OEB＝５については，HBELによる洗浄閾値＜10ppm 基準値であるため，表記を削除している）
注：網掛け部は，HBELにもとづく洗浄閾値と10ppm基準値との比が10を越えているケースであることを示す

全マージンは，

・ハザードレベルが相対的に低い場合には，多くの場合で，10を超えているものの，組み合わせの状況によっては，そうではない場合もある。
・ハザードレベルが相対的に高くなっていくと，余裕の幅が小さくなりうる。このため，洗浄作業でのリスクに備えておく必要がある。

洗浄は「できるだけきれいにすること」が望まれるが，それは，大きな安全マージンが求められるということでもある（本書6.3項参照）。現場においては，HBELにもとづく洗浄閾値と実際の洗浄データとの距離を常に把握しておくことが重要と考える。

8.5 唯一の基準としてのVRLに関する事例

前章7.5項で，ハザードレベルが相対的に低い化合物の場合には，VRLがHBELにもとづく洗浄閾値（具体的にはMSSR）よりも下方に100倍以上離れていれば，目視検査を唯一の基準として考えてもよいのではないかという提案があることを紹介した[116)]。

ここでは，どの程度のハザードレベルの化合物が対象となるのか，どういう切り替えの組み合わせが該当するのかについて，8.2項で用いたCrevoisierらの報文のデータをもとにして検討する。

すでに述べてきたように，ハザードレベルが低い化合物においては，HBELにもとづく洗浄閾値は一般的にVRLよりもずっと高いところにあり，その数値も大きい。一方，VRLの数値は1桁程度である（本書7.3項参照）。このため，理解を容易にするために，Walshらにより提案されている目視検出インデックス（Visual Detection Index：VDI）を用いる（詳しくは本書11.3項参照）。VDIは，比VRL/MSSRを引数とする常用対数の値であり，VRLがMSSRからどのくらい離れているかを示す指標となる。VDIが−2よりも低い値となることは，VRLがMSSRよりも100倍以上低いところに位置することを意味する。

VRLとして，4μg/cm^2（＝40mg/m^2）の場合と，1μg/cm^2（＝10mg/m^2）を用いて計算する。それぞれのVDIの計算結果を**表8-5**，**8-6**に示す。VDIの数値は，小数点以下2桁までとしている。

この2つの結果から，次のことがわかる。

・前製品のハザードレベルが比較的に低い場合（OEB=3）には，VRLがMSSRから100倍以上低いところに位置する場合が多い。
・VRLが低い値を示す場合のほうが，当然のことながら，そのような事例が多く

表8-5 MSSRとVRLとの距離（VRLが大きい場合）

				VDI＝LOG（VRL/MSSR）										
				次製品										
	PDE μg/day		製品	K	A	G	I	F	B	D	E	C	H	J
前製品	5	OEB＝5	K		−1.26	0.49	0.82	−0.38	−0.54	0.11	−0.49	0.90	−0.70	0.82
	7	OEB＝5	A	0.32		0.35	0.65	−0.52	−0.68	−0.03	−0.64	0.82	−0.84	0.70
	10	OEB＝5	G	0.17	−1.57		0.49	−0.68	−0.84	−0.18	−0.80	0.65	−1.00	0.56
	15	OEB＝4	I	0.00	−1.74	0.02		−0.85	−1.02	−0.36	−0.97	0.46	−1.17	0.37
	33	OEB＝4	F	−0.35	−2.08	−0.32	−0.01		−1.36	−0.70	−1.31	0.12	−1.52	0.03
	67	OEB＝4	B	−0.65	−2.39	−0.63	−0.32	−1.50		−1.01	−1.62	−0.18	−1.82	−0.28
	83	OEB＝4	D	−0.75	−2.48	−0.72	−0.41	−1.60	−1.76		−1.71	−0.27	−1.92	−0.37
	83	OEB＝4	E	−0.75	−2.48	−0.72	−0.41	−1.60	−1.76	−1.10		−0.27	−1.92	−0.37
	200	OEB＝3	C	−1.13	−2.87	−1.10	−0.80	−1.98	−2.14	−1.49	−2.10		−2.30	−0.75
	333	OEB＝3	H	−1.35	−3.09	−1.33	−1.02	−2.20	−2.36	−1.71	−2.32	−0.88		−0.97
	1000	OEB＝3	J	−1.83	−3.57	−1.80	−1.50	−2.68	−2.84	−2.18	−2.80	−1.35	−3.00	

注：VRL＝4 $\mu g/cm^2$＝40 mg/m^2

MSSRから10倍以上下方に離れている場合

MSSRから100倍以上下方に離れている場合

表8-6 MSSRとVRLとの距離（VRLが小さい場合）

				VDI＝LOG（VRL/MSSR）										
				次製品										
	PDE μg/day		製品	K	A	G	I	F	B	D	E	C	H	J
前製品	5	OEB＝5	K		−1.87	−0.11	0.22	−0.98	−1.14	−0.49	−1.10	0.30	−1.30	0.22
	7	OEB＝5	A	−0.28		−0.26	0.05	−1.12	−1.29	−0.63	−1.24	0.22	−1.44	0.10
	10	OEB＝5	G	−0.43	−2.17		−0.11	−1.28	−1.44	−0.79	−1.40	0.05	−1.60	−0.04
	15	OEB＝4	I	−0.60	−2.34	−0.58		−1.46	−1.62	−0.96	−1.57	−0.15	−1.78	−0.23
	33	OEB＝4	F	−0.95	−2.69	−0.92	−0.61		−1.96	−1.31	−1.92	−0.48	−2.12	−0.57
	67	OEB＝4	B	−1.26	−2.99	−1.23	−0.92	−2.11		−1.61	−2.22	−0.79	−2.43	−0.88
	83	OEB＝4	D	−1.35	−3.09	−1.32	−1.02	−2.20	−2.36		−2.32	−0.88	−2.52	−0.97
	83	OEB＝4	E	−1.35	−3.09	−1.32	−1.02	−2.20	−2.36	−1.71		−0.88	−2.52	−0.97
	200	OEB＝3	C	−1.73	−3.47	−1.71	−1.40	−2.58	−2.74	−2.09	−2.70		−2.90	−1.35
	333	OEB＝3	H	−1.95	−3.69	−1.93	−1.62	−2.80	−2.96	−2.31	−2.92	−1.48		−1.58
	1000	OEB＝3	J	−2.43	−4.17	−2.41	−2.10	−3.28	−3.44	−2.79	−3.40	−1.96	−3.60	

注：VRL＝1 $\mu g/cm^2$＝10 mg/m^2

MSSRから10倍以上下方に離れている場合

MSSRから100倍以上下方に離れている場合

なる。

・前製品のハザードレベルが比較的に高い場合にも，前製品・次製品の組み合わせによっては，VRLがMSSRから100倍以上低いところに位置する例がある。

このような傾向は，Risk-MaPP改訂版のデータを用いた事例でも同様である。

ハザードレベルが比較的に低い場合（OEB=1~3）には，VRLはMSSRよりもかなり低いところに位置することが多くなると推定できる。適切なリスクアセスメントを行ったうえで，目視検査のみとすることの可能性がある。

8.6 まとめと考察

各種シミュレーション事例からの知見を総括すると，次のようになる。

①HBELを用いた洗浄基準（ADE基準）と，従来の伝統的評価基準との比較をすると，

・ADE基準は，多くの場合で，従来基準よりも高い側の値を与える（洗浄を緩くしてもよいとする側）。

・前製品の活性のレベルが高い場合には，ADE基準のほうが小さい値を与えることがある。

・10ppm基準は全般的に厳しい側となるものの，場合によってはADE基準よりも緩いことがある。

・0.1%基準はときに厳しい値を与えるが，条件によっては緩い側となることがある。

②HBELを用いた洗浄基準（ADE基準）と，VRLとを比較すると，

・前製品のハザードレベルが低い物質の場合には，ほとんどの場合において，ADE基準のほうがVRLよりも高い位置にある（VRLが低い側になる）。

・前製品のハザードレベルが高い物質の場合には，ADE基準が最も厳しい基準となることが多いものの，それもVRL次第ということになる。

③HBELを用いた洗浄閾値と洗浄の目標管理値としての10ppmとの比（安全マージン）は，ハザードレベルが低い場合には，10を超えることが多い。しかしながら，ハザードレベルが相対的に高いと，次製品との組み合わせによって，安全マージンがいつも10倍程度あるというわけではない。

④HBELを用いた洗浄閾値（MSSR）とVRLとの離れ具合は，前製品のハザードレベルが低く，PDEの数値が1,000μg/day程度よりも大きいと，多くの場合で，100倍程度のマージンがありうる。そのほかの場合には，前製品・次製品の組み合わせおよびVRLの数値に依存する。

今後の洗浄評価では，すべての化合物について，HBELにもとづくことになる。その際の受容基準は，HBELにもとづくSRLとVRLの2つとなり，その意味ではシンプルである。

シミュレーションからもわかるように，洗浄のリスク管理はVRLの数値次第という面もある。その意味からも，VRLについての情報が欠かせない。

9 HBELを用いる洗浄バリデーション実務

9.1 HBELを用いる洗浄バリデーションの流れ

洗浄バリデーション／ベリフィケーションの大枠は今までと大きくは変わらないものの，今後の洗浄工程では，毒性学的な洗浄評価が必要となる。そのための基本的指標は，HBELにもとづく洗浄閾値（以下では，代表的にRisk-MaPP改訂版におけるスワブ残滓レベル（SRL）を用いる）およびVRLの2つになる。伝統的な洗浄評価基準（0.1％投与量基準および10ppm基準）は，合否判定のためではなく，洗浄工程における目標管理値として利用することになる。

ここでは，規制およびPIC/Sからの関連文書，さらには専門家団体からの各種ガイドを踏まえて，HBELを用いる場合の実際的な流れと留意事項を説明する。

①HBELを用意する

・交叉汚染した場合に，患者に何らかの影響を与える可能性のあるすべての化合物に対して，HBELを設定する（本書5章参照）。原薬のみならず，中間体，添加剤，洗浄剤などが対象となる（本書5.2項参照）。

・データが限定されている場合には，対応策が提唱されているのでそれを活用する（TTCの概念による方法，OEL／OEBを利用する方法など）（本書5.12項参照）。

・洗浄対象物質（前製品）と次製品の摂取経路について情報を整理する。摂取経路が異なる場合には，前製品・次製品のバイオアベイラビリティについての情報を確認しておく。

・前製品・次製品のバイオアベイラビリティが大きく異なる場合には，前製品のHBELを補正しておく。また，その旨を文書化しておかなければならない（本書5.14および9.4項参照）。

・HBELの設定は，毒性学専門家による（本書3.6項参照）。

・HBELの設定根拠をHBEL評価文書にまとめる（本書5.16項参照）。

②受容限度としてのスワブ残滓レベル（SRL）を計算する

・HBEL数値のほかに，次製品の最大一日用量など必要な情報をすべて入手して，HBELにもとづく洗浄閾値を計算する。代表的には，スワブサンプリングによるスワブ残滓レベル（SRL）である。これは，受容限度という位置付けであり，この計算値のままが実際の洗浄限度値として使われるわけではなく，患者にリスクがおよぶ限界として捉えておく必要がある（本書6.1および6.2項参照）。
・薬効成分だけではなく，洗浄剤を用いる場合にはその洗浄残滓基準も設定する必要がある。
・状況によっては，スワブサンプルに代えてリンスサンプルとする。
・必要に応じて，プロダクト特定HBELを用いた洗浄閾値を設定する（本書9.4項参照）。

③VRLを科学的に設定する

・自社における目視による検出限界をスパイク試験（添加回収試験）により設定する。これは，第2の受容限度として位置付けされる（本書7章参照）。
・HBELにもとづく洗浄閾値（MSSR）とVRLの間の離れ具合を確認する。100倍以上の余裕がある場合には，目視検査を唯一の基準として使用するかどうかを判断し，そのための必要なアクションも検討する（本書7.5項参照）。

④専用化の要否を検討する

・SRL，VRLおよび分析機器の検出限界（LOD）との位置関係を把握する。
・SRLが検出限界（LOD）よりも低い場合には，管理しえないということになり，専用化が要求されることになる（本書図1-1参照）。その場合の専用化の程度はさまざまである。

⑤10ppm基準および0.1％投与量基準による値を用意する

・洗浄の目標管理値（目安）を設定するうえで，伝統的な考えにもとづく洗浄基準値を計算しておく。伝統的な洗浄基準値を目標管理のためのアラート限界として用いることは認められている（本書1.6項参照）。
・既存のデータについて統計的な処理をして得られるSPC（Statistical Process Control）の値が利用できる場合には，それを洗浄の目標とすることもできる。
・前述のSRL，VRL，LODを含めて，関連する数値の全体的な位置関係を把握する。

⑥洗浄結果が「合格」とされるためには，サンプリング結果がどの位置にあればよいのかを把握する

・実際の評価においては，受容限度であるSRLとVRLの両方を満足するところに洗浄結果がくる必要がある（本書図7-1参照）。

⑦洗浄目標を設定する

・SRLとVRLの大小関係により，洗浄目標の設定も異なる。SRL＞VRLの場合には，洗浄の最低線はVRLのレベルとなる（「目で見てきれい」の要件から）。

SRL＜VRLの場合には，洗浄の最低線はSRLのレベルとなる。実際には，「できるだけきれい」にするという視点および洗浄工程におけるリスクを避けるという視点から，最低線よりさらに下方のレベルを洗浄目標として設定することになる。これにより，安全マージンを大きくすることができ，余裕をもつことができる（本書6.3項参照）。

・前述のSRLおよびVRLの大小関係を把握した後に，10ppm基準および0.1％投与量基準による値を加味し，全体での大小関係を踏まえたうえで，洗浄目標としての数値レベルを設定する。

⑧余裕の大きさを見極める

・SRLと洗浄目標との間の距離（余裕）がどの程度なのかを認識しておく。PIC/S査察官用ガイドHBEL評価文書備忘録PI 052のNo.11項では，その余裕として10倍という数値が記述されている（本書6.3項参照）。

・前製品・次製品の組み合わせの中で，余裕の大きさが異なってくることもある。（本書8.4項参照）

・余裕が少ない場合には，洗浄の計画，洗浄作業自体を慎重に進める必要がある。

⑨洗浄目標を達成できるように，洗浄パラメータを決める

・洗浄パラメータには，さまざまな因子がありうるので，リスクアセスメントしておくことが必要である。その中から，ワーストケースの条件を見出すこともできる。

⑩洗浄パラメータの妥当性を確認する

・テストランの回数は，従来は「連続して3回のラン」とされていたが，今後のバリデーションではリスクアセスメントによるとされる。後述するように，Risk-MaPP改訂版では，「連続3回」は一般的に受け入れられているとしている（本書9.2項参照）。

⑪洗浄をモニタリングする

・洗浄工程のライフサイクルモデルにおける継続的な洗浄プロセスベリフィケーションの概念（本書2.8.2項参照）により，洗浄モニタリングを実施する。キャンペーン生産期間では，日常のモニタリングとして目視検査のみとすることが認められている（然るべく事前の検証が必要である）。洗浄プロセスの健全性を確認するために，必要により，分析試験を併用する。その頻度は，リスクアセスメントによる（本書7.1.5項参照）。

・あらかじめサンプリング箇所を設定しておく（たとえば，最も洗いにくい箇所についてのリスクアセスメントを実施する）。

⑫洗浄プロセスの能力，性能を把握する

・モニタリング時のデータを継続的に採取する。それらについて 統計的な処理を行い，平均値および偏差値（σ）を求める。そして，工程能力指数Cpk（Risk-MaPP改訂版およびASTME洗浄ガイドE3106での表記）を算出する。この値が

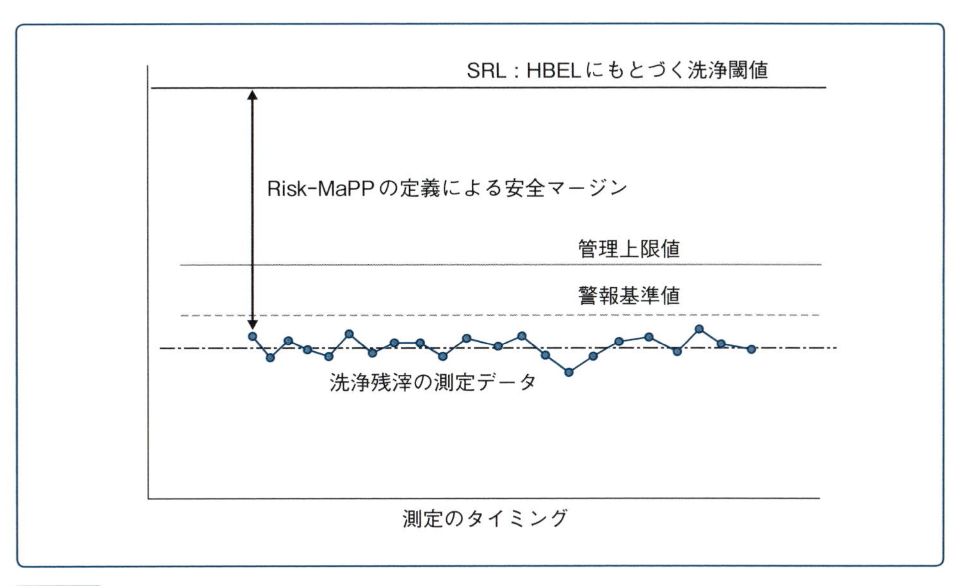

図9-1　安全マージンとデータの統計処理

1.33以上であれば，その工程は十分良好に管理されていると判断される。なお，工程能力指数Cpkについては，ISPE洗浄ガイドではCpuという用語が使われている（同ガイド6.4項）。これは，洗浄評価では，HBELにもとづく洗浄閾値が上限値（upper limit）として位置付けされていることによる。

・管理上限値（UCL）が，平均値＋4σとして設定できる。

・データの分析をとおして初めて，洗浄システム全体に対して設定した洗浄パラメータが妥当であったかどうかの検証がなされるといってもよい。このような統計的な情報が整備されていけば，次の製品を洗浄するときに，そのHBELをより所として，どの程度の安全マージンをもって洗浄しうるのかを速やかに判断できることになる。

⑬実際の安全マージンを把握する

・査察に備えて，HBELによる洗浄閾値と，実サンプリングデータとの距離（Risk-MaPP改訂版が定義するところの安全マージン）がどのくらいなのかを把握しておく（本書**図9-1**参照）。

・安全マージンの大きさについては，PIC/S査察官用ガイドHBEL評価文書備忘録PI 052でも話題にしている（本書6.3項参照）。

なお，ISPE洗浄ガイドでは，「HBELにもとづく洗浄閾値，アラートレベル，およびアクション限度値を用いて，新規の洗浄プロセスをコントロールするための戦略策定の合理的なアプローチ」と題して，洗浄閾値を設定するところから，洗浄モニタリングまでの流れを説明している（同ガイド6.4項）。

9.2 テストラン回数の設定

前項で触れたテストランについて取り上げる。従来の洗浄バリデーションでは，「連続して3回のラン」を行って，洗浄パラメータが妥当かどうかを確認していた。ただし，この「連続3回」という数字自体の由来がはっきりとしない状況があった。

今後のバリデーションではこの数字の設定はリスクアセスメントによるとされ，製造者側に委ねられたことになる。これは，ある意味で洗浄作業に関するパラダイムシフトであるともいえる。

しかしながら，FDAがテストランについての考えを2011年に提案したものの，現在までに，どのような方法でテストランの回数を決めていくのかについて，業界内のコンセンサスが得られていないのが実情である。

これまでに，大きく2通りの方策が提案されている。

・リスクベースアプローチによる方法

・統計的な手法にもとづく方法

リスクベースアプローチによる方法では，対象となる製品についての理解，洗浄プロセス自体についての理解，今までの洗浄バリデーションで蓄積された経験（およびデータ）にもとづいて，リスクのレベルを数値化するものである。数値を累計して得られる総合的なリスクレベルによって，テストランの回数を決めようとするものである[128, 129)]。

文献129）では，どのような状況のときに，従来の3回で十分と考えられるのかについての見解が具体的に述べられている（**表9-1**）。極端な場合を除けば，1～5回の範囲となる。

2つ目の統計的な手法にもとづく方法では，複数の手法が提唱されているのが実状である。ISPEからの報告書では，5種類の統計手法について説明している[130)]。Gorskyの報文では，3種類の統計手法について説明している[131)]。最近の統計手法として，ベイズ統計手法についても提唱されている[132)]。それぞれの手法にも長所短所があるとされており，どの統計手法がどういう場合に好ましいのか，どういう具合に異なるのかについて議論が深まっていない。

Risk-MaPP改訂版では，上記のように議論が進展しない状況を踏まえ，洗浄プロセスは製造プロセスとは異なる位置づけであるということから，従来からのテストランの回数である3回は「一般に受け入れられる」としている（9.2.2.1項の注）。

「・・・注：医薬品用原薬または医薬品についての製造工程のプロセスバリデーションとは異なり，（洗浄）バリデーションランの回数を公的に立証することは現状では期待できない。すなわち，3回の洗浄バリデーションランは，まだ代表的なものであり，**一般に受け入れられている**」（太字強調はオリジナルのまま。文責筆者）。

表9-1　PVにおけるテストランについての提案

総合的なリスク	PPQバッチ最小回数	視点
低い	1	このアプローチは，再バリデーションまたは軽微な変更による追加バリデーションに対して，より適する。工程に対する変更が著しいような場合（例：新規のCPPsが設定されるような場合）には適さないかもしれない。
中位	3	これは広く用いられているアプローチであり，さまざまな規制当局によって受け入れられている。 製造者が次のことを示す場合： ・製品について適切な知識を持っていること／プロセスについて十分な理解をしていること ・適切な大規模／臨床レベルでの製造経験があること ・プロセスケイパビリティの指標が中程度であること ・バッチ間での変動が軽微から中程度であること ・統計的な信頼性が中程度であること ・コントロール戦略がプロセスを十分にコントロールしていること このアプローチは，再バリデーションまたは工程に対する変更が著しい場合の追加バリデーションに対して採用されうる。
高い	5	これは稀なアプローチであるかもしれないが，残っているリスクが高いようなプロセスに対しては適切であろう（例：プロセスについて不適切な知識しかない場合，適切な開発がされないような場合，大規模または臨床ベースでの製造経験がわずかかまたはないような場合，統計的に信頼性の低い場合，バッチ間での変動が大きくてプロセスケイパビリティが低い場合など）。

（文献129）より引用，文責筆者　CPPs：Critical Process Parameters）

なお，GMP事例集（2013年版）のGMP13-56（洗浄バリデーション）では，3回の繰り返しが必要かという問いに対して，

・原則として，3回の繰り返しデータが必要である。

・新製品や新規設備でも，合理的な根拠がある場合には，既存のバリデーション結果を利用してもよいが，最低1回の確認が必要である。

としている。

洗浄バリデーションにおけるテストランの回数はその元々の由来がはっきりしていない。なぜ「Golden three run」としてデフォルトとなったのかの経過を振り返らないと，善し悪しを合理的に判断しにくいのではないかと思われる。Risk-MaPP改訂版の考えについても，今後議論が必要なのではないだろうか。

なお，テストランの回数について，ISPE洗浄ガイドではリスクアセスメントによるべきであるとしている。ASTM洗浄ガイドでは，触れられていない。

9.3 洗浄目標の設定

前述の数値シミュレーション事例から，SRLとVRLの大小関係として，次の傾向がある。

・ハザードレベルが比較的に低い場合には，SRL＞VRL＞LODとなる。

・ハザードレベルが比較的に高い場合には，VRL＞SRL＞LODとなる。

ハザードレベルが比較的に低い場合には，SRLはVRLよりも大きくなる。これは，目で見える限界以上の残滓があってもよいということであるが，実際には，第2の受容基準である「目視できれい」ということが要求される。このため，洗浄に求められる最低限のレベルは，VRLを実現できるレベルとなる。

それでは，VRLをわずかに下まわるところであればよいのだろうか。洗浄工程における不確定要素を勘案する必要があることに加えて，何よりも，医薬品としての品質を確保する必要がある。このため，「できるだけきれいに洗浄する」ということが製品の品質確保の観点から求められることとなる。

今後の洗浄評価では，「できるだけきれいにする」ということと，「安全マージンの大きさ」がポイントであると考えている。そのための，洗浄目標の設定について以下に述べる。

洗浄目標の1つとしてありうるのは，伝統的な洗浄評価基準（0.1％投与量基準，10 ppm基準）をアラートレベルとして用いることである。実際の洗浄データはこのアラートレベルよりも低いところに位置することになる。これらの基準は，合否判定の基準としてではなく，洗浄管理のための指標として利用できるとされている。たとえば，EMA HBELガイドラインQ&A No.6項では，「従来から採用されている洗浄基準は，洗浄アラート限度として位置づけられる」としている。Risk-MaPP改訂版でも，「（筆者加筆：伝統的な洗浄基準にもとづく）前述の限度値は，プロセスコントロール限度値として利用されるべきである」（同ガイド6.3.2.3項）としている。とくに，多くの場合で厳しい側になるとされる10 ppm基準による値は，洗浄目標の1つとして広く利用することができるし，なによりも従来の洗浄技術の蓄積が活用できる。新規の製品で，洗浄データが十分に整備されていない場合などでは有力なツールである。

その場合，SRLおよびVRLの2つが規制上の基準指標であるという認識をもちつつ，状況に則して，合理的に対処することが必要となる。すなわち，洗浄品質を確保するために「できるだけきれいにする」を実現するうえで，SRL，VRL，0.1％投与量基準，10ppm基準，分析機器の検出限界（LOD）などの各種数値の大小関係を勘案し，実務的に対応していく必要がある。このように記述すると，ついつい，SRL，

0.1％投与量基準値，10 ppm基準値の3つの指標の最小値をもって合否判定すればよいのではないか，という受け止めになりがちである。しかしながら，科学的合理性の点で異なる性格のものを同列で用いることは合理的ではない。このことは，Risk-MaPP改訂版が，「洗浄評価基準として3つの方法による洗浄許容値の最小値を使いたくなるが，これには科学的な根拠がない」と指摘しているとおりである（同ガイド6.3.2.3項）。

あらためて具体的に検討してみよう。前述のように，ハザードレベルの違いにより，大きく2つのケースとなる。

ケース1：SRLがVRLよりも高くなる場合（SRL＞VRL）

これは，ハザードレベルが低い場合によく生じる事例である。SRLが高い側になるので，洗浄を緩くしてもよいと捉えられがちであるが，それは不可である。このことは，EMA HBELガイドラインQ&A No.6項において，計算されたままの洗浄閾値を洗浄限度値として使用することは意図していないとしているとおりである。Risk-MaPP改訂版でも，SRLはここまで洗浄すればよいという意味での洗浄限度値とは異なることを繰り返し述べている。ISPE洗浄ガイドでも同様である。

規制上の要件から「目で見てきれい（Visually Clean）」が必要とされるので，洗浄の最低線はVRLのレベルとなる（規制上は2つの指標しかないため）。実際の洗浄目標は，洗浄工程のリスクを勘案すると，VRLよりもさらに下側にくるようにして，「できるだけきれいにする」を実現することになる（**図9-2**）。

ここで，10 ppm基準値が0.1％投与量基準値より小さいとする。さらに，10 ppm基準値がVRLよりも小さくなるケース，すなわち，SRL＞VRL＞10 ppm基準値となる場合を想定してみよう（これはよくある事例である）。この場合には，10 ppm基準による値が最も厳しいものとなる。これを洗浄目標設定の目安として利用することができる。この場合，10 ppm基準は合否判定基準としてではなく，洗浄目標管理として利用することに留意してほしい。また，従来の洗浄作業では合否判定に利用してきていることから技術蓄積が豊富であり，十分に達成可能な場合が多い。

このような形で使われる10ppm基準値は，洗浄作業における目標管理のための数値とはいえ，あたかも品質確保のための判定基準であるかのように扱われることになる。このため，前述のように短絡的に考えられることがあるが，洗浄評価のための基本的指標は，あくまでもSRLおよびVRLの2つであることを認識しておく必要がある。洗浄品質を確保するための「実際的な方策」として，10 ppm基準値を使っているということを意識しておくことが重要である。

ハザードレベルが低い化合物の場合には，この方法は妥当なものと考えられ，長年培った洗浄技術を活用できる利点もある。

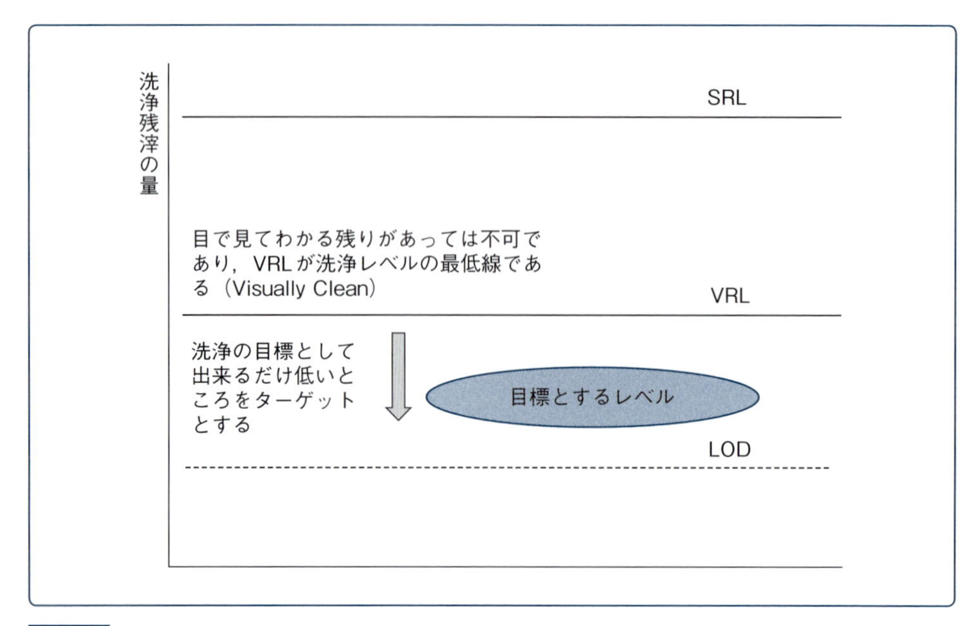

図9-2　洗浄の目標設定（SRL＞VRLの場合）

（SRL：HBELにもとづく洗浄閾値／VRL：目視検出限界／LOD：分析機器の検出限界）

なお，SRL，VRLと0.1％投与量基準値，10 ppm基準値の大小関係は，各種パラメータの数値の組み合わせ，および現場でのVRLの設定により異なり，ケースバイケースとなる。

ケース2：SRLがVRLよりも低くなる場合（SRL＜VRL）

これは，ハザードレベルが高い製品の場合に生じる事例である。この場合には，規制上の洗浄の最低レベルは当然のことながら受容限度であるSRLとなる。このSRLを達成するための実際の洗浄目標は，リスクを勘案すると，それよりもさらに下側にくる必要がある。このために，まず0.1％投与量基準または10 ppm基準による値を得ておき，それとの比較をする。たとえば，VRL＞SRL＞従来の基準（たとえば10 ppm基準値）というケースもあれば，ハザードレベルが極めて高い場合のようにVRL＞従来の基準（たとえば10 ppm基準値）＞SRLという場合もありうる。このため，ケースバイケースで対処することになる。その際には，LODまでの距離についても留意する必要がある。

洗浄の目安についてのほかの考えとして，Walshらは，既存のデータにもとづいて統計的に得られるSPC（Statistical Process Control）の値を用いる方法を提唱している[21]。ASTM 洗浄ガイドE3106でも，「これらのSPCの数値は，洗浄プロセスをモニタリングするために，MSSR（HBELにもとづく洗浄閾値）の代わりに用いられるべきである」としている（同ガイド7.3.3項）。SPCのデータがすでに得られている場合には，それを目標とすることができる。

とはいえ，アラート限界としての伝統的な洗浄限度値とSPCの数値の間で，大きな乖離が生じることは少ないと思える。それを勘案すれば，最初に設定する洗浄目標として伝統的な洗浄限度値を用いることは，実用的であると思える。

9.4 プロダクト特定HBELによる洗浄閾値

洗浄閾値の計算式からわかるように，複数のパラメータの組み合わせにより，洗浄閾値が小さくなることが起こりうる。たとえば，ハザードレベルが高いとHBELが小さくなり，結果的に洗浄閾値（SRL）は小さくなる。このほかにも，バッチサイズが小さい場合，共用面積が大きい場合，これらの組み合わせなどで，洗浄閾値が極端に小さくなるケースが生じる可能性がある。

このような場合には，洗浄目標はかなり低いレベルとなり，分析機器の検出限度（LOD）に近くなる。洗浄作業時の各種条件の変動リスクを勘案すると，洗浄作業として大変厳しい状況とならざるをえない。

対策として，必要により，洗いにくい箇所の専用化，さらには次製品の製造スケジュールを検討することも考えられるが，合理的な選択肢として，洗浄閾値を計算する際の出発点であるHBELそのものを見直すことで，柔軟な対応が可能な場合もある。

一方で，逆に，前製品と次製品での投与経路を勘案すると，洗浄閾値を低く設定して，洗浄作業を厳しく管理しなければならない場合が生じるときもある。

現場でのさまざまな状況に応じてHBELを合理的に見直すことが提案されている[92)]。具体的には，本書5.14項で説明したプロダクト特定HBELの考えを利用することになる。

このプロダクト特定HBELにもとづいてSRLを求め，その洗浄閾値（実務的にはさらに低いところに設定した目標値）よりも，実際の洗浄残渣の測定結果が小さいことが判明すれば，洗浄合格となる。その判定の流れを**図9-3**に示す。もし，不合格の場合には，洗浄条件を変えるか，専用化するなどの対策をとることになる。

以下の例では，摂取経路の違いをとりあげて検討するが，これに限定するものではなく，文献92）では，対象人口の違い，投与期間の違いについての計算事例も紹介されている。

ここでは，2つの事例を紹介する。

①HBELを高くして洗浄を容易にしようとする場合

これは，SRLが分析機器の検出限界近傍またはそれ以下になるような場面に対処するものである。たとえば，静注で投与される予定の前製品のHBELが小さく，SRLが

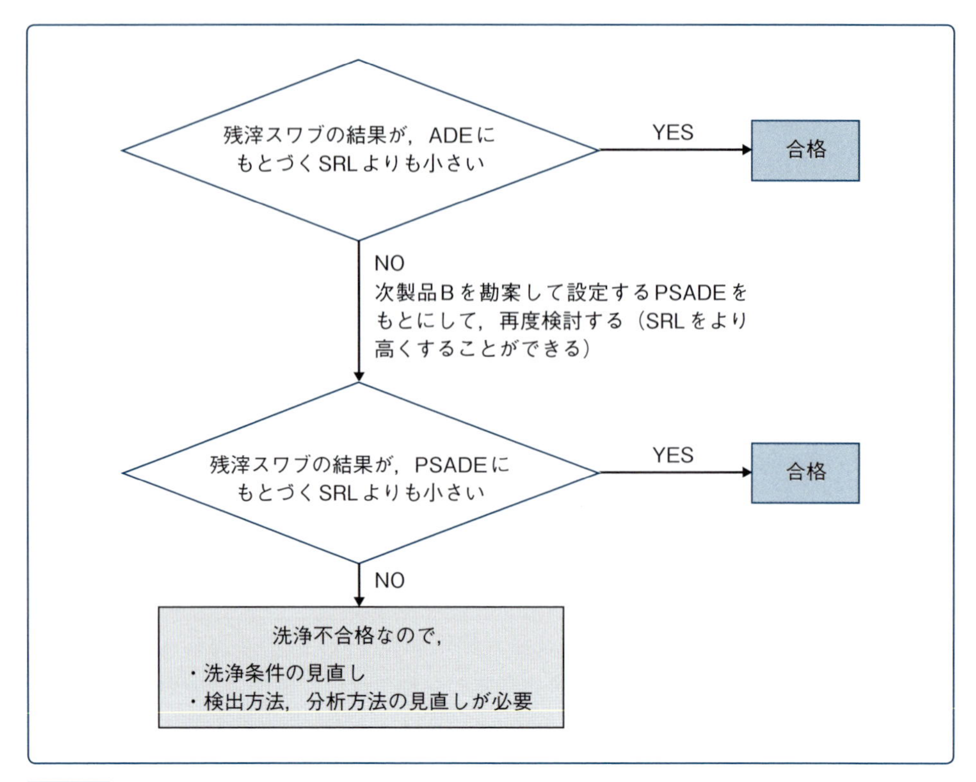

図9-3　次製品の情報が判明している場合の洗浄評価
（文献92）より引用，文責筆者。PSADE：プロダクト特定HBEL）

極端に低くなると，実際の洗浄データとの距離が近くなり，余裕がなくなることで洗浄工程のリスクが高くなる。極端な場合として，SRLが検出限界以下となると，リスク管理できない状態となり，設備や部品を専用化しなければならない状況となる。これは，高いハザードをもつ化合物を扱う場合に多く生じうる。マルチパーパスプラントでは，できれば避けたいことでもある。

このような場面ではさまざまな対処方法が考えられるが，その一つとして，次製品の投与経路に注目することで対応できる場合がある。たとえば，次製品が経口投与の製品であれば，前製品（静注投与）の場合とは身体への作用の様相が違う。そのことを示す科学的なツールは，体内動態の指標であるバイオアベイラビリティ（BA）である。前製品と次製品でのBAの違いが大きい場合には，これを利用して，対応することができる。BAのデータが手元にあれば最善であるが，そうでない状況では経口投与の場合のデフォルト50％が利用できる（静注で投与される製品のBAは定義から100％）。前製品が静注投与で，次製品が経口投与であるとして，このデフォルトを利用すると，前製品のHBELを2倍の値とすることができる（**表9-2**）。これで，洗浄時のリスクに対応できることがある。

表9-2 ADEの値を高くする場合

	経路	ADE	BA	全身曝露での血漿中濃度	備考
前製品	静注（IV）	1mg/day ↓ PSADE＝2mg/day	100%	1mg/day	全身曝露での血漿中濃度を前製品と同じとするためには，曝露限界値を2mg/dayと補正しなければならない。
次製品	経口		50%	1mg/day	

BA：バイオアベイラビリティ，PSADE：プロダクト特定HBEL

表9-3 ADEの値を低くする場合

	経路	ADE	BA	全身曝露での血漿中濃度	備考
前製品	経口	2mg/day ↓ PSADE＝1mg/day	50%	1mg/day	次製品における全身曝露での血漿中濃度を前製品の場合と同じと考えて，前製品の曝露限界値を1mg/dayと補正しておかねばならない。 これが，PSADEとされる。
次製品	静注（IV）		100%	1mg/day	

BA：バイオアベイラビリティ，PSADE：プロダクト特定HBEL

②HBELを低くして厳しく対応しなければならない場合

洗浄前後の製品において摂取経路が異なることにより，前製品の洗浄作業をより厳しくコントロールする必要が生じることもある。たとえば，前製品は経口剤であるが，次製品が静注投与となるような場合である。次製品が静注投与の場合には，身体に対する影響は経口投与の場合とは大きく異なる。交叉汚染によるリスクを避けるためには，前製品の一部が次製品へ持ち越しされることを厳しく管理する必要がある。具体的には，前製品のHBELに対して，摂取経路による差を補正して調整しておくことが必要となる。前製品が経口製品（BA＝50％）で，次製品が静注製品（BA＝100％）である場合を考えると，前製品のHBELを1/2として，洗浄閾値を設定することになる（**表9-3**）。

BAの情報を利用したこのような補正の必要性は，EMA HBELガイドライン（4.3項），Risk-MaPP改訂版（5.3.5.1項），およびPDA TR-29（5.9.1項および5.9.5項）においても指摘されている。EMA HBELガイドラインでは，BAに40％を超える差がある場合には，補正するとされている。

このため，洗浄に関わる担当者は次製品の情報（摂取経路，BA）についても把握しておくことが必須となる。とくに，マルチパーパスプラントでの原薬製造においては，留意が必要となる。

9.5 分析機器について

薬理活性のレベルがあがってきているので，その洗浄評価および封じ込め設備での環境モニタリングにおいて，微量の分析を行う必要がでてきている。

このため，分析機器にあっては，高感度，高定量性，高分解能力が要求されており，各種の製品が提案されている。

①液体クロマトグラフ方式の性能を高めたもの

たとえば，UPLC（Ultra Performance Liquid Chromatography）-MSである。使用する溶剤量が大幅に少ないという特徴があり，多くの質量分析計への前処理装置としても使われている。代表的なメーカは，Waters社である。

②液体クロマトグラフと質量分析計を組み合わせたもの

たとえば，液体クロマトグラフ質量分析計（LC-MS）である。島津製作所，アジレント・テクノロジー，サーモフィッシャーサイエンティフィックなどから提供されている。

③イオン・モビリティ分光法

HPLCと比べて，装置の準備時間および試料の前処理に要する時間が短いか不要である，および測定時間が短い，という特徴がある。米国の製薬企業でも事例があると報告されている[133]。

10 さまざまな製品・剤形への対処方法

10.1 バイオ医薬品

現状のバイオ医薬品製造設備で多く用いられている洗浄評価方法は，製造工程の特徴を勘案して，最終リンスに用いるWFIについてのTOC測定法である（このほか，色素染色法，特殊な特異的分析方法なども採用されている）。その場合の洗浄限度値として，PDA TR-49に記述されている某企業の数値が，工程のアップストリーム（バルク）側，ダウンストリーム（製剤充填）側のそれぞれに対して適用されているのが実状である。

HBELを用いて洗浄評価する必要はないのだろうか。

EMA HBELガイドラインでは，バイオ医薬品の場合には，洗浄工程において熱やpHにさらされてその活性が失われるために，「*（活性がある状態のままでの）PDEを用いて，HBELにもとづく洗浄閾値を決定することは必要ではないであろう（may not be required）*」としている（5.3項）。これは，EU-GMPおよびPIC/S-GMPのAnnex15でも同様である（10.6.1項）。

不活性化されるのが自明であるかのような表記になっていることに加え，さらに，実際に洗浄評価をどうすればよいのか（端的にいえば，洗浄閾値の計算に用いるHBELの値はどうすれば得られるのか）という疑問には答えていない。

これに対して，欧米のバイオ医薬品製造関係者からは，洗浄工程で活性が失われるという前提そのものから検証していこうとするアプローチが提案されている[134]。

そこで提唱されている手順は，次のとおりである。

①バイオ医薬品が洗浄工程で不活性化されることを検証する。

②不活性化されたバイオ医薬品断片が容器から完全に排出されたことを確認する。

③上記の検討が完了した後に，次の方法による科学的な洗浄限度値を求める。

- 洗浄プロセスケイパビリティ（最終リンスであるWFIのTOCアクション限度を用いる）
- 安全係数アプローチ

・TTC概念の適用（不活性化しているので，クラス3のADE＝100μg/dayを用いる）。

④洗浄バリデーションが完了した後の継続的ベリフィケーションでは，統計的な手法を用いて管理する。

⑤不活性化されていないことが判明した場合には，活性成分のデータを用いて洗浄限度値を求める。

⑥部分的にしか不活性化されていない場合には，不活性化された場合および不活性化されない場合の両者の限度値を求め，両者のうちの小さいほうを用いる。そして，洗浄パラメータなどを再度検討する。

上記報文での議論をリードしているSharnezは，より科学的な洗浄限度値を求める方法として，Comparable Quality Approachを提唱している[135]。また，不活性化されたタンパク質断片のHBELとして，650μg/dayという数値を提唱している[136]。この数値は，上記のTTCの概念によるクラス3の100μg/dayよりもずっと大きいので，洗浄としては緩い側となる。

Risk-MaPP改訂版では，初版以降の上記のような研究開発結果を踏まえて，新規に次のような記述を加えている（6.3.2.2項）（文責筆者）。

・洗浄工程で不活性化するような製品（たとえば，バイオ医薬品）の場合について，不活性化の検証が必要である。

・製品が洗浄工程で効果的に劣化されて，不活性化した断片になることを検証しなければならない。不活性化した後には，原薬が存在していないことを確認する必要がある。

・検証ができれば，残滓許容レベルは，活性のある状態の原薬成分に代えて，その「不活性な断片」にもとづいて設定されるべきである。

・検証できない場合には，原薬のADEを用いて洗浄評価することになる。

ISPE洗浄ガイドでは，より実践的な内容となっている。Sharnezらの一連の報文を多数引用して，不活化に関連して，たとえば不活化の方法，断片の分析方法の概要をまとめている（同ガイド5.8項）。洗浄限度値については，前記したSharnetzらの文献135）および136）の内容をまとめた形で紹介している（同ガイド6.2項）。

ASTM洗浄ガイドE3106およびHBELガイドE3219では，バイオ医薬品の洗浄工程における不活化について触れていない。

特別な状況である洗浄工程以外では，バイオ医薬品についてもHBELが必要とされる。というのも，職場では労働安全衛生に関連したリスクアセスメントツールとして，HBELをもとに得られるOELなどが使われるからである。なお，バイオ医薬品の場合，吸引経路でのバイオアベイラビリティは低く，そのデフォルトは5%とされている（本書5.10.10項を参照）。

10.2 治験薬

治験薬のHBEL設定に際しては，開発途上ということもあり，設定に必要なデータが十分揃っていない場合が多い（本書5.19項参照）。このため，暫定的な措置として，TTCの概念によるデフォルトを用いる方法，コントロールバンディングの下限値から求める方法が提唱されている（本書5.12項参照）。

治験薬を共用設備で製造する場合に，洗浄閾値について悩むことがある。それは，バッチサイズが比較的に小さいために，洗浄閾値が小さくなるからである。ハザードレベルの高い治験薬の場合には，HBELの数値自体が小さいので，なおさらそのような状況になりやすい。

このような場合にも，合理的に対処する必要がある。

Bercu & Dolanは,HBEL設定の前提が生涯曝露であるのに対して，臨床試験の期間が限定的で比較的短期であることを踏まえ，臨床試験のPhase Ⅰに用いる医薬品のHBELは，TTCの概念によるデフォルトの10倍とすることが許容されるとしている[91]。

EMA HBELガイドラインは,同報文を引用する形で，数値を大きくすることを認めている（本書2.4.3項および5.14項参照）。

ただし，これについてはいろいろな意見があることも事実である。治験用といえども，HBEL（PDE/ADE）の値を大きくして，洗浄を緩くすることは避けるべきであるという意見もある[137]。

治験薬製造設備での洗浄対象製品が遺伝毒性物質である場合には，ICH M7「潜在的発がんリスクを低減するための医薬品中DNA反応性（変異原性）不純物の評価及び管理」における階層的TTC概念による数値を用いることができる[11, 138]。すなわち，投与期間が1ヵ月超え12ヵ月までの場合には，ADEを20μg/dayとすることが認められている。これは，Bercu & Dolanの報文による場合の10μg/day（発がん性を有する可能性がある場合の1μg/dayの10倍）よりも大きい数値となる。

10.3 中間体

中間体は，その位置づけから，動物実験などを詳細に行うことが現実的には難しい。このため，TTCの概念を利用してHBELを設定する方法が提唱されている[65, 138]。その場合のポイントは，次のとおりである。

・Ames試験を実施しているかどうか，その結果はどうか（陽性／陰性）

・化合物の構造が既知の発がん性物質と類似しているかどうか

・構造が変異原性の警告を発するものかどうか

・構造が最終的なAPIと関連しているかどうか

このような検討を踏まえると，多くの場合，中間体のHBELは次のいずれかとなる。

①ICH M7と同様に1.5μg/day（発がんリスク10^{-5}または10^{-6}に対応する）

②ADE＝10μg/day（変異原性ではなく，薬理活性，高い毒性を有する場合）

③ADE＝100μg/day（薬理活性，高い毒性を有するとは思われない場合）

10.4 洗浄剤

洗浄剤として販売されている製品は，その成分が企業機密とされているのが実態である。このため，従来洗浄剤メーカから開示されているのは，多くの場合，LD_{50}についてのデータのみであった。

このLD_{50}の利用については多くの懸念がもたれているのが現状である。LD_{50}からNOAEL（またはNOEL）に変換する換算係数にどの論文を採用するのか，そしてNOAELからHBELに換算するときに不確実係数をどのように設定するのかなどは，利用者である製薬企業の判断に委ねられてきている。どの論文を用いるのか，そして不確実係数の設定次第では，同じ製品でも利用者によって数値が大きく変動する可能性がある。このため，EMA HBELガイドラインQ&AおよびRisk-MaPP改訂版は，LD_{50}を用いることには否定的な見解を示している。

洗浄剤に関する洗浄許容基準の問題を詳しく論じたのはWalshらの報文である[139)]。同報文では，洗浄剤ということで引用されることの多いHallの報文（1999年）について，その根拠が明示されていないことを指摘している。合わせて，そのもととなっているDourson & Stara，Layton，Conine，Kramerらの各報文，洗浄に関するガイドラインCEFIC/APIC（2000年），PDA TR-29（2012年）およびPDA TR-49（2010年）における換算係数，不確実係数について詳細に比較をしている。同報文の結論として，LD_{50}を用いて得られるHBELは，非常にコンサバティブなレベルの数値になり，厳しい洗浄を強いることになっていることを強調している。具体的には，汎用の洗浄剤（NaOH，イソプロピルアルコールなど）で比較している。NOAELを利用して得られるADEと，LD_{50}を用いて得られるADI（Hallの報文による）との比（すなわちADE/ADI）をとってみると，1,000～2,000倍（物質によっては10,000倍）の差が生じることを示している。

このような状況に対して，毒性学専門家からは，「洗浄剤に対するADEを導出できるかどうかは，最終的には洗浄剤成分の開示にかかっている。そして，それらの成分についての十分なデータが利用できるかどうかにかかっている」とする指摘がある[65]。

最善と思える方策は，洗浄剤メーカ自身がHBELの数値を設定して公開することである。そのような例として，洗浄剤メーカであるEcolab社が某セミナーで，同社の製品についてのHBELの数値を公開している（発表者は，文献139）の共同著者の一人である）[140]。HBELとして，REACHの枠組みの中で使われているHBELであるDNEL（Derived No-Effect Level）の値を採用している。そして，それを用いて具体的に洗浄限度値の計算を行っている。その事例においては，10ppm基準による場合，HBELにもとづく場合に加えて，LD_{50}を用いる場合の計算値も示している（LD_{50}からの換算にはLaytonの式を用いている）。

その発表資料の結論によれば，従来のLD_{50}にもとづいて計算される洗浄限度値は，非常にコンサバティブ側になるとしている。すなわち，LD_{50}にもとづいて計算される洗浄限度値を1としたときに，10ppm基準による場合，HBELにもとづく場合では，それぞれ2.5倍，30倍となるとしている。すなわち，LD_{50}を用いると10ppm基準よりもさらに厳しい限度値となることを示している。

このような発表事例が，他の洗浄剤メーカからも増えていくことが望まれる。

10.5 既存上市製品

既存上市製品は製品の数も多く，医薬品全体の中で占める割合も圧倒的に大きい。臨床を通しての良好なデータも整備されている。既存上市製品の多くはハザードレベルが相対的に低いために，HBELによる洗浄閾値が高くなる傾向にあることは，前述のシミュレーションの結果でも示したとおりである。一方で，洗浄については，従来から0.1％投与量基準または厳しいといわれてきた10ppm基準で洗浄評価を行ってきており，品質上とくに問題とされていない状況がある。

このような状況を無視して，HBELを用いる洗浄評価を採用する必要があるのかどうかということが話題になる。

既存の上市製品のすべてについて，HBELを整備するためには多くの時間と投資が必要となる。1個のHBELをきちんと設定するためには，1～2年の期間と約1千万円以上の費用がかかるとされている。さらに，HBELが設定できたとして，その後に洗浄評価基準を見直すとなると，かなりの作業ボリュームになることが想定される。

このことは，HBELを用いることで先行していた欧州でも当然話題になった。EMA HBELガイドラインQ&Aドラフトの段階では，既存上市製品の洗浄評価については，最小臨床用量の1/1,000を代替えのHBELとする提案がなされていたが，専門家団体からの強い反対意見により，最終版では削除されている（本書第2章2.5.4項および2.5.6項参照）。

紆余曲折があったものの，既存製品の扱いについては，EMA HBEL ガイドライン Q&A 最終版のNo. 6で次のようになっている。

> *Q6. 洗浄の限度値はどのようにして設定されるか？*
> *A：「・・・・*
> *既存の製品に関しては，製造企業がそれまでに用いていた洗浄限度値は維持されるべきであり，（従来の洗浄限度値は）アラート限度値として考えられうる。ただし，その洗浄プロセス性能を考慮した場合に，従来の洗浄限度値が（筆者加筆：HBELによる洗浄閾値に対して）十分な余裕を確保でき，HBELによる洗浄閾値を超える逸脱状況を防止できることが確認されている場合である*
> *・・・・・」*

すなわち，既存製品は，従来の洗浄基準による洗浄限度値がHBELにもとづく洗浄閾値との間で十分な余裕がある場合には，従来から採用されている洗浄基準でよいとしている。なお，この場合でも，十分な余裕があるかどうかを判断するためには，HBELの設定およびそれにもとづく洗浄閾値を明確にしておくことが前提にある。

上記の場合の「十分な余裕」というのがどの程度なのかについてEMA HBELガイドラインQ&Aでは触れていないが，ヒントはPIC/S査察官用ガイドHBEL評価文書備忘録PI 052におけるNo.11項で記載されている「10倍の安全マージン」と思える（本書の6.3項参照）。さらに，この10倍という数字は既存上市製品に関するTeasdaleらの報文に由来していると推察できる[18]。

10.6 外用薬

局所的な投与経路をもつ医薬品化合物（たとえば外用薬）に特化して，HBELを設定するためのガイドラインは現状では見当たらない。HBELの設定における前提（本書5.5項）でも触れているが，本来的に100％全身に作用するというのが前提になっている（systemic exposure）。これは，EMA HBELガイドライン（ICH Q3C付則3）においても，また，Risk-MaPP改訂版においても同様である（5.3.3項）。

10.6.1 皮膚外用剤

ここで対象とするのは，皮膚経由で摂取する皮膚外用剤であり，代表的な例は虫刺されなどによる局所的な炎症を抑えるための軟膏（ointment）およびクリームである。このほか，体内の局部に経皮経路で作用するためにパッチ剤として提供されている医薬品である。

軟膏などの皮膚外用剤の洗浄基準については，従来から課題がいくつかあった。

1つ目は，洗浄限度値の計算式にでてくる最大一日用量（MDD），最小臨床用量（LDD）をどのように設定するのかということである。軟膏などでは，内服薬とは異なり，局所的な塗布による摂取であることから，この設定は大変に悩ましいことであった。軟膏などを利用する患者（利用者）は，チューブなどに入っている薬を，「適量」にて，一日に「数回」利用するというインストラクションで使用しているわけで，錠剤のように1錠あたりの用量が明確になっているわけではない。利用者の判断に委ねている部分が少なからずある。

2つ目は，臨床用量が設定できたとして，安全係数をどのように設定するかである。0.1％投与量基準では1,000が安全係数であるが，外用薬では違う数値を提唱していたガイドラインもあり混乱していた。**表10-1**は，PDA TR-29初版にある安全係数であるが，外用薬については，内服薬よりも安全係数が小さく設定されていた。これに対して，LeBlancは，2002年1月のCleaning Memoで，外用剤だからといって，内服薬，非経口剤と比して，洗浄限度値を大きく認めるような安全係数の設定には合理的な根拠がないと指摘している[141)]。さらに，Walshも，2011年の報文で同様の視点から批判している[1)]。LeBlancは，軟膏のような製品に対して0.1％投与量基準を適用することは現実的に難しいことを指摘して，代替えの式を提案している（Cleaning Memo 2008年11月）[142)]。

PDA TR-29（2012年）では，その10.8項にて皮膚外用剤（topical drug products）を扱っており，限界値の設定が一つの大きな課題であることを指摘している。そして，経皮経由での摂取であるとはいえ，全身に作用する薬剤（たとえばパッチ剤の場合）と，局所的にのみ作用する薬剤（たとえば日焼け止めクリーム）とは区別して議論している。

全身に作用する薬剤の洗浄評価については，基本として従来の投与量基準の計算式を用いるものとしている。前製品の最小臨床用量と次製品の最大一日用量の設定については，1日における利用回数および1回の利用における使用量などの要因にもとづいて調整されるべきとしているものの，具体的な方法については触れていない。

表10-1　剤形による安全係数

安全係数	対象とする製品
10～100	外用薬
100～1,000	経口薬
1,000～10,000	注射剤，眼科用製品
10,000~100,000	研究，治験用製品

注：Normal daily doseに対する安全係数
（PDA TR-29初版より引用）

局所的に作用する薬剤の洗浄評価については，0.1%投与量基準は不向きであるとして，製品中のAPI濃度の0.001とする方法（これは前述のLeBlancの文献142）にて提起されたもの）が提唱されている。そして，前製品の最小臨床用量と次製品の最大一日用量の設定については，1日における外用剤の利用回数によって，また，1回に塗布する量によっても調整するとしている。明確な方法については触れていない。

いずれの場合でも，10ppm基準との併用により，10ppm基準のほうが小さくなる場合にはそれを採用するとしている。

今後，HBELを用いて洗浄評価しようとする場合には，どのように考えていけばよいのであろうか。大きく2つの問題があると思える。

1つ目は，HBELの設定の問題である。不確実係数の設定に加えて，摂取経路が経皮経由であることをどのように反映するのかということが課題である。

2つ目は，洗浄閾値計算式の分母側にでてくる最大一日用量をどう設定するのかということである。

まず，1つ目のHBELの設定の問題から説明すると，大きな課題は経皮吸収の場合のバイオアベイラビリティ（BA）をどのように算定するかである。

外用剤のBAについては，IGHRC[58]，ECHA R.8[59]などで議論されている。最近のJandardらの報文では，分子量，オクタノール／水分配係数（Pow）が得られているものとして，BAの設定フロー図が示されている（**図10-1**）[143]。

分子量（MW）が500以上でかつ，オクタノール／水分配係数が$-1 < \log Pow < 4$である場合には，BAのデフォルトとして10%としている。経口でのBAのデータがない場合には，50%をデフォルトとしている。PoD（NOAELなど）も経口ベースであり，経口でのBAが得られている場合には，デフォルトとして1としている。

上記の50%という数値は，化粧品に関するガイダンス（SCCS Notes）でも同様にデフォルトとして提唱されている[144]。

2つ目は，最大一日用量の設定に関することである。このことについては，Ovaisらは，FTU（Finger Tip Unit）という概念を用いて，皮膚外用薬についての洗浄閾値のあり方を論じている[145]。

まず，FTUの概念について説明する。この概念は，Finlayらによって，外用剤の「適量」を示す指標として提唱されたものである。FTUに関する各種資料をまとめると，次のとおりである[146]。

- 1FTUは口径5mmのチューブから外用剤を，人差し指の先端から第1関節まで絞り出すときの量で，男性の場合は0.49g，女性の場合は0.43gとされている（**写真10-1**）。写真は，筆者が実際に25g入りチューブから消炎剤を絞り出したものである。
- 1FTU＝0.5g（0.49g）となるのは，25g入りチューブの場合である。
- 軟膏でもクリームでも同じである。
- 成人の全身に塗布すると，40.5FTUとされる（20.25g）。

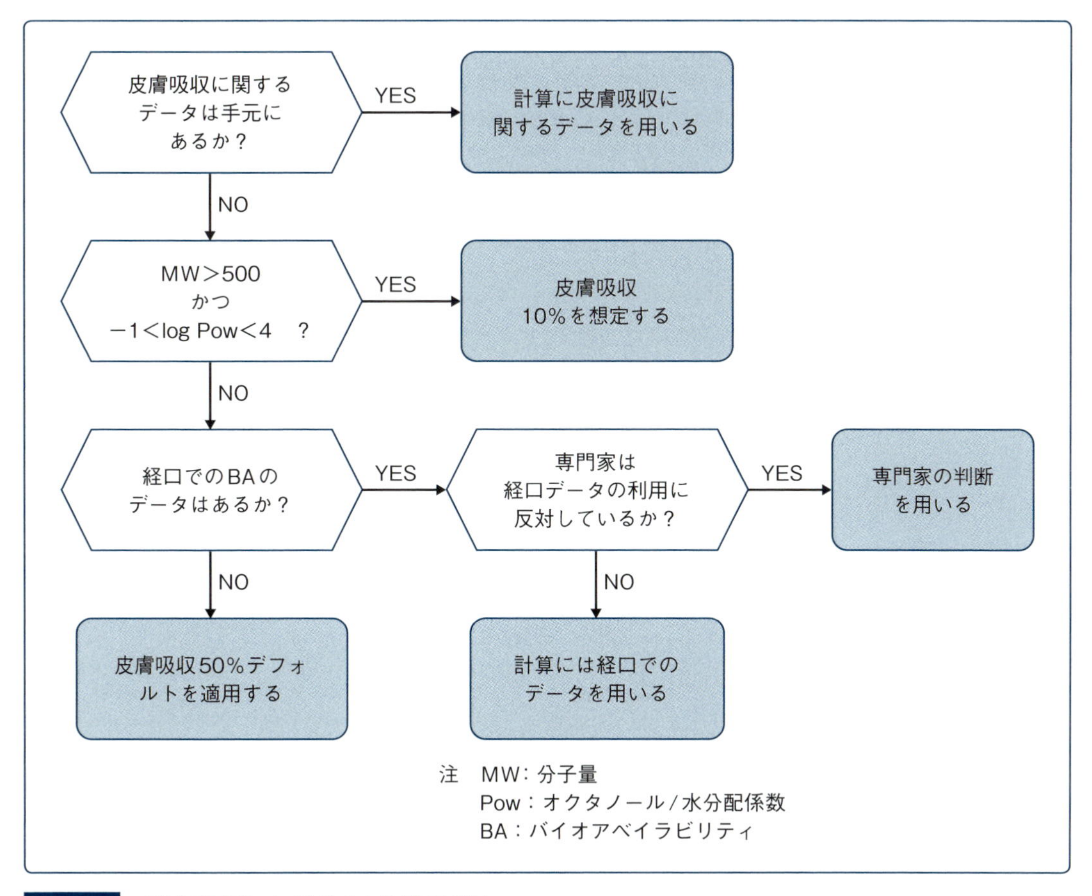

図10-1　**経皮吸収におけるBA決定の流れ**
（文献143）より引用，文責筆者）

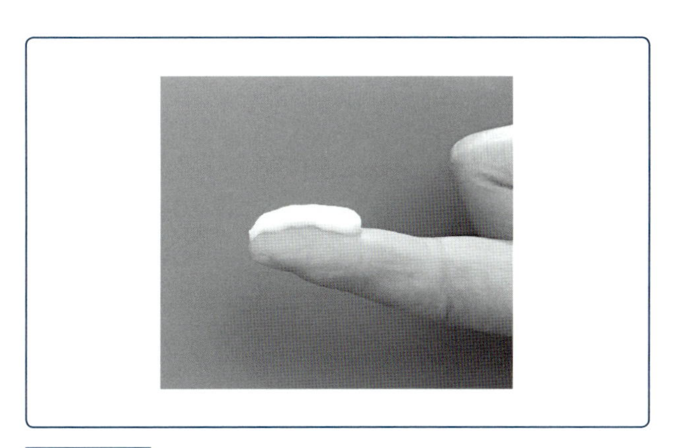

写真10-1　**1FTU**

実際に運用した結果でも20gとの報告がある。

・FTUの概念は，欧米では実際にも処方する際に利用されている。

日本でも，アトピー性皮膚炎の治療ガイドライン（2018年）において，FTUを用いて患者に塗布量を指示するときの目安としている。

Ovaisらの報文の前半は，伝統的な洗浄基準にもとづいてワーストケースを検討しているが，後半ではHBEL（PDE）およびFTUを用いて議論している。ここでは，後半部分について紹介する。

Ovaisらは，HBEL（同報文ではPDEを使っている）を適用する場合について，次の計算式を提案している。MACOは，スワブサンプリングでの持ち越し量（mg/swab）であり，Risk-MaPP改訂版でのSRL（mg/swab）に該当する。

MACO＝（PDE × BS × SA）/（MA × ESA）

ここで，

PDE：前製品Aの活性成分の一日曝露許容量（mg/day）

BS：次製品Bの1バッチあたりのFTU

SA：スワブあたりの面積（cm^2）

MA：一日あたりに皮膚に塗布される次製品Bの最大FTU

ESA：共有面積（cm^2）

BSおよびMAの設定には，FTUの概念が利用されている。

BSは，次製品のバッチサイズに相当する。FTUの概念を利用する場合では，実際のバッチサイズを一回塗布量（たとえば，0.5g）で除した数値になる（無次元数）。

MAは，最大一日用量に相当する。ワーストケースとして，軟膏などを身体全体に塗布する量を考え，さらには一日の適用回数を考慮するとしている。すなわち，MAは，1回あたりの身体全体への塗布量αと一日の塗布回数nの積として得られる（MA＝α × n）。FTUのアプローチでは，成人の身体全体をカバーするのに必要な量αは，40.5FTUsとされる。一日の適用回数として，Ovaisの報文ではn＝4回/dayとしているので，MA＝40.5 × 4＝162FTUsとなる。

ここで，塗布回数は，SCCS Noteにあるように，OTC製品の場合には，概ね数回とされている[144)]。実際にも，皮膚科の専門医が処方する軟膏では，2～3回/日としている。アトピー性皮膚炎の治療ガイドライン（2018年）でも，1～2回としている。したがって，4回というのは，ワーストケースとしてはほぼ妥当と思われる数値である。

FTUという概念を利用することで，最大一日用量は，1回の塗布量と適用回数で設定できることになる。

Ovaisの報文では，PDEを設定する場合のPoDとしてNOELを用い，安全係数（不確実係数）として100を用いている。この100の詳細については触れていない。おそらくは，食品の分野で当初から使われていた100そのままと思われる。また，経皮吸収であることを勘案してのBAについても言及されていない。

同報文での計算例を示す。前製品のPDE＝0.35mg/day，バッチサイズBS＝200,000FTUs，最大一日用量MA＝162FTUs/day，スワブ面積SA＝25cm^2，共有面積ESA＝6,000cm^{2}として，MACOの値を得ている。

$$\mathrm{MACO} = (0.35\mathrm{mg/day} \times 200{,}000\mathrm{FTUs} \times 25\mathrm{cm^2/swab}) / (162\mathrm{FTUs/day} \times 6{,}000\mathrm{cm^2}) = 1.80\mathrm{mg/swab}$$

この計算の前提となっているのは，軟膏などは直径5mmの口径を持つ容器に入っていること（1FTU＝0.5g），1日の塗布回数は4回であること，成人を想定していることである。

HBELを使う時代において，Ovaisらが提唱するようなFTUの概念を用いることも一つのアプローチとしてありえる。実際にも，外用剤の洗浄にこのFTUを用いている例が報告されている[147]。

なお，PDA TR-29（2012年）でも，FTUについて説明しているが，定義を与えるだけに留まっている。

10.6.2 そのほかの外用剤

Barleらは，点眼薬（topical ocular drugs）のHBEL設定について議論している[148]。その中で，点眼薬のHBEL設定方法の一つとして，最小臨床用量を不確実係数で除する方法に加えて，原薬の静注経路にもとづく$\mathrm{PDE_{IV}}$から，眼球の重さとヒト体重の比，BAの数値を織り込んで，$\mathrm{PDE_{ocular}}$を求める計算方法を提唱している。

また，Wiesnerらは外耳用医薬品に関しても議論している[149]。詳しくは文献を参照してほしい。

10.7 抗体薬物複合体

抗体薬物複合体（Antibody Drug Conjugate：ADC）は，モノクローナル抗体に，高いハザードレベルをもつ低分子医薬品（ペイロードといわれることがある）を結合させたものであり，がん治療のための有力な医薬品である[138]。

ADCのHBELを近似的に求める方法について，ASTM HBELガイドE3219では，ペイロード自体のHBELおよび，ペイロードの分子量とADC全体の分子量との質量比から推算することができるとし，その計算事例が紹介されている。たとえば，ペイロード自体のHBELが50ng/dayであり，質量比が10％である場合には，ADCのHBELは500ng/dayのオーダーになる（ASTM HBELガイド10.5.3項）。より詳しい計算方法は，Gouldらの報文による[138]。

しかしながら，洗浄工程でモノクローナル抗体の部分は不活化されることが多い。完全に不活化されることが確認できる場合には，ペイロード自体の毒性を用いて洗浄評価することになる[138]。

11 洗浄工程のQRMとそのツール

11.1 概論

品質リスクマネジメント（Quality Risk Management：QRM）は，ICH Q9において，「製品ライフサイクルを通じて，医薬品の品質に係るリスクについてのアセスメント，コントロール，コミュニケーション，レビューからなる系統だったプロセス」と定義されている。医薬品の品質を確保するための一連の活動であり，洗浄工程を含む各種の製造工程におけるPDCAサイクルを合理的に回すためのアプローチである。ここでは，まず洗浄工程のQRMについて，当局側からの期待事項を紹介する。ついで，QRMのためのツールについて説明する。

11.2 当局からの期待事項

11.2.1 規制当局・査察当局からの文書にみるQRM

交叉汚染防止に関連して，QRMが必要であることは，規制当局・査察当局からの各種文書にて明示されている。

①EUおよびPIC/S-GMP Vol. 4の3.6項の前半では，「交叉汚染を防止するための方策は，リスクとバランスするものでなければならない。品質リスクマネジメントの原則を用いて，リスクをアセスメントしコントロールしなければならない」と記されている（本書2.2.2項参照）。

②EUおよびPIC/S-GMP Vol. 4の5.20項は，「QRMは，・・・交叉汚染のリスクを評価し，コントロールするために用いられるべきである」と規定しており，QRMの必要性を記している（本書2.2.3項②参照）。さらに，交叉汚染防止のための技術的・管理的な措置については，EUおよびPIC/S-GMP Vol. 4の5.21項にまとめられている（本書2.2.3③および④項参照）。

③Annex 15では，その一般的事項の冒頭で，「QRMのアプローチが，医薬品のライフサイクルを通じて適用されるべきである」としている。
④EMAおよびPIC/SのHBELガイドラインQ&A No.3では，HBELをQRMの中でどのように用いるのかについて説明している（本書2.5.6項④参照）。
⑤PIC/Sからの査察官用ガイド交叉汚染防止備忘録PI 043は，ICH Q9にもとづくQRMを確かなものにするために，製造企業は何をすべきなのか，何を準備すればよいのかについてヒントが得られるものとなっている。GMPの内容を現実的な視点で補完するものともいえる（本書2.6.2項参照）。
⑥PIC/Sからの査察官用ガイド評価文章備忘録PI 052では，HBEL評価文書に関連する事項に加えて，企業におけるQRMの活動内容およびQRMアセスメント文書についても触れている（本書2.6.3項参照）

11.2.2 査察官からの発信

上記の各種発出文書に加えて，査察当局からは，QRMの展開について積極的な提言がある。とりわけ，McKilligan（MHRA，UK）の発言は査察当局の視点を知るうえで重要な位置づけである。同氏は，EU-GMPおよびPIC/S-GMPにおいてHBELに関連した各種規制，ガイドライン，Q&A，査察官用ガイド，そして査察官の教育に多く関与し発信してきている。

①McKilliganは，EMA HBELガイドラインのQ&Aドラフトに関するワークショップ（本書2.5.3項参照）で，EMA HBELガイドライン発出後の2年間にあって，製造現場ではHBELが単に洗浄評価のためだけに使われており，QRMのためのツールとしての利用が進んでいないと，多くの査察官が感じていることを報告した[150]。
②McKilliganは，同ワークショップで，HBELが決定された後のQRMプロセスに関連して，期待されるステップについて述べている[151]。以下は，その要約である。
- 現場は，HBELにより特定される相対的なハザード／リスクのレベルを認識して，リスクアセスメントを開始すべきである。そして，必要とされる技術的／運用管理的なコントロール措置のレベルを決めなければならない。
- リスクアセスメントの範囲と内容はハザードとリスクのレベルにもとづいて設定し，その検討結果は文書化されねばならない。
- リスクアセスメントにおいては，製造工程および，現状のまたは予定されているコントロール措置は，適切な詳細レベルで文書化されていなければならない。コントロール措置において不具合が生じることがあることについても，文書化されていなければならない。
- コントロール措置の適合性について，堅牢なエビデンスにもとづいて，明確で，要領を得たリスクアセスメントが期待される。現状のコントロール措置は，その適合性の検証とともに，明確に文書化されねばならない。「われわれは一定の手順をもっており，長年にわたり，そのやり方で実施してきた」というのは，根拠となるエビデンスがない限りは，適切な検証とはみなされない。

・不具合が発生するリスクがあることまたは管理が困難となりうるリスクがあることに応じて，隔離または専用化部品，専用化機器，専用化エリアがどこにおいて必要となるかを明確に特定しなければならない。

・ハザードレベルが高い場合，およびまたは間違いや不具合によるリスクが残っている場合には，より詳細で，よりレベルの高いコントロール措置をもつ特定の手順が期待される。

③McKilligan は，EMA HBEL ガイドラインQ&Aが最終化されて発出された後に，Q&A最終版について解説する記事をMHRAのブログで発表している[152]。

その内容は，大きく2つある。第1は，QRMのプロセスにHBELをどのように利用するかという点であり，第2は，洗浄バリデーションに組み込まれるべき重要なポイントについてである。ここでは，最初のQRMへのHBELの利用に関する部分を要約して，以下に紹介する。

<製造企業は何をしなければならないか？>

・HBELをまだ設定していない企業は，遅延なくHBELの設定を進めなければならない。ハザードレベルのより低い物質を扱う場合には，いくつかの実用的な方法が適用される。

・社内に毒性学専門家がいない場合には，企業はHBELの設定業務を外注しても構わない。その場合には，Q&A No.4による。

・HBELを設定した次のステップは，Q&A No.3に述べたように，堅牢なリスクマネジメントプロセスにより，技術的および運用管理的なコントロール措置が検討され，確実に評価することである。

・QRMの展開・応用（とくには，交叉汚染防止の措置に関して）については，誤解が広く流布しているように思える。この話題に関連して，査察の現場においてよく観察されることについて触れておく。査察官は，たいへん多くの場合において，FMEAスタイルのリスクアセスメントが採用されているのを見ているが，それは，単に現状のコントロール措置を正当化するためだけに用いられているように思われるのである。極めて多くの場合において見られるアプローチは，手順が遵守されているからコントロール措置は適切であるという具合に，単に結論づけているだけなのである。

・査察側が期待している基本的なところは，次のような点である。

－HBELにもとづく洗浄閾値は，安全な曝露限度値についての定量的な値を与える。したがって，この量の汚染が，製造工程内で，どのようにして，そしてどこで，持ち越しされているのかを検討することが必要である。ついで，適切な技術的および運用管理的コントロール措置が設定されるべきである。

－現状使われているコントロール措置の適否について，最初の段階では，予断をもつべきではない。実際的に検証してみて，それらが明らかに適切なものであることを確かめることである。

－交叉汚染に関して，可能性のあるすべての交叉汚染機会をリストアップすべきである。このためには，学際的なチームが，現場に出向き，対処する必要があるだろう。

－ワーストケースのHBELに対応するとして，エリアおよび機器について，どの程度のレベルで詳細な検討が必要なのかについて確認すべきである。

－必要なアクションを特定し，コントロール措置がHBELによる洗浄閾値に相応しく適切であることを確認すべきである。

－QRMの結果が，特定されたコントロール措置に対して，明確な説明根拠および正当性を示していることを確かめるべきである。これらは査察の際にレビューされることであろう。

－QRMを恒常的に維持し，定期的にレビューすべきである。

そして，解説を次のように締めくくっている。

「最後に留意事項として付記すると，**HBELは洗浄限度値を決めるためだけのものではなく，HBELは交叉汚染リスクを管理する方策についての統合的な基盤であるべきである**」（太字強調はオリジナルのまま）。

④McKilligan のその後の意見を，MHRAのブログから紹介する[153]。直近の査察事例を踏まえたものであり，HBELを巡る状況を知ることができる。毒性学専門家によるHBEL設定の必要性，QRMにおけるHBELの利用，洗浄バリデーションにおいて目視検査を唯一の基準として適用する場合について言及している。ここでは，QRMに関する部分を次に示す。

＜HBELの数値およびハザードの知識は，QRMを展開して，運用管理的および技術的コントロール措置を構築する際のツールおよび参照として活用されるべきである＞

・多くの企業では，HBELのレベルを考慮することなしに，リスクアセスメントを実施している。ハザードのレベルおよび性格を考慮することなしに，リスクアセスメントを実施しているので，効果的であるとは思われない。複数の企業では，HBELを利用しているのは，洗浄バリデーションの受容基準（acceptance criteria）を設定するときだけである。

・EMA HBELガイドラインQ&A No.3項で記述されているように，QRMにおいて，運用管理的および技術的コントロール措置を設定する（または，既存のコントロール措置を評価する）際のインプットは，HBELである。

・リスクマネジメントでは，知識およびデータと同様に，集中と幅広い視点を必要とする。QRMはチームでの活動であり，すべてのチーム構成員は，チームが管理しようとしている残滓がどの程度のレベルなのかについて明確に認識しておかなければならない。このために設定されているのがHBELである。

・HBELの数値を明示的に示すことが有用であろう。そして，患者の安全に核心的な焦点があてられるべきであり，コントロール措置の設計およびヒトによる間違いの最小化を通して，失敗のリスクをコントロールすることが重要である。

・クリティカル管理ポイントが設定されるべきである。その中には，分解を要する機器の重要な部品，汚染が残留するポイント，一次封じ込めシステムなどが含まれるだろう。

・QRMチームメンバーのリスクに対する認識および受容のレベルは，本質的にそれぞれ違っているだろう。このため，どのようにリスクが評価されるか，どのようにリスクが管理されているかについて，そのあるべき姿が文書化の過程を通して明確に規定されるべきである。

11.3 リスクアセスメントツール

Walshらは，リスクベースアプローチにもとづく洗浄バリデーションの具体的な構築に関連して，各種のツールを提案している[154~157]。ASTM洗浄ガイドE3106を具現化するための方法論と道具だてと考えてよい（本書2.9項を参照）。これらは，後述の洗浄FMEAを実施する際のツールである。

一連の報文では，洗浄におけるリスクは，ASTM洗浄ガイドE3106と同様に，次の因子から構成されるとしている。

洗浄リスク＝f（API残滓のハザードレベル，API残滓への曝露，API残滓の検出能）

これに応じて，次の4つの指標を提案している。

・毒性スケール

・洗浄工程能力スケール

・目視検出インデックス（VDI）

・TOCカーボン検出インデックス（CDI）

1つ目の「毒性スケール」は，API残滓のハザードレベルを勘案するためのものである[154]。毒性スケールは，pHスケールと同様な方法で，HBEL（ADE）の数値を引数とする常用対数として，次式で定義されている。

毒性スケール＝－（Log ADE）

ここで，ADEの単位はgrams/dayである。ハザードレベルが高くなると，毒性スケールの数値が大きくなる。たとえば，ADE＝1mg/day（＝10^{-3}grams/day）だと毒性スケールは3となる。ADE＝1μg/day（＝10^{-6}grams/day）だと毒性スケールは6となる。

2つ目は，曝露のレベルを示す「洗浄工程能力スケール」である[155)]。曝露のレベルは，洗浄後の残滓の有無，残滓量に依存することになる。これは洗浄がうまく行われるかどうか，裏返せば洗浄失敗がないかどうかということである（報文中でも，洗浄失敗の可能性についての指標であると言及している）。この指標は，洗浄が失敗するかどうかを表現するので，既存データによる洗浄工程能力指数（Cpu）の逆数として，次式で定義されている。

洗浄工程能力スケール＝（1/Cpu）× 10

スケールは1～10で表される。洗浄失敗の可能性が最も高い場合のスケールは10であり，失敗の可能性が最も低い場合のスケールは1となる。

3つ目は，目視検出インデックス（Visual Detection Index：VDI）であり，VRLとMSSRの比を引数とする常用対数であり，次式で定義されている[156)]。

VDI＝Log（VRL/MSSR）

ここで，MSSRはHBELによる持ち越し総量を共通面積で除した値である[8)]。このインデックスを設定するうえでは，VRLを実際に求めておく必要がある。このVDIは，MSSRに対して，VRLがどのくらい離れているのか，すなわち余裕はどのくらいあるのかを示している。前述のシミュレーション事例（本書8.5項参照）では，ハザードレベルが低い場合には，VDIが-2よりも低い値となることを示した。これはVRLがMSSRよりも100倍以上低いところに位置することを意味する。

4つ目は，TOCによるカーボン検出インデックス（Carbon Detection Index：CDI）であり，次式で定義されている[157)]。

$$CDI = Log(DL_{TOC}/SL_{TOC})$$

ここで，DL_{TOC}（単位：ppb）はTOCにおける検出限界である。SL_{TOC}（単位：ppb）はTOCスワブ値である。このインデックスを設定するうえで，TOC分析における検出限界DL_{TOC}を求めておく必要があるが，文献157）で例示しているように，多くの数値が報告されているのが実状である。このため，文献157）では，DLを設定するための標準的な手順書が必要であろうとしている。

VDIおよびCDIのいずれにおいても，検出限界値を基準とした測定値の離れ具合を示している。

11.4 洗浄FMEAについて

Walshらは，洗浄工程のリスクマネジメント手法として，前述の4つの指標を用いる洗浄FMEAの一例を提案している[117]。

同報文の前半では，FMEAの問題点を議論している。すなわち，FMEAで用いられている，重篤度，発生率，検出性の点数づけに際して，担当者それぞれの主観が入り込む問題である。さらに，これら3つを乗じて得られるリスク優先度数（Risk Priority Number：RPN）の位置付けに関する問題である。

これらの課題は，多くのリスクマネジメント専門家からも広く問題提起されていることである。同報文では2人の専門家の報文を引用して，議論を展開している。

まず，その一人であるO' Donnellの報文から，次のような言葉を引用している[158]。O' Donnellは，医薬品製造業界におけるQRMの問題点について詳しく指摘し，改善のアイデアを提案している。その指摘の一つは，堅牢な科学的な原則が欠如しているというものである。

- 発生確率の推定が，実際的なデータ，予防的な管理措置，またはモデリングのデータの，いずれにももとづいていない。
- リスクの重篤度，リスクの検出に関する想定が，まったく堅牢なものでない。
- RPNの値にもとづいて重要な決定をしているものの，RPNの値が順序スケールからのみ算定されていること，そして，そのようにして得られた数値は数学的には意味がないということを認識していない。このために，高いレベルでの，主観性，不確実性および推測作業につながる。

次に，RPNの問題点を指摘するために，Wheelerの報文も引用している[159]。Wheelerの意見をまとめると次のようになる。

- 主観的なスケールを用いて算出されるRPNの数値は，大きな誤解を生じやすい可能性がある。
- FMEAで代表的に利用されている順序スケールは合理的には掛け合わすことができない。単純に掛け合わせることは，個々のスコアがもつ情報が失われる可能性があり，重要な情報を見えにくくすることになる。

Walshらは，上記の専門家の指摘を踏まえ，前述の4つの指標（毒性スケール，洗浄工程能力スケール，VDIおよびCDI）は，実際のデータから直接的に設定されていて，堅牢な科学にもとづくものであり，洗浄におけるリスクを評価するためによいツールであるとしている。

文献117）では，続いて4つの指標について，点数付けについて具体的に議論し，洗浄FMEAでの最終的なリスクランキングの例が紹介されている。それをよく見ると，一般的なFMEAにおけるRPN 指標の単純な掛け合わせにはなっていないことがわかる。前述の毒性スケール，洗浄工程能力スケール，VDIおよびCDI などのインデックスはすべて数値化されており，そのうえで赤（橙），黄色，緑という色分けをしている。そして，それらを俯瞰したうえで総合的な判断を行い，Criticalityという指標を設定している。

11.5 洗浄リスクマトリックス　その1

Walshらは，リスクアセスメントを行うために，毒性スケールと洗浄工程能力スケールを横軸縦軸とするリスクマトリックスを作成して，総合的にリスクを検討する方法を提唱している（**図11-1**，**表11-1**，**表11-2**）[160]。図11-1は，文献117）にて提案されていたものの改良版でもある（そこでは，コントロール措置の内容について十分な説明がなかった）。

Walshらは，ICH Q9の原則を踏まえて，洗浄バリデーションについての「労力，形式および文書化」のレベルは，リスクのレベルに相応しいものにすべきであるとしている[117, 160]。このリスクレベルを設定するために，毒性スケールと洗浄工程能力スケールから成るリスクマトリックスを用意したものである（図11-1）。そして，リスクのレベルに応じて，8つの階層に分かれたコントロール措置が用意されている。たとえば，ハザードレベルも低く，洗浄も容易であるような場合には総合的なリスクレベルは低くなるので，目視検査だけでよいのではないかとしている。一方，ハザードレベルが高く，洗浄も難しいような場合には，専用化するとしている。

文献160）では，これらの階層に応じた「労力」，「形式」，「文書化」について記している。その「労力」の項に記載されている具体的なコントロール措置から，検出方法，適格性確認ランの回数，洗浄プロセスの改善，専用化／洗浄FMEAの要否，SOPをキーワードとして抜き出したのが，**表11-3**である。

図11-1中の階層の区割りは，あくまでも一例として考えるべきであろうし，実際には企業の考えで内容は大きく違うものになると考えられる。文献160）では，このリスクマトリックスを用いるうえでの留意点を次のように記している。

- ・ここで示したグルーピングは我々の最初の推奨ということであり，これらを使って経験が積み重なるに従って改訂されるべきである。
- ・図中の区割りの境界は剛なもの，固定されたものと考えるべきではない。たとえば，毒性スケール上の5および6，そして洗浄工程能力スケール上の8および9の交わるところでのリスクというのは，等しくグループ1，2，3，5になりうる。
- ・同図のグルーピングおよびそれによる「労力」のレベルは，盲目的に適用される

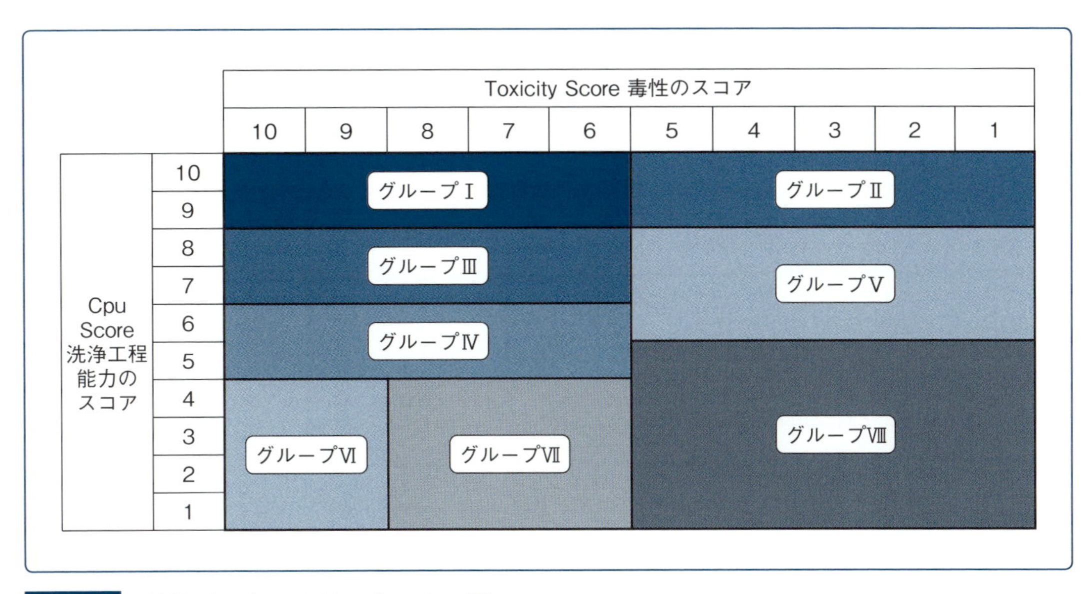

図11-1　洗浄リスクマトリックスの一例
（文献160）より引用，文責筆者）

表11-1　図11-1におけるコントロール措置の説明（文献160）より引用，文責筆者）

<table>
<tr><th></th><th>労力</th><th>形式（注参照）</th><th>文書化</th></tr>
<tr><td>グループⅠ</td><td>多目的設備は不可／専用設備またはシングルユース機器の利用を考慮すること</td><td rowspan="4">形式に従ったRM</td><td>文書-1</td></tr>
<tr><td>グループⅡ</td><td>形式に従った洗浄FMEAの実施／洗浄プロセスの改善が必要／サンプリング分析の結果確認後にリリース</td><td rowspan="7">文書-2</td></tr>
<tr><td>グループⅢ</td><td>形式に従った洗浄FMEAの実施／洗浄プロセスの改善が必要／サンプリング分析の結果確認後にリリース</td></tr>
<tr><td>グループⅣ</td><td>形式に従った洗浄FMEAの実施／分析機器による継続的なモニタリング／洗浄プロセスの改善を推奨</td></tr>
<tr><td>グループⅤ</td><td>洗浄プロセスの改善が必要／目視検査と分析機器による継続的なモニタリングの併用／洗浄FMEAを推奨</td><td rowspan="2">形式にとらわれないRM</td></tr>
<tr><td>グループⅥ</td><td>形式に従った洗浄FMEAの実施／分析機器による定期的なモニタリング</td></tr>
<tr><td>グループⅦ</td><td>洗浄FMEAを推奨／分析機器による定期的なモニタリング</td><td rowspan="2">最小限のRM（SOPsの利用）</td></tr>
<tr><td>グループⅧ</td><td>日々のコントロールおよび新規製品のバリデーションとして目視検査のみ／洗浄FMEAを推奨</td></tr>
</table>

注：訳語はICH Q9のブリーフィングパックによる（Formal：形式に従った／Informal：形式にとらわれない）。RM：リスクマネジメント。

べきではない。個々の特定した状況に応じて，必要とされる「労力」をどのようにするかについては，慎重な考察がなされるべきである。

・同図のグルーピングの意図は，たんに，意志決定プロセスを進める際に役立てようとするものである。したがって，実際に利用する場面では，企業の洗浄に関す

表11-2　表11-1における文書の説明（文献160）より引用，文責筆者）

文書-1	文書-2
・HBELモノグラフ ・洗浄リスクアセスメント ・（存在する場合には）今までのデータの評価 ・洗浄プロセス開発報告書 ・方法のバリデーション報告 ・QRMの報告書から展開される バリデーションプロトコル／レポート ・詳細な洗浄SOPおよび記録 ・目視検査文書	・HBELモノグラフ ・洗浄リスクアセスメント ・（存在する場合には）今までのデータの評価 ・バリデーションマスタープラン ・洗浄プロセス開発報告書 ・方法の開発およびバリデーション報告 ・QRMの報告書から展開される バリデーションプロトコル／レポート ・洗浄プロセスの記録 ・運転員のトレーニングプログラム ・目視検査文書

表11-3　「労力」の階層（一部）（文献160）より引用，文責筆者）

	キーワード				
	検出方法	適格性確認ランの回数	洗浄プロセスの改善	専用化／洗浄FMEAの要否	SOP
グループ1	十分ではないかまたは許容できない	記述なし	記述なし	設備を専用化する／シングルユースの機器を用いる 不活性化の検討を行う	記述なし
グループ2	特異的方法が必要となりうる（may be necessary）	統計的に多数の回数が必要	洗浄プロセスの改善が必要	公式の洗浄RA（たとえば，洗浄FMEAs）が必要 機器または部品の専用化が考慮され得る	高度に詳細なSOPの準備
グループ3	特異的方法が必要となりうる（may be necessary）	統計的に多数の回数が必要	洗浄プロセスの改善が必要	公式の洗浄RA（たとえば，洗浄FMEAs）が必要	高度に詳細なSOPの準備
グループ4	非特異的方法が許容されうる（may be acceptable）	記述なし（「変動性を評価するために統計的に多数のデータが必要」との記述のみ）	洗浄プロセスの改善プランが考慮されるべき	公式の洗浄RA（たとえば，洗浄FMEAs）が必要	高度に詳細なSOPの準備
グループ5	非特異的方法が許容される（are acceptable）	統計的に多数の回数が必要	洗浄プロセスの改善が必要	洗浄FMEAを推奨	高度に詳細なSOPの準備
グループ6	特異的方法が必要となりうる（may be necessary）	1回の適格性確認ランのみでよい（多数のデータは必要ではないので）	洗浄プロセスの改善プランは必要としない	公式の洗浄RA（たとえば，洗浄FMEAs）が必要	詳細なSOPの準備
グループ7	非特異的な方法（目視検査を含む）が許容されうる（may be acceptable）	統計的に多数の回数は必要ではない	洗浄プロセスの改善プランは必要としない	洗浄FMEAを推奨 分析機器を用いてのモニタリングまたは目視検査（適格性の確認済みであること）によるベリフィケーションのみ	記述なし
グループ8	非特異的方法（目視検査を含む）が許容される（are acceptable）	統計的に多数の回数は必要ではない	洗浄プロセスの改善プランは必要としない	洗浄FMEAを推奨 モニタリングされた目視検査（適格性の確認済みであること）による洗浄ベリフィケーションのみ	記述なし

るすべての要因および洗浄バリデーションプログラムを注意深く特定し，解析し，評価するべく，相応のQRMの労力が期待される。

Walshらは，報文の後半で，労力・形式・文書化のレベルについて，リスクベースアプローチの流れにそって論じている。その中で，最も重要な文書はリスク（ハザード）を特定する段階でのHBEL評価文書（モノグラフ）であるとしている。そして，その労力・形式・文書化のレベルは，最も高いものでなければならないとしている。というのも，すべての後続のアクティビティ，意志決定，計算の流れは，HBELモノグラフにおける情報にもとづくものであるためであり，HBELの導出においては「近道はありえない」と述べている。

報文の最後では，ICH Q9における「形式（formality）」について，定義が与えられていない問題を提起している。このためもあるのだろうが，表11-1における「形式」では，「Formalなリスクマネジメント（RM）」，「InformalなRM」，「最小限のRM（SOPの利用）」としているのみであり，Formal/Informal/最小限（minimal）についての詳しい説明がなされていない。ICH Q9の考えからすれば，リスクが高いほど「形式」のレベルは高くなり，リスクが低いほど「形式」のレベルは低くなるが，そもそもの定義がない状況では悩むところである。Walshらは，企業は「形式」のレベルについて，どのレベルとするかを自ら決めることになるだろう，と述べている。

この「形式（formality）」という用語の曖昧性については，O' Donnellが詳しく論じている[161)]。その中で，O' Donnellは，formalityについての定義案を提唱している。そこでは，5つの要件をあげている。すなわち，①ICH Q9によるQRMのすべての4つの要素（リスクアセスメント，リスクコントロール，リスクレビューおよびリスクコミュニケーション）が適用されていること，②単独でのQRMレポートが用意されていること，③機能横断的なチームが組織されていること，④よく知られているまたはカスタマイズされたQRMツールが使用されていること，⑤リスクの格付け／スコアが，データ／文書化された検証／根拠でもって裏付けされていること，である。そして，これら5つの要件がすべて揃った場合を「Formal」なQRMとするものである。より低いレベルのformalityでは，5つの要件の充足度に応じて，設定するとしている。

11.6 洗浄リスクマトリックス　その2

筆者は，文献117）を受けて，封じ込め機器を選定する際に用いられるリスクマトリックスを念頭において，独自に洗浄リスクマトリックスを作成したので紹介する。

まず，ハザード区分は，OEB＝1～6の6段階の区分とする。これは，現状の封じ込め機器選定の場合と同じ区分けであり，国内でも馴染みのあるものである。概略であるが，OEB＝5，6はハザードレベルが非常に高い領域，OEB＝3，4はハザードレベルが高い領域，OEB＝1，2はハザードレベルが低い領域として区分けできる。

次に，曝露区分は3段階の区分けとする（大・中・小）。洗浄工程での曝露リスクは，機器表面上に残滓が存在するかどうかであり，洗浄工程が失敗するリスクを意味している。その意味合いを総合的に示す指標としては，Walshらが提案する洗浄工程能力スケール（1/Cpu）の数値が使える。その数値をもとに3段階とすることになる（グルーピングについては，多様な意見がありうる）。

この2つの因子から，リスクマトリックス（6×3）が構成される。多くのマス目ができるが，個々のマス目は現実的なコントロール措置の数に適合するように適宜グルーピングされ，リスクに応じてコントロール措置と対応づけされる。

洗浄工程でのコントロール措置の一つとして，ASTM洗浄ガイドE3106でのリスク低減リスト（本書2.9項表2-10参照）にあるとおり，残滓を同定できる能力，すなわち分析機器の検出レベルを検討する。

分析方法については，特異的，非特異的な方法があるが，ここでは検出性能に注目する。検出性能は，高度なレベルのものから低いレベルのものまで，いくつかの階層がある。たとえば，高度なレベルの分析機器としては，液体クロマトグラフ質量分析計（LC-MS），高性能液体クロマトグラフUPLC，新しい原理によるイオン・モビリティ分光法などがある。通常レベルの分析機器としては，TOC，HPLC，UVがある。さらには，同定の手段の一つとして目視（裸眼）もある。

実際のリスクマトリックスについて考えてみたい。

ハザードレベルが高く，洗浄も難しい場合には，リスクが最も高くなる。この場合，手元にある分析機器を用いて残滓の十分な同定ができない状況では，専用化というコントロール措置を講じることになる（クラス1)。これは，洗浄残滓の同定ができない場合には専用化することが規制上の要件であることによる（EU-GMPおよびPIC/S-GMPのVol. 4 Chapter 3参照)。同定できれば，その必要はないことになる（βラクタム系の高感作性物質の場合には，同定の可能性にかかわらず専用化が必要とされる)。専用化というのは，同定できない場合のコントロールの一つとして考えられる。

このクラス1の判断は，高いレベルの分析機器を利用できるかどうかにも依存するので，個々の企業および現場の状況によって異なる。

一方，ハザードレベルも低く，洗浄も容易であるという場合，リスクは十分に低いと考えられる。このため，コントロール措置の一つとして，「目視のみ」というのも今後ではありうる（クラス4)。その場合，VRLは科学的に求めること，および定期的な検査員の適格性を確認することが前提である。

この2つの極端なケースを結ぶ中間の領域では，リスクレベルに応じて，高レベルの分析機器および通常レベルの分析機器の使い分けをすることになる（**表11-4**および**11-5**）。

上記をまとめれば，基本的なコントロール措置としては，4つの階層になる。

・専用化（同定できないため）

・高レベルの分析機器の利用

・通常レベルの分析機器の利用

・目視のみ（裸眼で同定できるため）

高レベルの分析機器，通常レベルの分析機器にあっても各種のものがあり，それぞれの特徴を勘案して，適宜に選択される。

表11-4　ハザード区分と曝露リスクによるリスクマトリックス

			曝露リスク 機器表面上に残滓が存在するリスク 洗浄工程が失敗するリスク		
ハザード区分	OEB	(OEL；μg/m³)	小	中	大
	OEB 1	＞1,000	リスククラス4	リスククラス3.5	リスククラス3
	OEB 2	100～1,000	リスククラス3.5	リスククラス3	リスククラス3
	OEB 3	10～100	リスククラス3	リスククラス3	リスククラス2
	OEB 4	1～10	リスククラス3	リスククラス2	リスククラス2
	OEB 5	0.15～1	リスククラス2	リスククラス2	リスククラス1.5
	OEB 6	0.15以下	リスククラス2	リスククラス1.5	リスククラス1

注　OEB：Occupational Exposure Band　　OEL：Occupational Exposure Limit

表11-5　リスククラスとコントロール

リスククラス	コントロール措置	リスクレベル	備考
リスククラス1	専用化機器／専用部品	手元の分析機器では同定できない	専用化のレベルは，現場状況によりさまざま
リスククラス1.5	専用部品と分析機器の併用	境界領域（状況次第）	例：部分的に専用化する。その他は高レベルの分析機器による同定を行う
リスククラス2	高レベルの分析機器の利用	高レベルの分析機器にて同定できる	例：LC-MS，UPLC，イオンモビリティ
リスククラス3	通常レベルの分析機器の利用	通常レベルの分析機器にて同定できる	例：HPLC，TOC，UV
リスククラス3.5	分析機器と目視のみの併用	境界領域（状況次第）	例：通常レベルの分析機器と目視のみの使い分け
リスククラス4	目視のみ	分析機器を使わずとも同定できる	目視検査のみとする（堅牢性，定期的な検証必要）

コントロール措置の基本形は4階層であるとしても，現場の状況は個々に異なる。このため，現実の場面では境界領域が出てくる可能性がある。専用化する場合にあっても，機器に付属している某部品は洗浄が難しいので専用化するものの，それを除く範囲については高レベルの分析機器を用いてコントロールするということも考えられる。そのような境界領域をここではリスククラス1.5としている。同様に，目視検査だけでは不安があるので，通常レベルの分析機器との併用ということも考えられる。目視検査は日常レベルで使うものの，定期的に分析機器によるベリフィケーションを行うという方法もあるだろう。そのような境界領域をリスククラス3.5としている。

11.5項および11.6項で紹介した2つの洗浄リスクマトリックスは，いずれも例にすぎない。前述したように，個々の企業によって状況および判断が異なるので，実際の情報をもとにしたさまざまなリスクマトリックスができあがる可能性がある。現場でのさらなる展開をお願いしたい。

11.7 洗浄工程のリスクレイティング

従来の洗浄工程のリスク評価では，「残滓」に注目が集まっていた。たとえば，ワーストケースアプローチを採用する際などには，残滓の洗浄性（洗浄のしにくさ），溶解性，毒性などについて，ランク分け（スコアリング）する方法が提案されている（APIC 洗浄ガイドなど）。

リスク要因は残滓以外にもありうる。そのほかの因子について，ISPE洗浄ガイドでは，重篤性，および曝露の可能性という視点から格付け（レイティング）している。あくまでも1つの例であると思えるが，参考になる（同ガイド3.3項）。重篤性については，HBELの数値が主になるが，そのほかの因子として摂取経路なども取り上げている（**表11-6**）。曝露の可能性は，主に洗浄性（洗浄のしにくさ）に関係する。洗浄性のほかに，洗浄作業の再現性なども因子として取り上げている（**表11-7**）。重篤性，曝露の可能性のいずれも，スコアとして1～5とされている。重篤性の5は最も高い重篤な状況であり，重篤性の1は最も低い重篤な状況を意味する。

表11-6　重篤性を評価するためのスコアリングの例

重篤性の視点	スコアリングの例				
	5	4	3	2	1
機器の使用状況	共用				専用
製品が直接接触かまたは間接接触か	製品		賦形剤		バッファー
製品のタイプ	ADE/PDE数値が低い（高ハザード）	Rx（処方薬）	OTC（Over the Counter）	栄養補助製品	化粧品
HBEL	≦1μg/day		≦10μg/day		≧100μg/day
活性成分の安定性	活性は安定	25%不活化/劣化	50%不活化/劣化	75%不活化/劣化	100%不活化/劣化
摂取経路	IV		経口		経皮
洗浄剤	処方洗浄剤		汎用洗浄剤		水のみ
微生物学的懸念	乾燥状態での製造プロセスの各ステップ	乾燥したプロセス	無菌静菌（bacteriostatic）プロセスマテリアル	使用する前に清浄化ステップ	使用する前に無菌化ステップ
患者への近接性またはさらなる精製ステップの有無	充填*	製剤調合*	最終精製	初期精製または回収	培養

＊製剤設備でのリスクファクターは，充填または錠剤工程では，それぞれ5または1ということがあり得る。
注：スコア5＝重篤性が高い/スコア1＝重篤性が低い

筆者注：ISPE日本本部からの許可を得て掲載。文責筆者。

表11-7 曝露可能性を評価するためのスコアリングの例

曝露の可能性についての視点	スコアリング　例				
	5	4	3	2	1
ソイルの状態	ペースト状		固形状		液状
洗浄性（溶解性または製造プロセスにもとづいて）	洗浄が難しい		中程度		洗浄が容易
洗浄の再現性	手洗浄		半自動		自動
機器設計	形状が複雑で，内部部品が多数	形状が簡単で，内部部品が多数	形状が複雑であるが，内部部品は少数	形状が簡単であるが，内部部品は少数	形状は簡単で，内部部品がない（バルブを除く）
微生物学的負荷*	常温プロセス水（WFIまたはPW）による洗浄溶液	無菌静菌（bacteriostatic）プロセスマテリアル	高温プロセス水（WFIまたはPW）による洗浄溶液	アルカリおよびまたは酸性の洗浄溶液	定置蒸気滅菌（SIP）または使用前に清浄化ステップ
洗浄失敗（Deviations）	洗浄プロセスの不具合による洗浄失敗		システムの不具合による洗浄失敗		洗浄失敗は知られていない
洗浄バリデーション経過年数	20年超え	16～20年	11～15年	6～10年	5年以内
洗浄バリデーションの結果（ワーストケース）	限度値の51%以上	限度値の21%～50%	限度値の10%～20%	LOQ以下	LOD以下
今までのルーティンモニタリングでのトレンドデータ	σの外に出たことがある		傾向は変動している		トレンドは落ち着いていて，σの範囲内にある
注：スコア5＝可能性はより高い／スコア1＝可能性はより低い					

筆者注：ISPE日本本部からの許可を得て掲載。文責筆者。

11.8 そのほかの分野への展開

リスクベースアプローチの考えは，洗浄評価の分野だけではなく，洗浄にかかわるほかの領域にも広がっている。たとえば，バイオ医薬品分野での「切り替え時」の課題について，リスクベースで考察した報文も散見される。そこでは，サンプリング数の削減や，パッキンなどのエラストマー部品交換の要否について検討している[162, 163]。具体的なリスク評価の内容は明らかではないものの，多くのバイオ関連企業において，エラストマー部品を交換することなしで運転している事例が紹介されている。

12 HBELの封じ込め設備への適用と曝露管理

12.1 概要

これまで説明してきたHBELは，たんに洗浄評価においてのみ用いられるのではない。薬理活性の高い物質を扱う，いわゆる封じ込め設備では，作業従事者の曝露を低減するための設備設計においても，またその運用における環境モニタリングの基準としても利用されている。環境モニタリングは封じ込め設備の運用において，作業従事者の労働安全衛生という意味合いに加え，製品の品質確保ということからも重要な位置づけである。

封じ込め設備の設計，運用管理において必要とされる，HBELにもとづくリスクアセスメントツールを表12-1にまとめている（洗浄に関するものは除く）。

それらは，OEL，CPT，許容表面残留限界値（Acceptable Surface Limit：ASL）である。順に説明する。

表12-1 封じ込めプロジェクトで用いられるリスクアセスメントツール（洗浄関係を除く）

用語	説明　用途 （詳細な定義は省略）	計算式	備考
OEL	肺呼吸経路での曝露限界値	OEL＝PDE（ADE）/V	Vは，1日あたり8時間での成人呼吸量。国際的なデフォルトは10m^3/hr（8hr）である。
ASL	製品非接触部（機器外表面，床，壁など）の汚染管理用	ASL＝PDE（ADE）/100	100cm^{2}は，片側の手のひら面積。
CPT	封じ込め設備の設計管理用	CPT＝α × OEL	αは安全係数の逆数。

12.2 OEL

12.2.1 定義と用語

医薬品製造の現場で扱われる化合物の態様は，液体，ガス・ベーパー，粉体である。液体およびガス・ベーパーの多くは密閉系で取り扱われることが多いので，開放系で扱う場合を除いて曝露の点で話題になることは少ない。従業員の曝露で問題となるのは粉体を扱っている現場である。閉鎖系で扱うことが難しい場合も多くあり，その場合の飛散が問題となる。

乾燥した微粉は飛び散りやすく，空気中に浮遊していることになる。それを，肺呼吸によって吸い込むことで，体内へ摂取し，曝露することが問題となるわけである。肺の肺胞レベルでの表面積は非常に大きく，吸収されやすい。このため，吸い込みによる量をある限度値以下にして，運転員の健康を確保する必要がある。

この際の指標として使われるのがOELである。曝露経路が肺呼吸である場合のHBELとして，封じ込め設備の設計や運用管理に用いられる。

その定義については，国際的に統一されたものはないのが実際である。ここでは，各種資料をもとにしてまとめたものを紹介する。

「OELとは，対象となるハザード物質が空気中に浮遊して存在する雰囲気内で，作業員（成人男子を想定）が1日あたり平均8時間，あるいは，1週間あたりで40時間にわたって，一般的な作業負荷で当該の粉体を扱う作業に従事した場合にあって，肺吸引によりハザード物質を体内に取り込んだとしても，ハザード物質に起因して何ら身体に影響が出てこない限界の浮遊ハザード物質の濃度をいう。具体的には$1m^3$あたりのハザード物質の粉塵量（作業員に対して曝露している量）のことである」。

OELを示す用語は，規制当局や関連民間団体によってさまざまである。下記は，その代表的な例である。欧米の製薬企業では自社内での用語をもっていることがある。

- 米国労働安全衛生局（OSHA）：Permissible Exposure Limits（PELs）
- 米国産業衛生専門家会議（ACGIH）（IHの団体）：Threshold Limit Values（TLVs）
- 米国産業衛生協会（AIHA）（IHの団体）：Workplace Environmental Exposure Levels（WEELs）
- イギリス安全衛生局（HSE）：Workplace-Exposure Limits（WELs）
- 日本産業衛生学会：Occupational Exposure Limits（OELs）許容濃度

12.2.2 算定式

OELを算出する場合の汎用の計算式は，次のとおりである[77]。

OEL（mg/m³）＝［PoD × BW］/［UFc × TK × MF × V］

ここで，

PoD＝出発点（mg/kg-day）
BW ＝体重（kg）
UFc＝複合的不確実係数
TK ＝体内動態に関する補正
MF ＝修正係数
V ＝呼吸量（8時間）（m³）

この計算式をみると，呼吸量V以外の部分については，HBELを求める式と同じである（UFcはAFcと，TKはRKと同じ意味である）（本書5.7項を参照）。

このために，多くの場合，OELはHBEL（ADE）を労働環境での呼吸量Vで除することで得られると考えてよい。

OEL (mg/m³) ＝［ADE（mg/day)］/V (m³/day)

OELを設定する計算式を提唱したのは，Sargentらが最初と思われる[13]。同報文で使われている記号は上記と異なる部分があるが，意味しているところは同じである。同報文では，あわせて，メルク社製品についてのOEL数値を公開している。

Risk-MaPP改訂版では，算出式自体は示されておらず，文章で次のように規定されている（5.4項）。前提条件についても留意しておきたい。

「・・・クリティカルエフェクト，対象とする高感受性集団およびバイオアベイラビリティ（たとえば100%）について同じ前提が適用される場合には，OELはADEの値から直接計算できる。すなわち，ADEを，作業者が軽い作業に8時間従事した場合の呼吸量，代表的には10m³，で除することで得られる」（文責下線強調筆者）。

OELの有効数字は，1桁または2桁とするのが一般的である。呼吸量などにおいて，不確定な要素があるためである。

ECETOC TR-101では，次の記述がある（同ガイドAppendix C.4)[164]。

＜100mg/m³であれば，25刻み
100～600mg/m³であれば，50刻み
＞600mg/m³であれば，200刻み

HSE EH 40/2005 Workplace exposure limits（第4版）では，ppmで表記されているものをmg/m³に換算する場合の丸める方法について述べている（同ガイド69項)[165]。

計算されたWEL（mg/m³）		丸め
＜0.1		1桁
≧0.1	＜100	2桁
≧100		3桁

実際に使われるOELの範囲は表3-2（本書3.3項参照）のとおりであり，1桁または2桁とすることになる。HBELの場合と同様に，企業内で統一しておく必要がある。

12.2.3 OEL設定時におけるバイオアベイラビリティについて

上記の計算の出発に使われるPoDは，OELの本来的な意味からすれば，肺呼吸経路ベースとすべきであり，HBELは$ADE_{inhalation}$とするのがよい。しかしながら，肺呼吸経路のデータは少ないとされ，データの豊富な経口ベースの曝露限界値から外挿することになる。

この外挿のためには，EMA HBELガイドラインでも指摘されているように，バイオアベイラビリティ（BA）のデータが使われる。Risk-MaPP改訂版でも同様であり，OEL設定時については，BAを考慮して補正する必要があるとしている（5.4項）。

「・・・クリティカルエフェクトが同じであるとしても，摂取経路間の違いに対処するための補正が必要となるだろう。たとえば，ADEから算出されるOELは，クリティカルエフェクトを特定した際の摂取経路（たとえば，経口）と想定される曝露経路（たとえば，吸引）との間で，BAにおける差について補正する必要があるだろう」（文責下線強調筆者）。

実務において，経口でのBAに関するデータが得られていない場合も多い。このため，OEL設定に際して，経口でのBAについて，デフォルトを用いるかどうかは，企業によって判断が異なることになる。現実的には，社内の薬理学または毒性学の専門家の判断による。

前述のとおり，BAについての具体的なデータが得られるようになったのは，最近のことである（本書4.7.13項／5.10.10項参照）。このため，以前に設定されていたOELにあっては，BAによる経路補正がなされていなかった可能性がある（経口ベースでのデータをもとに算出していたと推察される）。

それでは，過去に設定した値はどう考えればよいのだろうか。

実際に，経口のBAのデフォルトは50％，吸引のそれは100％であることを考慮すると，吸引ベースでの本来的なOELの値は経口ベースで算出したOELの1/2となる（50/100＝1/2）。

しかしながら，毒性学専門家の間では，HBELについては，得られる数値が3～10倍の範囲内であれば，同じレベルの数値であるという認識がある。このために，上記の経口ベースでのOELであっても，受容される範囲内であると考えられる。実際的には，従来のOELのままでも労働安全衛生上は問題ないと考えてよい。

現在では，経口のBAのデータが得られている例が増えていることから，補正が可能になっている。今後のOEL設定においては，BAを考慮していくことが望まれる。

12.2.4 呼吸量

OELを算出する際には，職場環境での作業時間を1日あたり8時間として，その間の呼吸量を用いる。1日8時間というのは，もともとアメリカの産業衛生専門家団体であるACGIHが最初にTLVを公表したときにそのように設定したことによる（現在も同じである）。Sargentらの報文においては，医薬品のOELを算定する際にもTLVと同様に考えた，としている[13)]。現状では，1日8時間が世界的にもデフォルトである。

労働環境での呼吸量は，男女の差，年齢差，体格差により大きく異なるうえ，座って静かにしている場合，デスクワークをしている場合，現場で作業している場合で違いがある。また，作業している場合でも，軽い作業をしている場面と身体に負荷がかかる重い作業をしている状況とでは，呼吸量が異なってくる。このため，職場での実際の作業による呼吸量というのは，きっちりとは把握しにくい数字となる。

労働環境での呼吸量の数値については，国際的な取り決めがないのが現状である。多くの海外の報文，ガイドラインでは，1日8時間での労働環境での呼吸量Vとして，$10m^3$/day（または$1.25m^3$/hr）を採用している[69)]。

その由来について，筆者が調べた範囲で紹介する。

①国際放射線防護委員会（International Commission on Radiological Protection：ICRP）のガイドライン（1975年）においては，「職場での軽い作業」に従事する場合（8時間ベース）の成人男性の呼吸量が$9.6m^3$/dayとされている[166)]。この数値が掲載されている部分をみると，1950～1960年代の報文が引用されている。引用報文の内容は不明である。なお，同ガイドラインでは，職場での活動レベル（作業負荷）として，消費エネルギーの大小によって5段階に分類している（light／moderate／heavy／very heavy／unduly heavy）。

軽い作業（light work）の例として，「office work，most light industry，laboratory work，most hospital work and most housework」が示されている。多くは立っての活動であると注釈があり，消費エネルギーとして平均2.5kcal/minとしている（対象はFAOが定める成人男性について）。

②EPA（1988年）では，次のような記述がある（4 inhalataion ratesの項）[167)]（文責下線強調筆者）。

「EPA（1980年）は，ヒトに対して参照する数値として，$20m^3$/day（職場環境では$10m^3$）を用いることを推奨してきている。ICRPガイドラインでのReference Manに対する呼吸量は，$23m^3$/day（職場でlight activityに従事している際の呼吸量は$9.6m^3$）としている」。

③前述のEPAの1980年資料を見ると，すでに$10m^3$/day（8hr）という数値を規定し

ている[168]。そこではICRP（1977年）によっていると明記しているものの，ICRPの数値そのものの記載はなく，どのように端数処理したのかについても記述がない（なお，1977年は，1975年の間違いと思われる）。

筆者の推察であるが，EPAは1980年の段階で，ICRPの数値9.6m^3/day（8hr）を丸めて10m^3/day（8hr）にしたものと思われる。これ以降は，この10という数字が，デフォルトとして流通していくことになる。その後の状況を見てみたい。

・Sargentらは OEL設定に関する報文（1988年）で，呼吸量は10m^3/day（8hr）としている[13]。出典は明記されていない。これは，Schwartzの報文（1995年）でも，同様である[99]。

・ICRPの1994年ガイドラインでは，1975年と同じ数値となっているが，その定義が異なっている[169]。すなわち，「職場での軽いレベルの作業」の定義は，「5.5時間の軽い活動＋2.5時間の着座」というものである。各時間に，それぞれの活動時の時間あたり呼吸量（1.5m^3/hrおよび0.54m^3/hr）を乗じて，8時間あたりの総和として9.6m^3（5.5×1.5＋2.5×0.54＝9.6）を求めている。ちなみに，ICRP（1994年）の計算方法で，重作業についての値は13.5m^3/day（8hr）となっている（重作業として，「7時間の軽い活動＋1時間の重い作業」という前提となっている）。定義における時間配分については，いろいろな意見がありうる。

・WHO/IPCS Environmental Health Criteria 170（1994年）では，そのAppendix 4（Body Weight and Volumes of Intake for Reference Man）において，ICRP（1975年）を引用して，職場での軽い作業による8時間呼吸量として，次の数値を記載している[81]。

　・成人男性　9,600（リットル）
　・成人女性　9,100（リットル）

この数値は，WHO/IPCS Environmental Health Criteria 210（1999年）でも，使われている。

・ABPI（The Association of the British Pharmaceutical Industry）からのOEL設定に関するガイダンス（1995年）では，OEL設定時の体重は70kg，8時間での呼吸量は10m^{3}と記載されている（4.5項）[170]。ただし，その出典は明記されていない。

・セイフブリッジ社のKuは，その報文で，10m^3/day（8hr）としている。出典は明記されていない（2000年）[69]。

・ECHA R.8（2008年／2012年）では，職場での軽い作業についての8時間での呼吸量として，10m^{3}をデフォルトとしている（Table R.8-2）[59]。

・ECHA Recommendation No.14（2017年）には，1.25m^3/hrという数値がある[171]。その説明の中で，この数値は現在広く利用されていること，由来はTaylorの報文（1941年）によるとしている[172]。Taylorの報文自体では，男性，軽作業に対して1.7m^3/hrとしているが，軽作業でも連続的に続くことはないので，現在利用されている1.25m³/hrという数値は十分にコンサバティブ側のものと考えられるとしている。

・Risk-MaPP改訂版（2017年）では，呼吸量は10m³/day（8hr）としており，「軽作業（light work）」に従事している場合という表記がある（5.4項）。これは，初版でも同様である。その由来，定義の詳細は不詳である。

・国内では，13.5m³/day（8hr）としている例がある[70]。小富の報文では，「ヒト平均呼吸量13.5m³（呼吸容量×呼吸回数×作業時間（8時間））」と記載があるが，個々の数値の根拠は明示されていない。

・厚労省からの通達「国が行う化学物質等による労働者の健康障害防止に係るリスク評価実施要領の策定について」（基安発第0511001号平成18年5月11日）の別添において，

　「・・・吸入による無毒性量等を得ることができず，経口による無毒性量等（mg/kg/day）から吸入による無毒性量等（mg/m³）へ変換する必要がある場合には，次の換算式により，呼吸量10m³/8時間，体重60キログラムとして計算するものとする。・・・」（第2 リスクの評価の実施方法）という記載がある（下線強調筆者）。

・分野は異なるが，文部科学省放射線規制室からは，ICRPの1975年および1994年の資料にもとづいて，作業者の呼吸量として1.2m³/hを用いる旨の報告がなされている（2009年）[173]。

12.2.5 OELの計算事例

ここでは，毒性学専門家の報文から，OELの計算事例として2例を紹介する。ヒトデータおよび動物データを用いている場合の，HBELの計算例も兼ねている。

1つ目は，メルク社の事例である[90]。対象としている化学物質は，アセチルサリチル酸であり，通称アスピリンである（**表12-2**）。ヒトデータである最小臨床用量は，LOAELとして扱われている。アセチルサリチル酸の複数の臨床データから，最小の数値をLOAELとしている。同報文には，アスピリンに対してACGIHが採用しているTLVとして，5mg/m³という数値が記載されている（1980年に採用された数値）。同報文では，このほかに，非ステロイド系抗炎症薬（NSAID）の1つであるインドメ

表12-2 OEL計算例～ その1

データ	PoD	不確実係数	複合不確実係数	ADE	OEL	備考
ヒト	最小臨床用量 30mg/day	$AF_L=3$ $AF_H=10$	30	1mg/day	0.1mg/m³	最小臨床用量はLOAELとして扱う
動物（rat）	LOAEL 10mg/kg/day	$AF_L=3$ $AF_A=6$ $AF_H=10$	180	3mg/day	0.3mg/m³	BW＝50kg

（文献90）より引用，文責筆者）

タシン，抗高脂血症薬のクロフィブレート，抗がん剤であるシクロホスファミドについての設定事例が紹介されている。

2つ目は，ファイザー社の事例である[99]。この事例では，開発初期の段階，および臨床試験の結果などが得られる開発後期の段階におけるデータをもとにしている。動物実験では，ラットおよび犬についてのデータが得られている。OELのデータが，製品開発の進捗によって変化していく様子がわかる（**表12-3**）。ここでは，不確実係数の詳細な説明は省略しているので，必要により，報文を参照してほしい。

2つの事例を紹介したが，いくつかの留意事項を記す。

・不確実係数は，あくまでも個々の企業独自の考えにもとづいた数値を採用していること
・データは報文にて公開されている範囲のものであること
・報文が公開されたのが比較的に旧いこと

表12-3　計算事例～その2

開発初期段階

データ	データ詳細	不確実係数	複合不確実係数	OEL	注記
動物	rat／1ヵ月／NOAEL＝10mg/kg/day／BA＝95%	NOAELにつき，1 ratにつき，6 試験期間1ヵ月につき，10 用量反応曲線不十分につき，3 可逆性のデータがなしにつき，3	540	0.13mg/m^3	用量反応曲線（の傾き）に関するデータがない場合のデフォルト＝3 BW＝70kg V＝10m^3/day（8hr）

開発後期段階

データ	データ詳細	不確実係数	複合不確実係数	OEL	最終的に採用されたOEL
ヒト	最小臨床用量LTD 100mg/day	LTDにつき，10 ヒトデータにつき，1 試験期間十分につき，1 用量反応曲線十分につき，1 可逆的影響ありにつき，3	30	0.3mg/m^3	0.3mg/m^3
動物	rat／2年／NOAEL＝1mg/kg/day／PK＝1	NOAELにつき，1 ratにつき，6 試験期間2年につき，1 用量反応曲線十分につき，1 可逆的影響ありにつき，3	18	0.4mg/m^3	
動物	dog／6ヵ月／NOAEL＝1mg/kg/day／PK＝1	NOAELにつき，1 dogにつき，4 試験期間6ヵ月につき，3 用量反応曲線十分につき，1 可逆的影響ありにつき，3	36	0.2mg/m^3	

注記：BW＝70kgおよびV＝10m^3/day（8hr）
（文献99）より引用，文責筆者）

・報文が公開された以降で，不確実係数の設定に関する社内規定に変動があったかどうかについては不明であること

12.2.6　混合物のOEL

製剤工場においては，複数の原薬粉末が活性のない（または低い）添加剤と混合されて希釈される。そのような混合状態でのOELを必要とする場合がある。これは，医薬品のみならず，一般化学物質においても同様で，単独で取り扱われるよりも混合した状態で扱われる場合が多いと思われる。

混合物による曝露を管理するためのガイドラインについては，分野に応じて，EPA，WHOなどから各種の手法が提唱されているが，統一的なものは見当たらない[174)]。文献174）では，複数のガイドラインの手法が紹介されている。

ここでは，そのほかの手法について説明する。混合物のOELを「見なしOEL」という表記にしていることがある。前提としては，均等に発塵すること，粉塵の組成も元の混合物と同じである（均一に混合されている）ことである。

①APIが1種類である場合

$$OEL_{equivalent} = OEL_{API} / \alpha$$

ここで，

$OEL_{equivalent}$：見なしOEL
OEL_{API}　：API単体でのOEL
α　：濃度

例　原末X（単体でのOEL＝100 μg/m^3）は混合されて，その濃度は80％となっている。
混合物の見なしOELは，100/0.8＝125 μg/m^3

②複数のAPIが混合されている場合

複数のAPIが使われている場合がある。各成分のOELおよび組成割合が判明しているものとすると，混合物の見なしOELは，次の流れで求めることが行われている。

・各成分の見なしOELを，個々のAPI単体のOELと組成割合を用いて，前述の計算式から求める。
・それらの最小値をもって，混合物全体の見なしOELとする。

例：
成分A　OEL＝200 μg/m^3　組成比95.9％　→　見なしOEL＝200/0.959＝208 μg/m^3
成分B　OEL＝2 μg/m^3　組成比4％　→　見なしOEL＝2/0.04＝50 μg/m^3
成分C　OEL＝0.1 μg/m^3　組成比0.1％　→　見なしOEL＝0.1/0.001＝100 μg/m^3
以上から，混合物全体の見なしOELは，上記の最小値である50 μg/m^{3}を採用す

る。

例にあげた混合物を後述のRCP方式で計算すると，見なしOELは28.7μg/m^{3}となり，50μg/m^{3}よりも小さい値となる。

③COSHH Essential Technical Basisの場合

そのPart 2：Routines for mixtures within the Internet version of COSHH essentials（48項）では，混合されている物質のハザードレベルとその割合に応じて，対応の仕方を変えている。コンサバティブ側の対応となっており，たとえば混合物中の任意の成分がハザードグループE（最も厳しいレベル）である場合には，混合割合にかかわらず，その混合物全体をハザードグループEとして設定するとしている。

・任意の成分のハザードグループが‘E’である場合，混合物のハザードグループはEとする。

・任意の成分のハザードグループが‘D’で割合が≧0.05%である場合，混合物のハザードグループはDとする。

・任意の成分のハザードグループが‘C’で割合が≧0.5%である場合，混合物のハザードグループはCとする。

・任意の成分のハザードグループが‘B’で割合が≧10%である場合，混合物のハザードグループはBとする。

④有機溶媒の混合物の場合

有機溶媒の混合物については，

・ECETOC TR-101[164] 4.2項

・EH 40/2005 Workplace exposure limits[165]

において，見なしOELを求める式がある。その計算式は，Reciprocal calculation procedure for mixtures of hydrocarbon solvents（RCP方式）といわれている。計算式は上記2つのガイドラインで同一で，次のとおりである（下記では，EH 40/2005にある計算式を利用している）。

なお，この式が，複数の粉体が混合している場合にも適用できるかどうかは不明である。

$$1/OELsol = FRa/OELa + FRb/OELb + \cdots + FRn/OELn$$

ここで，

OELsol＝溶媒混合物のOEL（mg/m^3）

OELa＝成分aのOEL（mg/m^3）

FRa＝溶媒混合物中での成分aの割合

12.3 CPT

対象とする個々の物質の毒性情報（NOAELなど）からHBEL（PDE/ADE）が，そしてOELが設定される。OELは物質に固有のものであり，いわば労働安全衛生上の許容上限値である。実際の封じ込め設備の環境濃度は，それよりも低いところにすることが望まれる。

現場従事者の健康を守る目的から，その設備設計用として安全係数を見込んだCPTを設定する。このCPTは，Risk-MaPP改訂版において新規に追加されたものである（経緯は，本書2.7.4項参照）。

計算式は次のとおりである。

$$CPT = \alpha \times OEL$$

この場合のαは安全係数の逆数であり，その設定については法的な規定はないので，企業の方針として設定しておく必要がある。欧米の製薬企業では，CPTをOELの20～25％に設定している例がある。なぜ25％かというと，後述の定期的モニタリングの期間が長くとれることも考慮していると推察できる。

留意点について述べる。

①CPTの設定において，αを小さい値として，OELに対して大きい余裕を見込むと，封じ込めの目標レベルがかなり低くなって，現実の設備設計および封じ込め機器に対して過剰な要求になることがある。機器選定や性能保証にも波及することがある。さらに，現場での運用上，厳しい管理が要求されることになり，実際面で支障をきたすことにもなる。一方で，αを大きめにすると，OELまでの距離が小さくなり，封じ込め性能上の余裕がなくなるので留意がいる。

②機器選定やその性能保証，設備運用という点から問題となる可能性がある場合には，αを大きくしておくことで対応できる。その場合，OELに近いところに管理値を設定するということであり，安全マージンは少なくなる。そのため，それを補う形で，モニタリングインターバルを短くするなどの措置をとる必要がある。

③実際的にいえば，薬塵測定の結果で得られる実データは，このCPTよりも低いところになることが多い。OELまでの数値的な距離は上限値に達するまでの余裕と考えるべきである。

④αを1とすることは，CPTはOELそのものであり，余裕がない状態となる。このため，実際の環境中濃度がOELを超えてしまうリスクが生じる。瞬間的に超えたとしても，身体に影響がすぐに出てくるわけではないが，その状態が長く続くことは問題である。封じ込め機器を含めて何らかの対策をとって，モニタリングを再度行い，環境濃度変化を把握する必要がある。

12.4 ASL

製品非接触部（たとえば，機器の外表面，製造エリアの床，壁など）における活性物質の付着残量の基準を設定する必要がある。封じ込め機器を用いるとしても，漏れをゼロにすることは不可能であり，また非現実的である。このため，工程室内にはわずかながら製品粉体が空気中に浮遊していて，それが製品非接触部に付着している可能性がある。この状態にある活性物質は，再飛散して，次製品に混入する可能性もある。現場の作業員は個人用保護具（グローブなど）を着用しているので曝露の可能性は低いものの，万が一に素手にて接触すると経皮吸収による曝露のリスクもある。また，床，壁に残っていると工程室内の清掃ということにもつながる。

このため，製造エリアでの製品非接触部について，付着して残存している量を管理・モニタリングする必要がある。この管理のために，製品非接触部における残存表面付着量の管理値が設定される。それが，ASLである（Risk-MaPP改訂版では，ワイプリミットという場合もある）。

この限界値は，次の式で与えられる[175, 176]。

$$ASL\ (\mu g/cm^2) = ADE\ (\mu g/day) / (SA)(\alpha_d)$$

ここで，

ADE：一日曝露許容量

SA：APIと接触する皮膚の面積（cm^2）

α_d：皮膚吸収の場合のバイオアベイラビリティ補正係数

文献175）における代表的な数値例は，SAとして，片方の手のひらの平均表面積100cm^2（両方の手のひらとするときには200cm^2）。α_dとしては，100％とされる（データがない場合のデフォルトとして）。

一般的によく流通しているのは次式である。Risk-MaPP改訂版では，「・・・ADEをたとえば100cm^2で除する」として記載されている（5.4項）。

$$ASL = ADE\ (PDE) / 100cm^2$$

ASLは，以下の懸念を検証するためにも使われる。

・現場作業手順が遵守されているかどうか

・工程室の内外に活性物質が漏れ出ていないかどうか

・日常の清掃や洗浄手順が適切かどうか

実務的には，懸念される箇所でのスワブサンプリングの結果が，ASLより低いことが必要とされる。

環境モニタリングは，製造工程室のみならず，工程室以外のエリア（たとえば，共通廊下，更衣着脱衣の部屋など）についても必要とされる。これは，工程室自体の封じ込め性能が有効であるかどうかを検証するためである。浮遊している活性物質が漏れ出てこないかどうかを確認し，製造とは直接に関係しない従業員を保護するためにも必要である。

なお，上記の計算式におけるADE（またはPDE）にさらなる安全係数を設定する場合がある。これには法的な規制はないので，企業の方針で決めることになる。実際にも，国内の大手某社では，安全係数として10を採用している例がある。この場合には，結局，ASL＝OEL/100cm^{2}となる。

12.5 製品非接触部の清掃と目視限界

製品非接触部の清掃（洗浄）については，交叉汚染のリスクおよび曝露リスクの視点に加え，現場環境の清浄性（サニテーション）を確保するためにも必要であると考えられる（ハザードレベルの大小にかかわらず）。

ハザードレベルが低い製品であっても，製造エリアの床，機器外表面などに製品由来の微粉が沈着して白くなっている状態は製造環境として好ましいものではなく，清掃（洗浄）が行われる必要がある。PIC/S査察官用ガイド交叉汚染防止備忘録PI 043でも，現場では思いがけない箇所に粉体が飛散していることがあるので，査察官はそれが現場にないことをチェックするとある（本書2.6.2項参照）。その場合の確認は目視でなされることが多い。

一方，ハザードレベルが高い製品にあって，製造エリアの床，壁，機器外表面などに沈着している場合には，交叉汚染のリスクを防止するという視点，および運転員が素手で接触することによる曝露（経皮吸収）のリスクを防止するという視点から，清掃（洗浄）が定期的に行われる必要がある。この場合の確認は，目視検査およびスワブサンプリングによることが多い。この際の判断には，ASLを用いることになる。

ここで，ASLとVRLとの位置関係を把握しておく必要がある。VRLは，本来的には自社現場で測定される数値であるが，ここでは，よく知られている数値であるVRL＝4μg/cm^{2}を用いて説明する。

- OEB＝1および2の化合物ではADE＞1,000μg/dyである。このため，ASL（＝ADE/100cm^2）の数値は10μg/cm^{2}を超えることとなり，ASL＞VRLという状況になる。この場合，目で見てきれいということを確認できる程度まで清掃（洗浄）が実施されていれば，サニテーション上の問題も，また，経皮吸収の問題も生じないことになる。
- OEB＝3および4に該当する化合物では，ASL＜VRLとなることがある。この場合，目視で確認できる程度まで清掃（洗浄）されてサニテーション上の問題はなくなったとしても，経皮吸収による曝露の懸念が出てくることになる。表面に付着して残っているかどうかは分析によらざるをえない。

12.6 間接製品接触面

閉じた空間をもつ装置の中で粉体を扱うと，細かい粉体が浮遊し，装置の内面に粉体が付着する。そのような面の洗浄（清拭）評価が問題となることがある。どのように考えればよいのだろうか。従来からいわれてきている，製品接触面および製品非接触面とは様相が異なる，第3の接触面が話題になっている。それが，間接製品接触面（筆者訳）といわれているものである。

そのような装置の代表例として，封じ込め設備で用いられる秤量小分けアイソレータを取り上げる。その中で，原薬を秤量小分けして，所定の量をアイソレータ下部に設けた受け容器に移す作業を題材に考えてみたい。

この場合，アイソレータの落とし口から受け容器までは，粉体が直接的に接触するので，製品接触面として取り扱われる。

一方，アイソレータ内面には，作業により浮遊した粉体が付着している部位がある。この部位の付着は，アイソレータ外表面よりも量的にも多くなるリスクがあり，さらに製品の汚染に直接的には関与しないものの，清拭後に残っていると空気の流れにより次製品に入り込むリスクもありうるし，何らかのタイミングで運転員が触れる可能性もある。この部位を「間接製品接触面」という。

さらに，アイソレータの外表面では，工程室内に飛散浮遊している細かい粉体が付着する。この部位は「製品非接触面」である。

結局，アイソレータのような粉を扱う装置の内部・外部には，次の3つの部位が存在することになる（文責筆者）。

- 直接製品接触面（Direct Product Contact Surface：DPCS）
- 間接製品接触面（Indirect Product Contact Surface：IPCS）
- 製品非接触面（Non-Product Contact Surface：NPCS）

この概念および英文呼称を最初に提起したのは，LeBlancであると思える。同氏は2000年10月のCleaning Memoで，「indirect transfer」という表記を用いている[177)]。これは，凍結乾燥機内面の汚染に関する当時の議論に関連している。同氏は，その後のPDAからの著書の中で，このような面を「indirect product contact surfaces」と名づけたいと明記している。PDA TR49（2010年）およびPDA TR29（2012年）においても，その用語が見られる。

LeBlancは，2014年8月のCleaning Memoで，IPCSについての定義を次のように与えた[178]。

「間接製品接触面：製造される製品とは直接的には接触していないが，粉立ちしている製品と近接しており，通常は空気の流れまたは運転員の動きにより，（筆者加筆：前製品の）残滓が（筆者加筆：次の）製品に移るという合理的な可能性がある面をいう」（文責筆者）

Gorskyらは，IPCSについて次の定義を与えている[179]。

「間接製品接触面：製品とは直接的には接していないが，製品が取り扱われている箇所と隣接していて，製品が空気浮遊により飛来して付着している可能性がある装置の面（例として，棚段乾燥機での棚段，チャンバー）」（文責筆者）

Risk-MaPP改訂版では，IPCSという用語を用いていないが，同様の趣旨を6.5.3項で触れている。IPCSに付着する製品が交叉汚染を起こすリスクは低いとしている。

ISPE洗浄ガイドでは，IPCSについて触れている（同ガイド10.4項）。交叉汚染のリスクを低減するという視点から，全体のコントロール戦略に影響を与えるもう一つの面として取り上げている。そこでは，次のような定義を与えている（同ガイドGlossaryから）。

「多数の製品の間で共有されている装置の面であるものの，プロセッシングのために，（原薬を）意図して通過させている部位以外の面」（文責筆者）

少々わかりにくいが，「多数の製品の間で共有」ということで装置の内面を意味し，「（原薬を）意図して通過させている部位」でDPCSを意味しており，それ以外の面がIPCSであるとしている。

同ガイドでは，IPCSとして次の4例をあげている。

・打錠機およびカプセル充填機の内部空間
・流動層乾燥機のフィルターハウジング
・棚段乾燥機内のチャンバー
・凍結乾燥機の棚板

同ガイドでは，IPCSおよびNPCSについては，リスクベースでの洗浄（清拭）要領および管理基準をもつべきであるが，洗浄バリデーションの対象外としている（同ガイド10.4項）。

それでは，IPCSでの洗浄（清拭）後の管理基準はどのように考えればよいのだろうか。Denkらは，次のような限度値を提案している[180]。

①IPCSについて：

・装置内部で取り扱う物質のADEが1,000および10,000μg/dayのレベルである場合には，目視できれい（Visually Clean）。

・取り扱う物質のADEのレベルが上記よりも小さい場合には，ADE/100。

②NPCSについて:

・装置内部で取り扱う物質のADEが10,000μg/dayのレベルである場合には，目視できれい（Visually Clean），

・取り扱う物質のADEのレベルが上記よりも小さい場合には，ADE/1,000（=OEL/100）。

この提案であると，現場での負担が少し増えることになる。すなわち，高薬理活性化合物を扱う現場でのADEの多くは10,000μg/dayよりも低いので，NPCSについての管理基準がOEL/100となる。工程室の壁，床なども同一のレベルが要求されることになる。前述のように，某企業ではすでにそのような例があるが，各社の判断となる。

なお，LeBlancは，2021年5月，6月にもIPCSの残滓限界，リスクアセスメントについて議論している[181, 182]。管理基準としては，VRL以下であること，TOC以下であること，IPCSが話題になる機器（例：凍結乾燥機）の直前にある機器（例：バイアル充填機）のDPCSに対する限度値以下であることの3つから，一つまたは複数を選択することを推奨するとしている。単独で用いられるアイソレータ（たとえば，秤量小分けアイソレータ）についてどうするかは触れていない。

12.7 累計曝露総量の計算

高薬理活性物質を扱う現場では，環境モニタリング（薬塵測定が該当）で測定したデータから1日あたりの累計曝露総量を把握して，作業従事者の健康を管理する必要がある。その場合，製造現場における多様な作業のシナリオを反映する必要がある。たとえば，固形製剤工場では，1日の間に，同じ曝露レベルの箇所で数時間にわたって作業を行うこともあれば，異なる曝露レベルの工程で別の作業をすることもある。1日の累計曝露総量は，作業時間と曝露レベルの積の総和からの時間加重平均値として求められる。代表的なガイダインスには，次の2つがある。

・21CFR 1910.1000-Air Contaminants

・HSE EH 40/2005 [165]

それぞれのガイダンスには，累計曝露総量を計算する式および事例も掲載されているので，参照してほしい。

ここでは，21CFR 1910.1000の計算式を下記に示す（HSE EH 40/2005の場合も同じである）。

$$E = \{C(a) \times T(a) + C(b) \times T(b) + ... C(n) \times T(n)\} \div 8$$

ここで，

E：8時間での累計曝露総量

C（i）：物質iを操作している作業時間T（i）での曝露量（その間は変動しないとして）

T（i）：濃度C（i）での曝露が継続している時間（hr単位）

このEが，対象となる物質について定められているOELまたはCPTの値を超えていないことが求められる。すなわち，E≦OEL（またはCPT）が必要とされる。

①計算例1：21CFR 1910.1000にある計算例

取り扱う物質AのOEL（8hrTWA）は100ppmとする。作業員はこの物質を，環境濃度が150ppmである環境では2時間，濃度が75ppmである環境で2時間，濃度が50ppmの環境で2時間にわたり取り扱うと想定する。それぞれの時間単位において濃度が異なることにより曝露量が異なる。一日8時間の総累計曝露量は，(2×150＋2×75＋4×50）÷8＝81.25ppmとなる。この8時間加重平均値が，物質AのOEL＝100ppmより小さいので問題ないと結論づけられる。

②計算例2：HSE EH 40/2005にある計算例

作業員は7時間20分にわたり作業に従事した。その間，平均0.12mg/m³の飛散濃度の環境にあった。残り40分については，何らの作業をしていないので，曝露はない。

・7hr20min（7.33hr）　0.12mg/m³

・40min（0.67hr）　0mg/m³

したがって，この場合の，一日の累計曝露総量（8hr TWA）は，

$((0.12 \times 7.33) + (0 \times 0.67))/8 = 0.11 mg/m^3$

この値と，OEL（またはCPT）を比較することになる。

EH40/2005では上記以外にも複数の計算例が示されているので参考になる。

なお，EU-GMPおよびPIC/S-GMPでは，交叉汚染防止に関する運用管理的措置において，工程エリア内外でのエアーボーンによる汚染を確認するための環境モニタリングが要求されている（本書2.2.3項④参照）。交叉汚染防止に関する規定箇所に，環境モニタリングの必要性が記述されていることに留意したい。

12.8 モニタリングインターバル

運用を開始した後では，製造エリアおよび懸念される箇所について，定期的に環境モニタリングを実施して，封じ込め性能を確認するとともに，交叉汚染のリスクがないことを確認する必要がある。これは，次のような目的のために必要である。

・封じ込め性能が維持されているかどうかを確認する
・現場での作業手順が遵守されているかどうかを確認する
・作業基準が適切で十分に管理可能かどうかを検証する

定期的なモニタリングは，主に封じ込め性能を把握するためであるが，健康管理の目的のためにも実施することが望まれる（健康サーベイランスのために，累計曝露総量の基礎データを得るため）。メルク社の資料でも，PB-ECL＝2（OELが0.1～1mg/m^3）以上の場合について，ルーティンでのモニタリングが必要であるとしている（具体的なインターバルは記載していない）[15]。

国内でも，キャンペーン生産の合間をぬって，1年に一度実施している企業の例もある。このような測定を定期的に行い，データを管理していることが，企業の姿勢として高く評価される場合が多いからである。

現状では，国内において，この環境モニタリングのインターバルについて，法的には何も規定がないのが実状である。製薬業界に適用される各種ガイドラインでも，とくに定められていない。

Risk-MaPP改訂版では，その6.2.2項「定量的なリスク分析」のなかで，次のように記しているだけである。

「GxPの一部としてそのようなエアサンプリングの実施を求める規制要件はないが・・・，定期的に証明すべきである」(6.2.2.1)（文責筆者)。

インターバルを決める目安は，現在の封じ込め性能のレベルである。モニタリングの結果として得られるデータと，基準となる数値（OELまたはCPT）を比較して，性能に余裕がある場合には，次回までの時間間隔を長くとることができる。基準となる数値との間で余裕がない場合には，リスクが高いということであり，次回モニタリングまでのインターバルを短くするか，是正措置をとることになる。

たとえば，AIHAのガイドラインでは，次のようなインターバルを設定している(Chapter 9)[183]。

・OELの50%～100%の場合には，6ヵ月ごと
・OELの10%～50%の場合には，9ヵ月ごと
・OELの10%未満の場合には，2年ごと

また，BS EN-689では，本文中においては年に1回のモニタリングが推奨されるとしているが，Appendix I（informative）では，次のようなインターバルとしてい

る[184]。

・OELの50%～の場合には，12ヵ月ごと

・OELの25%～50%の場合には，18ヵ月ごと

・OELの10%～25%の場合には，24ヵ月ごと

・OELの10%未満の場合には，36ヵ月ごと

いずれも，現在の封じ込め性能が十分に高い場合には，次回の測定までの猶予期間を長くすることができる。

モニタリングの結果として，OELまたはCPTの数値に接近していくような場合には，改善する必要が出てくる。たとえば，管理上の行動を起こすべきアラームをOELの50%と設定している事例が報告されている[40]。

12.9 運用開始後の環境モニタリング留意事項

高薬理活性物質を扱っている設備の運用が開始された後において重要となるのは，封じ込め機器の性能モニタリング，封じ込めエリアの環境モニタリングである（このほかに，洗浄システムの堅牢性を確認するためのモニタリングも肝要であるが，ここでの説明は省く）。

留意点を以下に述べる。

①封じ込め機器の性能モニタリングでは，封じ込め機器自体の封じ込め性能が低下していないかどうかを検証する。

多くの封じ込め機器では，その構成部品にエラストマーが使われている。このため，経年変化による性能劣化および機能劣化が起こる。また，HEPAフィルタなどの特殊部品の取りつけはボルティングであり，その経年変化による緩みも起こりうる。そのため，長年使っていると封じ込め性能の劣化が起こりうるし，万が一のリスクも高まる。また，封じ込め機器を操作するうえで，操作手順が遵守されていないと，期待する性能が出ない場合もある。封じ込め性能の確認を定期的に行って，技術的な措置（コントロール）の健全性を検証していく必要がある。このための管理値はCPTである。

②封じ込めエリアの環境モニタリングとして，製造エリアでの製品非接触部（たとえば，機器の外表面，製造エリアの床，壁）について，モニタリングされる必要がある。この目的は，すで述べたとおりである。このための管理値はASLである。

③工程室以外のエリアについても，環境モニタリングを実施することが重要であることは前述のとおりである。これは，交叉汚染を防止するうえでも，また製造とは直接に関係しない従業員を保護するためにも，さらに外部拡散防止という視点からも必要なことである。

④運用開始後の封じ込めモニタリングでは，実粉体を用いて実施することが最も望ましいといえる。代替粉体はあくまでも模擬粉体であり，粒径なども実粉体と異なることが多い。実粉体を用いることで，実際の封じ込め性能について把握できる。また，実運転時の作業手順によるので，作業時間（曝露時間）の算定も現実的であり，曝露管理の基礎データとして有用である。これにより，自社の封じ込め設備の能力について自信をもって言及することができる。

12.10 封じ込め設備における外部環境汚染防止

封じ込め設備では，品質管理の視点からの交叉汚染防止，労働安全衛生の観点からの作業従事者の曝露防止，外部環境保護の視点からの外部環境汚染防止が重要とされている。

現状の国内では，高薬理活性物質（医薬品）に特化しての廃棄物に関する法的な規制はない。しかしながら，高薬理活性物質が含まれたままの未処理の排液，排ガス，そのほかの固形物が製造工場の周囲に放出・放散されることは，コンプライアンス上の問題となりうる。この点からも，企業のポリシーとして取り組む必要がある。

一方，EU-GMPおよびPIC/S-GMPのVol. 4 Chapter 5では，交叉汚染防止のための技術的・管理的措置において，製造エリアからの廃棄物による汚染防止に関して，次の項目が規定されている（本書2.2.3項参照）。

「廃棄物処理，汚染されたリンス水（洗浄水）および汚染された更衣についての特定な処理方法をとること」。

PIC/S査察官用ガイド交叉汚染防止備忘録PI 043においても，外部環境の汚染につながるようなリスクに関して，工場側の考えを問う項目がある。たとえば，空調システムにおける障害発生時にどう対応するのか，停電および復電したときに意図していない事象が生じないか，外部を汚染する可能性のあるダクトラインなどのメンテナンスはどうするのか，などである（本書2.6.2項参照）。

医薬品製造設備からの排液については，リスクベースアプローチによる規制が必要とされている。海外が先行していたが，国内でも，「新医薬品開発における環境影響評価に関するガイダンス」が厚生労働省から発出されている（薬生審査発0330第1号平成28年3月30日）。

同ガイダンスでは，環境への影響を評価する場合の流れとして，段階的評価方法を用いている。環境中予測濃度（PEC）をまず求め，それがアクションリミット（0.01μg/L）を超えたら，生物毒性試験を行い，予測無影響濃度（PNEC）を求めるというステップを踏む。環境への影響があるかどうかの判断は，PECとPNECの数値の大小による。

・PEC ≧ PNEC → 環境影響の懸念がある

・PEC ＜ PNEC → 環境影響の懸念は低い

リスクベースアプローチによる排液管理の一例として，メルク社からは，水環境中の生物を保護するための指標と同時に，ヒトを保護するための指標について提唱がなされている[185]。この中で，ヒトを保護するための指標として，HBELを用いている。

また，Caldwellらは，活性物質が含有されている排液についての高度な排水処理設備に関して，さまざまな方法を例示している[186]。

13 洗浄評価を巡る今後の課題

これからの製薬業界では，すべての医薬品の洗浄評価において，科学的な根拠をもとに対応していくことが必要である。本格的な「HBEL時代」を迎えつつあり，ヨーロッパでの先例（EU-GMP）を踏まえて準備していくことが望まれる。ここでは，主に洗浄評価に関連して，今後の課題について私見を述べてみたい。

13.1 HBELの情報整備

今後の洗浄バリデーションにおける主要な道具立ては，HBELである。しかしながら，医薬品製造に用いられる化学物質のすべてについて，HBELが得られているわけではない。多数の既存上市製品の存在もある。さらには，ハザードの大小にかかわらず，製造工程で出てくる中間体や分解生成物もある。洗浄剤についても同様である。これらのデータ整備をどうするかがこれからの課題の一つであり，大きなテーマである。

これからの新規物質については，フルの毒性学的評価にもとづくHBELが必要であることに変わりがない。

既存の上市製品は，伝統的な基準で洗浄評価を行ってきており，それで品質上とくに問題とされていない。投資の優先順位を現実的に考えたとき，新規化合物のHBEL設定が優先されるのはやむをえないのかもしれない。

従来，HBELの設定に関する報文の対象は，経口，非経口，吸引の経路を持つ製品が主であったが，最近では，眼科用医薬品，外耳用医薬品についても報文が出てきている[148,149]。また，製品非接触部での経皮吸収を扱った報文も出ている[143]。

13.2 HBELの設定における国際調和

動物実験のデータおよびヒトでのデータを用いて科学的なHBELを設定する際には，さまざまな判断と根拠のある数値の利用（たとえば，不確実係数）が必要となる。

しかしながら，現状では，HBELについてのガイドラインであっても，その内容・レベル・用語はさまざまである。大気汚染防止に関連するガイドラインもあれば，一般化学物質，食品を扱う場合のガイドラインもある。医薬品に限定しても，ヨーロッパ系のEMA／PIC/S HBELガイドラインと，米国系のRisk-MaP改訂版，ASTM HBELガイドがあり，PDEとADEは「実質的に同義語」とされているものの，微妙なところで差があることも事実である。

よく引き合いに出される課題は，不確実係数の設定である。大方のコンセンサスが得られている部分と国際的な調和が取れていない部分がある。また，ガイドラインでの数値の取り扱いに違いもある。

毒性学専門家からは，HBELは少々異なっていても，それは当然のこととして理解してほしいという意見もある。その意見を了解するとしても，HBELを設定し利用する現場側としては，どのガイドライン，どの数値を利用すればよいのか，実際的にも困惑するところである。

リスクアセスメントにおいて，国際的にも調和の取れている標準的な手法が望まれる。

13.3 ワーストケースについて

洗浄バリデーションでは，洗浄閾値の計算，洗浄パラメータの設定などにおいて，ワーストケースを考えて議論されることが多い。各種の冗長性が組み込まれているので，かなり保護的であるとも思える（ワーストケースであるから当然かもしれないが）。

たとえば，洗浄閾値を計算する場面において，持ち越し量を製品が接触した共通面積全体で除することとなっている。それは，各機器の表面に「均一に」残滓が存在していることを意味している。洗いにくい箇所でも，洗いやすい箇所と同一の残滓限界が適用されているのが現状である。たしかに，これは安全側の立場に立ったものであるといえるが，洗いやすい箇所からすると，過剰な洗浄となっているともいえる。

洗浄パラメータの設定も，洗浄バリデーションにおける作業負荷を軽減するためということがあるものの，ワーストケースで設定される。

さらに，HBEL自体の設定では，さまざまな前提条件があり，安全側での設定となっている。実際に生涯曝露というのは，考えにくいことでもある。

一方で，昨今はリスクベースということが提唱されている。そのような視点から，これらのワーストケースによるアプローチを見つめ直すことも今後話題になるかもしれない。

13.4 目視検査に関する標準的なガイドライン

目視検査に関しては，すでにいくつかの課題を述べた（本書7.6項参照）。

VRLの設定に関するガイドラインとして，ISPE洗浄ガイド，ASTM 目視検査ガイドE3263が相次いで発刊されている。しかしながら，実務的な内容を含めた世界標準的なガイドラインという視点からは，依然として課題があると思える。

また，ハザードレベルが低い化合物を対象として，目視検査を唯一の基準として扱うための議論が必要である。科学的な数値であるHBELをもとにして検証することで，そのような扱いが可能になると思える。規制側の姿勢も前向きになってきている。

13.5 テストランの回数の議論

テストランの回数については，今後も検討が必要である。しかしながら，テストランの回数として使われてきた3回という数字の由来がはっきりしないままだと，合理性についての議論が収束しにくいのではないだろうか。Risk-MaPP改訂版が提唱するように，従来の「連続3回」という数字をそのまま，「一般には受け入れられている」として使っていくのも一つの考えである。規制側の反応も重要である。

13.6 毒性学専門家の養成

今後，HBELを，洗浄評価を含めたQRMのツールとして取り扱う機会が増える。そのことを考えると，毒性学的知識にもとづいてリスクアセスメントしていく人材が欠かせない。薬理学または毒性学の専門家で，HBEL設定の経験を持つ人材は国内では決して豊富ではないと思え，長期間にわたっての人材育成が望まれる。国内の認定トキシコロジストの約7割は医薬品の製剤メーカに属している。原薬工場および受託企業では極端に少ないかまたは該当者がいないことがほとんどであると思われる。毒性学の知見が豊富な企業と少ない企業間のハザードコミュニケーションがより重要になると思える。

13.7 現場での咀嚼

HBELを洗浄評価および封じ込め設備の運用に適用していくうえで，現場側においても「毒性学的評価」の考えの背景にある基本的な事柄について知見を深めていく必要があると考える。薬理学または毒性学専門家の位置づけはたしかに重要であるが，製品を造る現場での了解と咀嚼もまた肝要なことである。

14 付　録

14.1 洗浄評価および専用化要件についての経緯

医薬品製造設備の洗浄評価と専用化要件とは，関連する部分がある。ここでは，簡単に洗浄評価および専用化要件についての今までの経過をまとめておきたい。GMPそのものの歴史的経緯については多くの報文が出ており，また，本書の対象外であるので取り上げていない。

洗浄評価基準を巡る経緯については，すでにWalshの報文がある[1]。また，専用化要件を巡る経緯については，Sargentの報文に詳しい[64]。さらに，2004年から2006年あたりのRisk-MaPPガイドライン誕生をめぐる事情については，ISPEの公開資料に詳しく説明されている[187, 188]。

ここでは，これらの報文および資料にある項目を時系列に並べ，さらに，それら以外の事項についても，筆者が入手しえた範囲の情報を加える形でまとめたものを紹介する。原文のニュアンスを伝えるために，英文のままとしていることがある。ご了解願いたい。また，cleaning/cleanなど，洗浄に関係する部分には，適宜下線表示していることがある。

▶ 1963年に，医薬品に対するGMPが出された（28FR6385 Part 133)。そのタイトルは，"Drugs ; Current Good Manufacturing Practice in Manufacture, Processing, Packing or Holding," である。現在の視点からすると，その規定内容も簡潔であり，章の数も14個となっており，ページ数も4ページ程度である。

その中の133.4 Equipment冒頭部において次の規定が見られる。

"Equipment used for the manufacture, processing, packaging, labeling, holding, or control of drugs shall be maintained in a clean and orderly manner・・・"

同c項にては，次の記述がある。

"(c) (The equipment shall) be constructed to facilitate adjustment, cleaning, and maintenance as necessary to assure the reliability of control procedures, to assure uniformity of production, and to assure the exclusion from drugs of contaminants, including those from previous and current manufacturing operations. ”

また，133.8 Production and control procedures（c）において，

“（c）Equipment, utensils, and containers shall be thoroughly cleaned and previous identification removed between batches and in continuous batch operations at suitable intervals, to prevent contamination and mixups.”

というのが見られる程度である（このときから，ミックスアップという用語が出てくるのは面白い）。

▶1978年には，FDAは大幅な改訂を実施し，ヒト用および動物用医薬品に対する“minimum current GMP”（21CFR Parts 210 and 211）を発出した。現在の体裁そして用語に近いものであり，ページ数も大幅に増えている（76ページ）。

・§211.42では，交叉汚染防止という視点から，分離または専用エリアの確保についての要求事項を規定した。（c）項にはseparate/definedとある。（d）項は，とくにペニシリンについてである。

“§. 211.42 Design and construction features.

（a）Any building or buildings used in the manufacture, processing, packing, or holding of a drug product shall be of suitable size, construction and location to facilitate cleaning, maintenance, and proper operations.

（b）Any such building shall have adequate space for the orderly placement of equipment and materials to prevent mixups between different components, drug product containers, closures, labeling, in-process materials, or drug products, and to prevent contamination. The flow of components, drug product containers, closures, labeling, in-process materials, and drug products through the building or buildings shall be designed to prevent contamination.

（c）Operations shall be performed within specifically defined areas of adequate size. There shall be separate or defined areas or such other control systems for the firm's operations as are necessary to prevent contamination or mixups during the course of the following procedures：

・・・・

（d）Operations relating to the manufacture, processing, and packing of penicillin shall be performed in facilities separate from those used for other drug products for human use. ”

他の規制当局，EMA，WHO，日本は，FDAにならって，同様の広い要求をした。しかしながら，同ガイダンスでは，ペニシリンを除いて分離または専用エリアの対象範囲について特定されていなかったこと，化合物の区別に関してさまざまな解釈

があったこと，および，高いハザード性をもつ化合物の製造に必要とされる技術的措置の許容レベルに関しての一致が見られていなかったこと，などの点から多目的設備で医薬品を製造することに関して多くの懸念を引き起こした，とされる[64]。

・洗浄については，§211.67 Equipment cleaning and maintenance（b）に規定がある。

"（b）Written procedures shall be established and followed for cleaning and maintenance of equipment, including utensils, used in the manufacture, processing, packing, or holding of a drug product. These procedures shall include, but are not necessarily limited to, the following：

（1）Assignment of responsibility for cleaning and maintaining equipment；

（2）Maintenance and cleaning schedules, including, where appropriate, sanitizing schedules；

（3）A description in sufficient detail of the methods, equipment, and materials used in cleaning and maintenance operations, and the methods of disassembling and reassembling equipment as necessary to assure proper cleaning and maintenance；

（4）Removal or obliteration of previous batch identification；

（5）Protection of clean equipment from contamination prior to use；

（6）Inspection of equipment for cleanliness immediately before use."

洗浄方法について文書化することが要求されている。また，面白いことに現在のCHTに相当すると思われる項目が（5）に規定されている。使用する直前の清浄性を確認することが項目（6）に規定されている。これは現在も使用する前の目視検査として義務づけられている。さらに，§211.182 Equipment cleaning and use log.では，洗浄工程のログを記録することを要求している。

この改訂では，文書化の必要性が打ち出されている。Validationという用語は規制本文中に数カ所で使われてはいるものの，定義はされていない（定義されたのは，後述のGuideline on General Principles of Process validationである）。

▶1984年に，Samuel Harderはその報文"The Validation of Cleaning procedures"の中で，許容限界値について，次のように記した。

"must be practical and achievable,

must be verifiable,

must be safe and acceptable"

この文言「実際的で，達成可能であり，立証可能である」が後続の報文や規制の多くに頻出した。

▶1987年5月に，プロセスバリデーションの一般原理に関するガイドライン

'Guideline on General Principles of Process validation' が発出された。その中で，Validationという用語の定義がなされた。

"Validation：Establishing documented evidence which provides a high degree of assurance that a specific process will consistently produce a product meeting its predetermined specifications and quality attributes"

▶1989年に，Douglas Mendenhall（Abbott Laboratories）は，その報文"Cleaning Validation"において，洗浄バリデーションの際に話題になる項目について論じた（Validationという用語が報文タイトルに使われていることにも注目）[119]。

その中で，定量的な許容基準の設定に関しては，次のように述べている。

"Criteria For Limits

Two extreme positions of how to do this illustrate the difficulties in the task. Perhaps the most satisfying from a scientific perspective would be to approach this task quantitatively：(a) establish in collaboration with tox and medical authorities an effect threshold (will be dictated by the lowest dose at which toxicity or therapeutic effects are expected from the residual material on a chronic or acute basis)；(b) superimpose an appropriate safety factor (e.g., 10X or 100X)；(c) for each piece of equipment/contact surface involved calculate what level of residual could be tolerated if it found its way into the smallest batch size/maximum dose combination of any product made in that piece of equipment. Alternatively, one could use a very pragmatic approach：visual cleanliness. While the latter may sound far too unsophisticated and non-quantitative, in our experience quantitative calculations have almost universally yielded tolerable levels of residuals which were readily apparent visually, i.e., the visual cleanliness criteria was more rigid and clearly adequate. Clearly, however, for extremely potent or toxic substance, calculated tolerable residuals may be well below visual detectability. Hence, common sense and judicious use of quantitative methods when appropriate are called for depending on the nature of the possible residuals involved."

前半部を要約すると次のようになる。

(a) 毒性および医療の専門家が協同して，影響に関する一つの閾値を設定する（それは，残滓物質についての，慢性または急性ベースでの毒性的または治療的な影響が発現する最小用量によって決定される）；

(b) 適切な安全係数を課する（たとえば，10×または100×）；

(c) 関連する個々の機器／接触面積について，その機器で製造される任意の製品についての，最小バッチサイズ／最大用量の組み合わせで，残滓がどのレベルまで許容されるかを計算する。

筆者の推察であるが，この中で毒性学的な情報または薬理学的な情報（治療用量など）から安全係数を加味して洗浄限度値を求めるということで，toxicity-based，dose-basedという大きく2つの流れができたのではないかと思われる。さらに，洗浄限度を計算するときのパラメータについても言及していることに注目したい。

Mendenhallは，さらに続けて，後半部分で，目視検査について触れている。定量的ではないが，実際的なアプローチとして目視検査があるとして，「われわれの経験では，定量的な計算は，ほとんどの場合において，目視検査ですぐにわかる残滓の許容レベルになる。すなわち，目視できれいという基準はより堅牢であり明確に適切である」（文責筆者）と記述している。

▶ 1991年に，FDAは査察官用ガイド‘Guide to Inspections of Bulk Pharmaceutical Chemicals’を改訂した。同ガイドは，1984年から刊行がはじまり，1987年には改訂がなされていたものである。同ガイドにおける，PART II Specific Interpretations for BPC OperationsのEquipment（e）Cleaning of Product Contact Surfacesの第3項（Analytical Method/Cleaning Limits）において，次のように規定している。

“The residue limits established for each piece of apparatus should be practical, achievable, and verifiable. When reviewing these limits, ascertain the rationale for establishment at that level. The manufacturer should be able to document, by means of data, that the residual level permitted is scientifically sound.”

▶ 1989～1992年に，FDAは，Barr Labo社での洗浄不良による交叉汚染の問題に直面した。この経緯は，FDA Guide to Inspections：Validation of Cleaning Process（1993年）の背景の項に詳しい。

この問題は訴訟事案になり，最終的には1993年2月に審理終了した。結果的にFDAが勝訴したものの，その審理の過程で，判事はGMPの規則が不明確であり，FDAが期待することを民間企業が適切に理解できるだけの十分に詳細な記述がなされていないことを指摘した。

▶ 1992年に，FDAのMidAtlantic地域の複数の査察官が集まり，翌年1993年5月にはMidAtlantic地域の査察ガイド「洗浄バリデーション」を発行した。

その中の洗浄限度値の項（Establishment of Limits）で，査察の目的はいかなる限度値も科学的に立証されていることを確認することにあるとしている。さらに，業界で設定されている洗浄限度値は全体としてさまざまな状況であり，多くは恣意的（arbitrary）であると指摘している（これはWalshの報文にて紹介されている1992年のPMAのアンケート結果でも見られるとおりである。本書1.3項参照）。

このガイドの末尾には，洗浄バリデーションに関する報文はそれほど多くはないと付記しており，HarderとMendenhallの名前のみをあげている。

▶1993年4月に，イーライリリー社のFourman & Mullenはその報文で，複数の限界値を組み合わせることを提案した[3]。0.1%投与量基準，10ppm基準，目視検査（4μg/cm²）である。

▶1993年7月に，FDAは査察官用セミナーで，資料として‘Guide to Inspections Validation of Cleaning Processes’を提示した。FDAは，その中で，洗浄評価基準について次の見解を表明している（文責筆者）。

・FDAは，洗浄工程がバリデートされたかどうかについて決定するための許容基準や方法を設定する意図はない。
・残留基準についての合理的な根拠は，製造者の物質についての知見にもとづいて，論理的でなければならず，かつ実際的で，達成可能で，立証可能でなければならない。
・業界関係者により文献や講演で提案されている限界基準としては，10ppm，臨床用量の1/1,000，目視で検出されないこと，という例がある。

この資料の中で，FDAは，業界の動きとして同セミナーに先立って発表されたイーライリリー社の文献（1993年4月）に触れている。これがその後の各種規制やガイドラインに広く採用されていった契機となっている。

▶1994年には，当時のUpjohn（現在のファイザー）社のJenkinsらが，洗浄バリデーションに関する報文を発表した[105]。その中では，洗浄限界値にはさまざまなものが提案されていると指摘して，伝統的な3つのtoxicity-based，dose contamination-based，batch contamination-basedの方法に加え，さらには，capability-based approachという方法が提案されていると記している（**表14-1**）。

また，VRLも適切なツールであり，彼ら自身での実験の結果として，照明を用いるという条件で，1.0μg/cm²まで見えるとしている。Fourman & Mullenの報文にあるVRLを加味し，毒性があると考えられない多くの化合物においては，1～4μg/cm²が適切な検出レベルであろう，としている。

表14-1 Jenkinsらの報文にみる洗浄評価基準

Type of Limit	Equation	Comment
Toxicity and safety	[no-effect dose（μg）/safety factor]/fixed surface area（cm²）	independent of equipment
Dose and batch	[number of tablets ×（μg/tablet）]/contact surface area（cm²）	can add a safety factor
Pharmacological	[lowest clinical dose（μg）/1,000]/fixed surface area（cm²）	1,000 is a safety factor
Process capability	[lowest cleanable level（μg）]/fixed surface area（cm²）	considered to be a blanket limit

（文献105）より引用）

▶1995年に，PICとPIC Schemeとが合体して活動を開始した（PIC/Sの結成）。

1996年に，PIC/Sの会合で，国際的なGMPを用意することで合意がなされ，その原案が1997年～1998年に準備された。

一方で，国際調和の流れでICHが組織化されて，活動していた（創設は1990年。その経緯は，PMDAのWeb Siteに詳しい）。

1998年半ばに，ICHは，Q7の策定過程で，PIC/Sの業務（国際的なGMPの準備）を継続した。これは，PIC/Sの成果を米国，ヨーロッパ諸国，日本などの産業界に普及させることを意図したものである。

▶1998年の8月に，PDAは，TR-29 Points to Consider for Cleaning Validation（初版）を公開した（Task Forceメンバーには，イーライリリー社のMullen, Upjohn社のJenkinsの名前も見える）。

このガイダンスは，当時の洗浄に関する考えおよびその要素についてまとめたものである。TR-29では，限界値の選定について次のように述べている（8 Limit Determination）。

"Limits and acceptance criteria should be：practical / verifiable / achievable / scientifically sound."

さらに，「8.1 The Scientific Rationale for Cleaning」では，

"It is very important that cleaning limits not be selected arbitrarily, but rather, that there be a logical and scientific basis for the numerical limit selected."

としている。そして，限界値の算出方法としては，次の3つをあげている。

・Limits Based on Medical or Pharmacological Potency of the product

・Limits Based on Toxicity of the Residue

・Limits Based on the Analytical Limitations

▶1999年9月/2000年12月には，CEFIC/APIC（Active Pharmaceutical Ingredients Committee）から，原薬に関する洗浄ガイドライン（Cleaning Validation in Active pharmaceutical Ingredient manufacturing plants）が発刊された。1999年版の「8.1 Establishment of acceptance criteria」において，数値的な洗浄限度値が紹介されている。それらは，毒性データにもとづく限度値（ADIという表記がある），薬理学的な投与量にもとづく限度値（0.1％投与量基準），10ppm基準による限度値である。さらに，目視検査によるとしている。具体的な計算事例が2000年版に示された。毒性データにもとづく限度値においては，LD_{50}を用いてNOELに換算する方法が記載されている。

▶2000年11月には，ICH Q7が最終化されて，多くの国々がICH Q7をAPIに対するGMPとして，2001年までに採用した。

・ICH Q7では，ペニシリン系またはセファロスポリン系の高感作性物質を専用化すること（4.40項）に加えて，高い薬理活性または毒性のある物質（たとえば，ある種のステロイドまたは細胞毒性抗がん剤）「high pharmacological activity or toxicity is involved (e.g., certain steroids or cytotoxic anti-cancer agents)」は，検証された不活化およびまたは洗浄工程が確立されて維持されていない限りは，専用の製造区域の使用を考慮すること（4.41項）を要請した。

・ICH Q7では，さらに，多目的設備における洗浄バリデーションについても言及した。洗浄限界は，APIの薬理学的，毒性学的，生理学的な活性にもとづいて設定することとされた。

すなわち，12 Validationの12.74項に，次のような規定がある。

"・・・Residue limits should be practical, achievable, verifiable and based on the most deleterious residue. Limits can be established based on the minimum known pharmacological, toxicological, or physiological activity of the API or its most deleterious component."

以下の和文は，「原薬GMPのガイドライン」（医薬発第1200号平成13（2001年）年11月2日）からのものである。

「12.74・・・残留物限界値は，実際的で，達成可能であり，立証可能であり，かつ，最も有毒な残留物に基づいたものとすること。限界値は，原薬又はその最も有毒な組成物に関する既知の薬理学的，毒性学的又は生理学的活性の最小量に基づいて設定すること。」

・ICH Q7はその後，米国，EU，カナダ，日本など多くの国々で採用された。

このICH Q7が，PIC/S-GMPガイドPart Ⅱ（原薬GMPガイドPE-009）となった(2007年)。

▶2001年7月に発出されたEU-GMP Annex 15での，洗浄バリデーション36項では，

"The rationale for selecting limits of carry-over of product residues, cleaning agents and microbial contamination should be logically based on the materials involved. The limits should be achievable and verifiable."

とあるだけである。

▶2002年に，FDAは「21世紀のcGMPガイドライン」を発出し，その中で「科学にもとづくリスクベースアプローチ」という概念を提唱し，科学的な根拠を求める姿勢を強く打ち出した。2004年にFinal Reportが出ている。

▶2003年に，EMEAはEU-GMPを発出した。そのなかで，ICH Q7で使われていた文言に若干の修正を加えて，Vol. 4 Chapter 3 & Chapter 5とした。

・Chapter 3では，高感作性物質（たとえば，ペニシリン）については専用化が必要

とした（must be available）。一方，「ある種の化合物」とされる「certain antibiotics, certain hormones, certain cytotoxics, certain highly active drugs」については，同じ設備内で製造してはならないとした（should not be conducted in the same facilities）。

・Chapter 5では，同様にICH Q7の文言を修正して，マルチパーパス設備での機器洗浄について規定した。交叉汚染防止措置として，「隔離されたエリア」または「時間的な分離」ならびに適切な洗浄方法とした。

・上記のように，「ある種の化合物」では「ある種のホルモン」，「高薬理活性物質」という用語が使われており，ICH Q7とは異なる表記をしていることに注目したい。この表記がなされたものの，その定義がはっきりとしていなかったことにより，その後不透明性が増すことになったのは否めない。本書1.3項参照。

▶2004年6月にISPE主催の封じ込めセミナーでFDA関係者が，ペニシリンと同様に，高薬理活性化合物についても専用設備を必要とするという考えであることを明らかにした[187]。筆者の推察であるが，前年のEU-GMPの改訂で「ある種の化合物」の範囲が拡大したことが影響しているのではないかと思われる。

高薬理活性化合物を専用化しようとするFDAの提案に対して，複数のISPEメンバーは危機感を覚えた。というのも，この時期にはすでに業界内で高薬理活性医薬品を対象とするマルチパーパス製造設備の建設が進められていて，実績もあったためでもある（国内でも同様にマルチパーパス製造設備の実例が報じられていた）。それらが専用設備となることは，投資の関係からも業界として望ましくないと考えたからであろう。

そこで，複数のメンバー達による対応策の検討が進められた。検討を進めるうえでは，2002年にFDA自身が「リスクベースアプローチ」という概念を提唱していたことも，影響を与えたのではないかと推察される。

▶2005年6月のISPE封じ込めセミナーで，ISPEメンバーによって，高薬理活性化合物についての専用化に代わる手法（リスクベースアプローチによる手法）が提唱された。

提唱された手法について，FDAは好意的に受け止めたとされる。そして，FDA関係者は，ISPEに対して，発表内容をFDAに対しても説明してほしい旨の申し入れをした[187, 188]。

▶2005年にEMAは，先に発出したEU-GMPについて改訂する趣旨のコンセプトペーパーを提示した。この意図は，先のEU-GMPでは，専用化および隔離がどのような場合に必要なのかについて明確な定義がないこと，および「ある種のXX」について明確ではないことを認識してのものである。

さらに，EMAは，ゆくゆく発出されるICH Q9の原則および概念を考慮することを提唱した。この提案は，EFPIAにも支持された。EMAではその後，改訂のドラフト版について準備作業が進められた。

▶2005年末には，ICH Q9が発出された。そこでは，設備・機器を専用化するか隔離化するかを特定するために，そして，リスクを低減するために，品質リスクマネジメントの手法によるとした（Annex II Potential Applications for Quality Risk Management）。専用化については「II. 4項」および「II. 6項」にて，洗浄評価基準については「II. 4項」にて，その旨の表記がある。その後，ICH Q9は，広く，米国，欧州，日本などにて採用された。

▶2006年1月には，FDAからのプレゼン依頼を受け，S. Wilkins率いる業界の代表チームが，FDAを訪問した。そして，約40人のFDAメンバーに対して，「リスクマネジメントと高薬理活性化合物」と題したプレゼンを行った。プレゼンでは，科学的なリスクベースアプローチを利用することにより，ハザード物質の製造について専用設備とするかどうかの判断ができることを説明した[187,188]。そのときのメンバーは，次のとおりである。S. Wilkins（Pharma Consult），L. Burgess（Astra Zeneca），P. Wreglesworth（Astra Zeneca），Nigel Hamilton（Sanofi-Aventis），B. Naumann（Merck），Ed. Sargent（Merck），A. Walsh（Hoffman-LaRoche），J. Wilkins（Pharma Consult）である（企業名は文献188）のまま）。ADEおよびOELに関する報文のあるNaumannやSargentの名前もある。洗浄評価で活発に展開しているWalshの名前もみえる。
このときの話題は次のとおりである[187]。

・HBELの設定方法
・曝露アセスメントの手法
・コントロールするための手法
・洗浄バリデーションの方法

このプレゼンでは，FDAに科学的なリスクベースアプローチを説明するとともに，ISPEで企画されていた新しいガイドラインの開発に，FDAの参加を求めて同意してもらうことも意図していたようである。この意図は，首尾良く成功したとされている[187]。

▶2006年3月には，前述のISPEベースラインガイドのキックオフがNYCのインターフェクスで行われた。その打ち合わせにおいて，FDAは，ISPEに対して，次の3点を含む形でガイドラインを作成するように諮問した[187]（筆者注：Risk-MaPP初版の「1. 序文」において，この記載がある）。

・「高ハザード医薬品を特定する手法の提供」

・「同手法を洗浄バリデーションへ適用する場合の考察」
・「21CFR211.42Cを遵守するためのコントロールをどのように実施するのか明確に示すリスクマネジメント／アセスメントモデルの提示」

▶2007年11月には，ISPE Risk-MaPPチームが，25名ほどのFDAスタッフに対し，Risk-MaPPガイドライン素案の内容についてプレゼンを行った。FDAは，ISPEチームの努力を認めたうえで，ガイドライン素案に対して，次の2つの指摘をしたとされる[64]。

第1の指摘事項は，限界値の名称についてであり，当初はADIとして提案されていたものをADEとするものであった。これは，ADIという用語が食品分野ですでに使用されていたので，混乱を避けるためのものであった。

第2の指摘事項は，ペニシリンを含むβラクタム系高感作性物質についてはADEを議論することを止めにしようというものであった。

▶2008年，2009年に，EMAはGMPの改訂状況に関する報告をした。

その中で，GMPは専用化が必要とされる化合物および必要とされない化合物を特定するべきであること，そして，薬理学的／毒性学的に高いリスクをもつ化合物は，厳密なQRMプロセスにより検証されない限りは，共用設備を用いて製造されるべきではないとした。

▶2009年にEMAの「改訂GMP／GDP査察官作業グループ」は，次の点で合意を得た。
・専用化設備の適用は，通常では，βラクタム系抗生物質が製造されるとき，および微生物が取り扱われるときとする。
・そのほかの化合物を共用設備に導入しようとするときには，毒性学専門家からの情報にもとづいたアセスメントを行って，適否を検討する。

▶2010年にISPEからRisk-MaPP初版が刊行された。HBELを用いる洗浄評価を提唱した。

▶2011年に，FDAが新しいプロセスバリデーションの考えを提唱した。

▶2011年に，EMAは，共用設備でのリスク評価に用いるための毒性学的な評価手法に関するコンセプトペーパー（EMA/CHMP/SWP/598303/2011）を発出し，パブコメを求めた。その中の課題の部分で，「現状では，共用設備を用いて製造される製品間の交叉汚染を防止するための，許容曝露限界を算出する方法を規定する確固たるアプローチがない。ガイダンスがない一方で，多くの毒性学的なツールが利用できる状況であることから，業界と規制側で調和のとれない解釈が広がる懸念がある」と述べた。

▶2012年には，EMAからHBELの設定に関するガイダンスのドラフト（EMA/CHMP/CVMP/SWP/169430/2012）が発出された。背景を記した序文は，専用化要件，洗浄評価基準に関するEMAの考えおよび理念が直接的に記されたものである（本書1.5.7項参照）。

▶2012年に，PDA TR-29が改訂された。初版の1998年から，内容を大きく替えている。Risk-MaPP初版が2010年に刊行されたこともあり，ADEを用いる場合についても含まれている。0.1％投与量基準，ADE基準，LD_{50}基準，デフォルトとして10ppm基準が紹介されている。ハザードレベルの低い製品については，従来の0.1％投与量基準がADE基準の代わりに使えるとしている（リーダーであるLeBlancの主張でもある）。

▶2013年に，FDAは非ペニシリンβラクタム系医薬品／APIの交叉汚染防止に関するガイドラインを発出した。その中で，βラクタム系抗生物質の製造は分離した設備とすることを明確にした。

▶2014年には，EU-GMP Vol. 4の改訂が最終化されて，Chapter 3およびChapter 5の記述が大きく改訂された。そこでは，βラクタム系抗生物質は専用化設備とすることが明確になった。また，「ある種のXX」という用語を使用しないこととし，専用化の要否はリスクアセスメントにより判断することとされた。
　洗浄評価については，リスクベースアプローチによる洗浄評価を導入した。同年，EMAがHBELの設定に関するガイドラインを発出して，洗浄評価にHBELを用いることを明確な形で打ち出し，「毒性学的な評価による洗浄評価」と称した。

▶2015年には，EU-GMP Annex15の改訂が最終化され，洗浄バリデーションにおける洗浄基準は，「毒性学的な評価」によると明記された。

以上，2015年までの流れを紹介した。この流れの中で，筆者は，2004年～2006年の動きに注目したい。
一つは，EMAの動きである。2003年の改訂で自らが発出した専用化要件の「ある種の化合物」について問題があることを認識し，ICH Q9を先取りする形で，リスクベースに方向転換したことである。これが，HBELによる毒性学的評価につながっている。
もう一つは，FDAが専用化の範囲を拡大しようとしたことを受けて，危機意識をもって立ち上がったISPEの動きである。その動きが最終的にRisk-MaPP初版の発刊につながっている。現在，マルチパーパス設備が広く適用できる基盤になっている。

これらが実現していく背景として，当時の欧米の製薬業界では，すでに高薬理活性物質が広く使用され始めており，多くの実績が存在していたことがあるのではないかと推察する。抗がん剤をはじめとする高薬理活性物質の取り扱いに関する「科学的な」アプローチが，製薬業界に浸透していたためであると想像できるのである。

このあたりの経緯については，次項で紹介する。

14.2 医薬分野でのOELの設定とハザード区分の経緯

アメリカの産業衛生専門家団体であるACGIHが，一般化学物質についてのOELであるTLVsを提唱し始めたのは1946年のことである。

その後，OSHA（USA）がACGIHのTLVのリストをそのまま国の基準として採用し，名称をPELsとした（1971年）。初期の頃のTLVsは，長期間の試験にもとづくものではない例や，動物実験によらず現場での実際のヒトデータによるものも多かった。さらに，算定のベースにしたデータセットに，現時点の視点からすると，堅牢性に欠ける面があるとされる。

しかしながら，TLVsの影響力は強く，第二次大戦後のイギリスやドイツでは，TLVのリストが使われていた。そして，イギリス独自のOELリストであるEH 40が，1984年に公開された[189]。そして，ドイツでは，独自のHBELであるMAKのリストが1968年以降に公開された。OEL自体の歴史的流れについての詳細は文献190）を参照してほしい。

ACGIHが公開したTLVsの多くは，汎用の大量に用いられる一般化学物質が対象であった。ただし，具体的に数値が設定された物質の数は，流通している化学物質の多さに比べるとごく少ない状況であった。汎用ではない，医薬品製造現場で用いられる物質のほとんどは，設定されることはなかった。

その後，TLVsとして設定される物質の数が増えていったものの，TLVsの設定には多くの時間と費用がかかるために，新規化学物質の増加には追いつけない状態が長く続いた。このために，医薬品製造分野だけではなく，広く化学物質を扱う製造企業においては，製造現場でのオペレータの曝露を防止するうえで，製造企業自身が曝露限界値を設定しなければいけないという状況に直面した。

このような中で，1986年にもう一つの産業衛生専門家団体であるAIHA（1939年設立）が2日間の労働安全衛生に関するシンポジウムを開催した。その際に，12の大手製造企業からOEL設定についての取り組み・活動について，紹介がなされた[191]。製造企業の名前（英文のまま）をあげてみると，Goodyear Tire，Dupont，Union Carbide，Exxon Chemical（現在のExxon Mobil Chemical），Dow Chemical，Rohm and Haas，

3M，Upjohn Pharmaceutical（現在のPfizer），Allied Chemical，Monsantoなどである。製薬企業の代表として，当時のUpjohn社から同社の状況が報告されている。その要旨からは，当時すでに，HBELの設定に関する社内ルールが決められていたことがわかる（ただし，不確実係数は，従来の100を使っていた様子である）。

製薬業界では，それぞれの企業で独自のOELを設定することが始められていた。メルク社では，1979年からOELの設定に関する研究を始めたとされる[192]。

そして，1988年にメルク社のSargent & Kirkが同社の32銘柄の物質のOELについて，具体的なOELの計算式とともに，発表した（おそらくは，これが医薬品関連で具体的な計算式を掲載している報文としては最初のものであろうと推察される）[13]。

その後，このSargent & Kirkの報文に引き続いて，製薬企業から競うように，続々とOEL設定に関する報文がでてきている。エクソン社（1990年）[193]，ワーナー・ランバート社（1992年）[194]，ファイザー社（1995年）[99]，メルク社（1995年/1997年）[57, 195]などである。メルク社のNaumannらの報文では，それまでの検討を踏まえて不確実係数について整理した形となっている[57]。

Sargentらの報文をはじめとする曝露限界値についての研究が集中して行われた背景には，当時の製薬業界の事情がある。医薬品の分野では，主に抗がん剤などの開発のために，新規の化合物が1980年代後半から1990年代初期において爆発的に増加してきた経緯がある。あまりに多いので，個々の毒性学的なデータの整備が間に合わない状態となった。一方で，新規化合物取り扱いの現場で従事するオペレータの健康を確保する必要が生じていた。

この時期の詳細な経過は，セイフブリッジ社からの報文に詳しく紹介されている[14]。この報文では，活性物質のハザード区分に使われるコントロールバンディングの開発経緯を述べている。少し長いが，その部分を以下に紹介する。

「・・・従来の評価方法では，OELの設定と現場でのサンプリング，曝露モニタリングの分析解析が必要であり，化合物ごとに行われていた。このサンプリング，分析解析の仕事は，専門家（Industrial Hygienist）によって行われていた。専門的知識を要し，また煩雑な業務でもあったので，費用と時間がかかっていたのが実情であった。

一方，新規な化合物が1980年後半から1990年初期において爆発的に増加してきたので，今までの方法で評価するのが現実的にできにくいか，できないような事態が生じてきた。また，新規化合物のすべてが具体的な毒性学的数値をもっているとは限らずに，不明な状態のままで，ラボ，試作，製造の現場で従事するオペレータの健康を確保する必要が生じていた。

このような現場の安全の問題に憂慮した15の国際的規模の大手製薬企業が1988年に集まって協議した。・・・その中から，このような板ばさみの状況を打破するべく，同じ認識を有していた米国内の5つの製薬企業が集まり，現場の問題点を共有し，よりシンプルなリスクアセスメント手法，設備選定を行うための具体的な手法について，ボランティアベースで協議を開始した。この5社とは，Syntex，Merck，Eli

Lilly, Abbott, Upjohn（現在のPfizer）であり，いわば「薬理活性化合物を取り扱う場合の安全なシステム」"potent compound safety management system" を構築しようとしたものである。

・・・2年間の検討の後に，効果的な化合物の区分け，曝露に対するコントロール，化合物ハンドリングシステムの選定などについて，ひな形を構築することができた。

この初期のアプローチにおけるひな形は，米国疾病対策センター（the Centers for Disease Control：CDC）が規定する微生物分野でのハザード対策手法であり，BSL（Bio Safety Level）がそのひな形を作成する際に参考とされた。そこでは，4つの区分けに分類されている。

・・・（中略）・・・

このボランティアグループでは，全社で共通的に使える統一的なもの "One size fits all" を作ろうと努力したのだが，結局，各社の製造工程の考えが異なり，各社でそれぞれ独自の区分け，機器選定を設定している状況が判明して，統一的なものを作成することを断念した。そして，その代替として，汎用的なコンセプトを確立したうえで，各社が自社の状況に応じて修正して取り込めるようなプログラムを構築することにした・・・」。

このような活動を経て，メルク社からPerformance-Based Exposure Control Limits（PB-ECL）というコントロールバンディングの構想，および5つのハザード区分を持つモデルが1996年に提案された（その後には6つの区分となった）[15]。現在のハザード区分表の出発点となっているものである。

14.3 健康障害に関する用語

薬物が人体に作用したときに何らかの影響（健康障害）がでてくることがある。これらの障害の有無が薬理活性物質のカテゴリー区分に際して必要な情報となる。具体的には，MSDSにおいて，危険・有害性の要約や有害性情報の項に記載されている内容である。

・**感作性（かんさせい）（Sensitizing）**：
　いわゆるアレルギー反応のこと。

・**感作性物質（Sensitizer）**：
　アレルギー反応を引き起こす物質のこと。アレルゲンと同義。

・**呼吸器感作性物質（Respiratory sensitizer）**：
　吸入することにより，気道にアレルギー反応を誘発する物質をいう。

・**催奇形性（さいきけいせい）（Teratogenicity）**：

妊娠中の器官形成期の胎児に及ぼす作用，とくには奇形の発生を引き起こす作用。

- **生殖細胞変異原性（Germ cell mutagenicity）：**
  ヒトの生殖細胞の遺伝子に遺伝性の突然変異を生じさせる作用。
- **生殖毒性（Reproductive toxicity）：**
  性的機能と妊娠能力（sexual function and fertility）および胎児の発生・発達（development of offspring）へ有害な影響を引き起こす作用。
- **接触感作性物質（Contact sensitizer）：**
  皮膚との接触によってアレルギー反応を誘発する物質をいう。
- **発がん性（Carcinogenicity）：**
  人または動物に対して「がん」を生じさせる性質をいう。
  IARC（国際がん研究機関），NTP（米国・国家毒性プログラム），日本産業衛生学会などで化学物質等の発がん性について定性的に分類されている。
- **発がん性物質（Carcinogen）：**
  がんを誘発し，またはその発生頻度を増大させる化学物質をいう。
- **皮膚感作性物質（Skin sensitizer）：**
  皮膚への接触によりアレルギー反応を誘発する物質をいう。「皮膚感作性」の定義は，「接触感作性」と同義である。
- **皮膚刺激性（Skin irritationまたはDermal irritation）：**
  試験物質の4時間以内の適用で，皮膚に対して可逆的な損傷（炎症性の変化）が発生することをいう。
- **皮膚腐食性（Skin corrosionまたはDermal corrosion）：**
  試験物質の4時間以内の適用で，皮膚に対して不可逆的な損傷（組織の一部を壊死させる変化）が発生することをいう。
- **変異原性（へんいげんせい）（Mutagenicity）：**
  生物の遺伝子に突然変異を引き起こす性質をいう。
- **変異原性物質（Mutagen）：**
  細胞または生物体に突然変異を発生する頻度を増大させる物質をいう。
- **眼刺激性（Eye irritation）：**
  眼の表面に試験物質を曝露した後に生じた眼の変化で，曝露から21日以内に完全に回復するものをいう。
- **眼に対する重篤な損傷性（Serious eye damage）：**
  眼の前表面に対する試験物質の曝露にともなう眼の組織損傷の発生，または視力の重篤な低下で，曝露から21日以内に完全に回復しないものをいう。
- **全身毒性（Systemic toxicity）：**
  生体全体へ毒性による影響を引き起こす性質。

参考文献

● 第1章

1） A. Walsh, “Cleaning Validation for the 21st Century：Acceptance Limits for Active Pharmaceutical Ingredients（APIs）：Part I”, *Pharmaceutical Engineering*, **31**(4), July/August, 74-83（2011）

2） D.A. LeBlanc, “Are We Setting Limits Correctly?”, Cleaning Validation Technologies 社 Webinar, August 19, 2008

3） G.L. Fourman and M.V. Mullen, “Determining Cleaning Validation Acceptance Limits for Pharmaceutical Manufacturing Operations”, *Pharmaceutical Technology*, **17**(4) 54-60（1993）

4） FDA, “Guide to Inspections of Validation of Cleaning Processes”, Division of Field Investigations, Office of Regional Operations, Office of Regulatory Affairs, July 1993

5） 杉山豊比古，第13回インターフェックスジャパン専門技術セミナー, 2000年（統計データは製剤機械技術研究会によるもの）

6） ファルマ・ソリューションズ，“高活性物質の封じ込め技術に関する最近の動向”，同社Web資料, 2009年3月

7） R.G. Sussman et al., “Identifying and assessing highly hazardous drugs within quality risk management programs”, *Regul. Toxicol. Pharmacol.*, **79**(Aug), Suppl 1, S11-S18（2016）

8） M. Crevoisier et al., “Cleaning Limits-Why the 10-ppm Criterion Should Be Abandoned”, *Pharmaceutical Technology Europe*, **41**(1), 30-34（2016）

9） A. Walsh et al., “Cleaning Limits—Why the 10-ppm and 0. 001-Dose Criteria Should be Abandoned, Part II”, *Pharmaceutical Technology*, **40**(8), 45-55（2016）

10） E.L. Barle et al., “The value of acute toxicity testing of pharmaceuticals for estimation of human response”, *Regul. Toxicol. Pharmacol.*, **62**(3), 412-418（2012）

11） E.C. Faria et al., “Using default methodologies to derive an acceptable daily exposure（ADE）”, *Regul. Toxicol. Pharmacol.*, **79**(Aug), Suppl 1, S28-38（2016）

12） 島一己，“高薬理活性物質を扱う多目的製造設備：健康ベースでの曝露限界値を用いた洗浄評価”, *化学装置*, 7月号, 24-35（2014）

13） E.V. Sargent and G.D. Kirk, “Establishing Airborne Exposure Control Limits in the Pharmaceutical Industry”, *Am. Ind. Hyg. Assoc. J.*, **49**(6), 309-313（1988）

14） J.P. Farris, A.W. Ader, R.H. Ku, “History, implementation and evolution of the pharmaceutical hazard categorization and control system”, *Chemistry Today*, **24**(2), 5-10（2006）

15） B.D. Naumann et al, “Performance-Based Exposure Control Limits for Pharmaceutical Active Ingredients”, *Am. Ind. Hyg. Assoc. J.*, **57**(1), 33-42（1996）

● 第2章

16） 島一己，“続　毒性学的評価による洗浄バリデーション～PIC/S HBEL Q&A と最近の査察官用備忘録～”, *PHARM TECH JAPAN*, **37**(3), 147-151（2021）, **37**(5), 175-180（2021）, **37**(7), 132-136（2021）, **37**(8), 170-184（2021）, **37**(9), 147-158（2021）, **37**(11),

125-129（2021），**37**(12)，171-186（2021），**37**(13)，149-159（2021）

17）EMA（410936/2017），Summary of discussions at the workshop on the generation and use of health-based exposure limits（HBEL）held on 20-21 June 2017 at the European Medicines Agency（EMA），July, 2017

https://www.ema.europa.eu/en/documents/minutes/summary-discussions-workshop-generation-use-health-based-exposure-limits-hbel_en.pdf

18）A. Teasdale et al., "EMA Guideline on Setting Health-Based Exposure Limits", *Pharmaceutical Technology*, **40**(1)，58-62（2016）

19）E.L. Barle et al., "Comparison of Permitted Daily Exposure with 0. 001 Minimal Daily Dose for Cleaning Validation", *Pharmaceutical Technology*, **41**(5)，42-53（2017）

20）EMA（288493/2018），Outcome of public consultation on Questions and Answers on implementation of risk-based prevention of cross contamination in production and 'Guideline on setting health based exposure limits for use in risk identification in the manufacture of different medicinal products in shared facilities'（EMA/CHMP/CVMP/SWP/169430/2012），Summary report of comments received during the public consultation and next steps, July, 2018

https://www.ema.europa.eu/en/documents/other/outcome-public-consultation-questions-answers-implementation-risk-based-prevention-cross_en.pdf

21）A. Walsh et al., "Health-Based Exposure Limits：How Do The EMA's Q&As Compare With New And Forthcoming ASTM Standards?", *Pharmaceutical Online*, November 9, 2018

22）A. Walsh, "Cleaning Validation for the 21st Century：Acceptance Limits for Active Pharmaceutical Ingredients（APIs）：Part Ⅱ", *Pharmaceutical Engineering*, **31**(5)，September/October, 44-49（2011）

23）R.J. Forsyth et al., "Visible-Residue Limit for Cleaning Validation and its Potential Application in a Pharmaceutical Research Facility", *Pharma. Technol.*, **28**(10)，58-72（2004）

24）R.J. Forsyth, "Rethinking Limits in Cleaning Validation", *Pharmaceutical Technology*, **39**(10)，52-60（2015）

25）A. Walsh, "Cleaning Validation for the 21st Century：Overview of New ISPE Cleaning Guide", *Pharmaceutical Engineering*, **31**(6)，November/December, 1-7（2011）

26）T. Altmann et al., "Developing A Science-, Risk-, & Statistics-Based Approach To Cleaning Process Development & Validation", *Pharmaceutical Online*, June, 2017

27）A. Walsh et al., " Introduction To The ASTM E3219 Standard Guide For Derivation Of Health Based Exposure Limits（HBELs）", *Pharmaceutical Online*, July 1, 2020

28）A. Walsh，白木澤治，"科学とリスクに基づくクリーニングバリデーション（第3回）健康に基づく曝露限度値（HBEL）の設定に関するASTM E3219スタンダードガイドの概要－21世紀のクリーニングバリデーションシリーズの一部"，*PHARM TECH JAPAN*, **36**(10)，109-118（2020）

29）M. Ovais, "Statistically Justifiable Visible Residue Limits", *Pharma. Technol.*, **34**(3)，58-71（2010）

30）A.Walsh et al., "Introduction To ASTM E3263-20：Standard Practice For Qualification Of Visual Inspection Of Pharmaceutical Manufacturing Equipment And Medical Devices For Residues", *Pharmaceutical Online*, January, 2021

31）島一己，"改正GMP省令における毒性学的評価による洗浄バリデーション～交叉汚染防止と専用化要件について～", *PHARM TECH JAPAN*, 臨時増刊号, **37**(10), 135-152 (2021)

● **第3章**

32) 島一己, "数値で学ぶGMPと医薬品開発　第4回　化合物の有害性区分けとCBへの展開（前編）—ハザード区分はなぜ4～6なのか？—", *PHARM TECH JAPAN*, **33**(14), 147-153 (2017)

33) 島一己, "数値で学ぶGMPと医薬品開発　第5回　化合物の有害性区分けとCBへの展開（後編）—ハザード区分はなぜ4～6なのか？—", *PHARM TECH JAPAN*, **33**(15), 173-180 (2017)

34) 竹田守彦, "高活性医薬品製造施設におけるリスクベースアプローチ　第2回　封じ込め方針書によるリスクアセスメント（その1)", *PHARM TECH JAPAN*, **31**(16), 7-13 (2015)

35) M.J. Olson et al., "Issues and approaches for ensuring effective communication on acceptable daily exposure (ADE) values applied to pharmaceutical cleaning", *Regul. Toxicol. Pharmacol.*, **79**(Aug), Suppl 1, S19-S27 (2016)

36) C.S. Wood et al., "A practice analysis of toxicology", *Regul. Toxicol. Pharmacol.*, **82**, 140-146 (2016)

37) M.F. Wilks et al., "The European Registered Toxicologist (ERT): Current status and prospects for advancement", *Toxicol. Lett.*, **259**(September), 151-155 (2016)

38) 一般社団法人日本毒性学会, 認定トキシコロジスト一覧
http://www.jsot.jp/toxicologist/toxicologist_list.html

39) M.D. Larrañaga,"The American Board of Industrial Hygiene: 60 years of progress", *Journal of Occupational and Environmental Hygiene*,**17**(6), 253-261 (2020)

40) M.J. Faber et al., "Handling of Highly Potent Pharmaceutical Compounds - Effective Strategies for Contract Manufacturing Organizations", *Chemistry Today*, **32**(3), May/June, 34-38 (2014)

● **第4章**

41) E.V. Sargent et al., "Guidance on the establishment of acceptable daily exposure limits (ADE) to support Risk-Based Manufacture of Pharmaceutical Products", *Regul. Toxicol. Pharmacol.*, **65**(2), 242-250 (2013)

42) J.P. Bercu et al., "Point of departure (PoD) selection for the derivation of acceptable daily exposures (ADEs) for active pharmaceutical ingredients (APIs)", *Regul. Toxicol. Pharmacol.*, **79**(Aug), Suppl 1, S48-S56 (2016)

43) H.J. Klimisch et al.,"A Systematic Approach for Evaluating the Quality of Experimental Toxicological and Ecotoxicological Data", *Regul. Toxicol. Pharmacol,* **25**, 1-5 (1997)

44) 安全衛生情報センター, 有害性・GHS関係用語集

45) 日本毒性学会教育委員会編, トキシコロジー第3版, 朝倉書店, 2018年

46) ILSI JAPAN 食品リスク研究部会（監修：広瀬 明彦), リスクアセスメントで用いる主な用語の説明, 2011年5月（2012年2月改訂）

47) X. Palazzi et al., "Characterizing 'Adversity' of Pathology Findings in Nonclinical Toxicity Studies: Results from the 4th ESTP International Expert Workshop",

Toxicologic Pathology, **44**(6), 810-824 (2016)

48) WHO/IPCS, "Environmental Health Criteria 240 Principles and Methods for the Risk Assessment of Chemicals in Food, Annex 1 Glossary of terms", 2009

49) EPA, "A review of the reference dose and reference concentration processes", 2002

50) M.A. Dorato and J.A. Engelhardt, "The no-observed-adverse-effect-level (NOAEL) in drug safety evaluations:Use, issues, and definition(s)", *Regul. Toxicol. Pharmacol.*, **42**, 265-274 (2005)

51) R. Roy, "Establishing the Relevance of Health Hazard Data for GHS Classification: Adverse vs. Non-Adverse", presented at SCHC Fall Meeting, September 30, 2014

52) A.W. Ader et al., "Procedures for Determining an Acceptable Daily Exposure (ADE) under Risk-MaPP: Approaches for Developing and Documenting Acceptable Limits for Product Cross-Contamination Purposes", SafeBridge Whitepaper, October, 2010

53) EPA, "Integrated Risk Information System (IRIS), Vocabulary Catalog", 2011

54) 吉田武美／竹内幸一編集，NEW医薬品の安全性学，廣川書店，2007年

55) 田中千賀子／加藤隆一／成宮周編集，NEW 薬理学 改定第7版，南江堂，2018年

56) 齋藤直太郎，薬理学，社団法人富山県薬業連合会インターネット講座

57) B.D. Naumann and P.A. Weideman, "Scientific Basis for Uncertainty Factors Used to Establish Occupational Exposure Limits for Pharmaceutical Active Ingredients", *Human and Ecological Risk Assessment*, **1**(5), 590-613 (1995)

58) IGHRC (The Interdepartmental Group on Health Risks from Chemicals), "Guidelines on route-to-route extrapolation of toxicity data when assessing health risks of chemicals", 2006

59) ECHA, "Guidance on information requirements and chemical safety assessment Chapter R. 8:Characterisation of dose[concentration]- response for human health", Version 2.1, November, 2012 (Version 1は2008年)

60) 食品安全委員会，"毒性学的懸念の閾値(TTC)を用いたリスク評価手法に関する調査"，2015年

61) E. Nielsen et al., "Toxicological Risk Assessment of Chemicals - A Practical Guide", Informa Healthcare, 2010

62) FDA, "Guidance for Industry:Estimating the Maximum Safe Starting Dose in Initial Clinical Trials for Therapeutics in Adult Healthy Volunteers", 2005

63) 本川達雄，"ゾウの時間　ネズミの時間～サイズの生物学"，中公新書，1087, 1992年

64) E.V. Sargent et al., "The regulatory framework for preventing cross-contamination of pharmaceutical products:History and considerations for the future", *Regul. Toxicol. Pharmacol.*, **79**(Aug), Suppl 1, S3-S10 (2016)

● 第5章

65) E.P. Hayes et al., "A harmonization effort for acceptable daily exposure application to pharmaceutical manufacturing - Operational considerations", *Regul. Toxicol. Pharmacol.*, **79**(Aug), Suppl 1, S39-S47 (2016)

66) R.L. Zielhuis and F.W. van der Kreek (1979a), "The Use of a Safety Factor in Setting Health Based Permissible Levels for Occupational Exposure", *Int. Arch. Occup. Environ. Health*, **42**, 191-201 (1979)

R.L. Zielhuis and F.W. van der Kreek (1979b), "Calculation of a Safety Factor in

Setting Health Based Permissible Levels for Occupational Exposure", *Int. Arch. Occup. Environ. Health*, **42**, 203-215（1979）

67）S. Fairhurst, "The Uncertainty Factor in the Setting of Occupational Exposure Standards", *Ann. occup. Hyg.*, **39**(3), 375-385（1995）

68）日本トキシコロジー学会教育委員会編集,［新版］トキシコロジー，朝倉書店，2009年

69）R.H. Ku, "An overview of setting occupational exposure limits（OELs）for pharmaceuticals", *Chemical Health & Safety*, January/February, 34-37（2000）

70）たとえば,

・小富正昭, "医薬品製造企業における薬物粉じん安全性対策", *PHARM TECH JAPAN*, **24**(11), 31-36（2008）

・竹田守彦, "高生理活性医薬品製造設備の構築（1）", *PHARM TECH JAPAN*, **23**(2), 19-30（2007）

71）R.G. Sussman et al., "A harmonization effort for acceptable daily exposure derivation - Considerations for application of adjustment factors", *Regul. Toxicol. Pharmacol.*, **79**(Aug), Suppl 1, S57-S66（2016）

72）A.J. Lehman and O.G. Fitzhugh, "100-fold margin of safety", *Assoc. Food Drug Off. U.S.Q. Bull.*, **18**, 33-35（1954）

73）ECETOC, "TR No. 86: Derivation of Assessment Factors for Human Health Risk Assessment, Appendix A. 1（The 'Safety Factor' approach）", 2003

74）M.L. Dourson and J.F. Stara, "Regulatory History and Experimental Support of Uncertainty（Safety）Factors", *Regul. Toxicol. Pharmacol.*, **3**, 224-238（1983）

75）WHO/IPCS, "Environmental Health Criteria 70 Principles for the Safety Assessment of Food Additives and Contaminants in Food", 1987

76）EPA/IRIS, "Reference Dose（RfD）: Description and Use in Health Risk Assessment Background Document 1A", March 15, 1993

77）D.A. Dankovic et al., "The Scientific Basis of Uncertainty Factors Used in Setting Occupational Exposure Limits", *Journal of Occupational and Environmental Hygiene*, **12**, Sup1, S55-S68（2015）

78）SCOEL（Scientific Committee on Occupational Exposure Limits）, "Methodology for derivation of occupational exposure limits of chemical agents The General Decision-Making Framework of the Scientific Committee on Occupational Exposure Limits (SCOEL)",December 2017

79）A.G. Renwick, "Safety factors and establishment of acceptable daily intakes", *Food Addit. Contam.*, **8**(2), 135-149（1991）

80）A.G. Renwick, "Data-derived safety factors for the evaluation of food additives and environmental contaminants", *Food Addit. Contam.*, **10**(3), 275-305（1993）

81）WHO/IPCS, "Environmental Health Criteria 170 Assessing Human Health Risk of Chemicals: Derivation of Guidance Values for Health-Based Exposure Limits", 1994

82）WHO/IPCS, "Harmonization Project Document No. 2 Chemical-specific adjustment factors for interspecies differences and human variability: Guidance document for use of data in dose/concentration-response assessment", 2005

83）J.F. Reichard et al., "Toxicokinetic and toxicodynamic considerations when deriving health-based exposure limits for pharmaceuticals", *Regul. Toxicol. Pharmacol*, **79**(Aug), Suppl 1, S67-S78（2016）

84）B.D. Naumann et al., "Rationale for the Chemical-Specific Adjustment Factors Used to Derive an Occupational Exposure Limit for Timolol Maleate", *Hum. Ecol. Risk Assess.*, **10**(1), 99-111 (2004).

85) EPA, "Guidance for Applying Quantitative Data to Develop Data-Derived Extrapolation Factors for Interspecies and Intraspecies Extrapolation", 2014

86) T. Pfister et al., "Bioavailability of Therapeutic Proteins by Inhalation - Worker Safety Aspects", *Ann. Occup. Hyg.*, **58**(7), 899-911 (2014)

87) M.L. Dourson et al., "Evolution of Science-Based Uncertainty Factors in Noncancer Risk Assessment", *Regul. Toxicol. Pharmacol.*, **24**, 108-120 (1996)

88) D.G. Dolan et al., "Application of the threshold of toxicological concern concept to pharmaceutical manufacturing operations", *Regul. Toxicol. Pharmacol.*, **43**, 1-9 (2005)

89) B.Stanard et al.,"Threshold of toxicological concern (TTC) for developmental and reproductive toxicity of anticancer compounds", *Regul. Toxicol. Pharmacol*, **72**(3), 602-609 (2015)

90) E.V. Sargent et al., "The Importance of Human Data in the Establishment of Occupational Exposure Limits", *Human and Ecological Risk Assessment*, **8**(4), 805-822 (2002)

91) J.P. Bercu and D.G. Dolan, "Application of the threshold of toxicological concern concept when applied to pharmaceutical manufacturing operations intended for short-term clinical trials", *Regul. Toxicol. Pharmacol.*, **65**(1), 162-167 (2013)

92) J.P. Bercu et al., "Advancing toxicology in Risk-MAPP:Setting ADEs based on the subsequent drug substance", *Regul. Toxicol. Pharmacol.*, **65**(1), 157-161 (2013)

93) EFSA Scientific Committee, "SCIENTIFIC OPINION Guidance on selected default values to be used by the EFSA Scientific Committee, Scientific Panels and Units in the absence of actual measured data 6. Rounding of figures when deriving health-base guidance values", EFSA Journal, **10**(3), 2012

94) B.D. Naumann et al., "Setting Health-Based Exposure Limits to Support Pharmaceutical Development and Manufacturing", *Contract Pharmu*, May 5, 2016

95) R. Sussman, "Establishing OELs for Potent and Highly Potent Compounds", presented at World HPAPI Summit, May 30, 2013

96) M.L. Dourson and F.C. Lu, "Safety/Risk Assessment of Chemicals Compared for Different Expert Groups", *Biomedical and Environmental Sciences*, **8**(1), 1-13 (1995)

97) E.L. Barle, "How can Occupational Toxicology support Quality:OEL and PDE of Pharmaceuticals", presented at MEDICHEM, 31st August - 2nd September, 2016

98) P.A. Weideman et al., "Deriving Health-Based Exposure Limits in the Pharmaceutical Industry", *Contract Pharma*, September 11, 74-80 (2015)

99) C.S. Schwartz, "A semiquantitative method for selection of safety factors in establishing OELs for pharmaceutical compounds", *Human Ecol. Risk. Assess*, **1**(5), 527-543 (1995)

100) P.A. Weideman, et al., "Harmonization efforts for deriving health-based exposure limits in the pharmaceutical industry - Advancing the current science and practice", *Regul. Toxicol. Pharmacol.*, **79**(Aug), Suppl 1, S1-S2 (2016)

101) AIHA, "Special Issue:State of the Science of Occupational Exposure Limit Methods and Guidance", *Journal of Occupational and Environmental Hygiene*, **12**, Sup1, 2015
本特集号では，次のタイトルを持つ報文が含まれている（タイトルのみ記す）。
・The Past and Future of Occupational Exposure Limits

·State-of-the-Science:The Evolution of Occupational Exposure Limit Derivation and Application
· Historical Context and Recent Advances in Exposure-Response Estimation for Deriving Occupational Exposure Limits
· Advances in Inhalation Dosimetry Models and Methods for Occupational Risk Assessment and Exposure Limit Derivation
· Systems Biology and Biomarkers of Early Effects for Occupational Exposure Limit Setting
· The Scientific Basis of Uncertainty Factors Used in Setting Occupational Exposure Limits
· Considerations for Using Genetic and Epigenetic Information in Occupational Health Risk Assessment and Standard Setting
· Setting Occupational Exposure Limits for Chemical Allergens-Understanding the Challenges
· Exposure Estimation and Interpretation of Occupational Risk:Enhanced Information for the Occupational Risk Manager
· Aggregate Exposure and Cumulative Risk Assessment-Integrating Occupational and Non-occupational Risk Factors
· The Global Landscape of Occupational Exposure Limits-Implementation of Harmonization Principles to Guide Limit Selection

● 第6章

102) S. Wilkins and J. Wilkins "The Use of Acceptable Daily Exposures(ADEs)for Managing the Risk of Cross Contamination in Pharmaceutical Manufacturing", *Pharmaceutical Engineering*, **32**(4), July/August, 1-4 (2012)

103) D.A. LeBlanc, "Establishing Scientifically Justified Acceptance Criteria for Cleaning Validation of Finished Drug Products", reprint from *Pharmaceutical Technology*, October, 1998

104) D.A. LeBlanc and E. Rivera, "The Life Cycle Approach to Cleaning Validation", August, 2014

● 第7章

105) K.M. Jenkins and A.J. Vanderwielen, "Cleaning Validation:An Overall Perspective", *Pharma. Technol.*, **18**(4), 60-73 (1994)

106) R.J. Forsyth et al., "A Single Adulteration Limit for Cleaning Validation in a Pharmaceutical Pilot-Plant Environment", *Pharma. Technol.*, **31**(1), 74-83 (2007)

107) R.J. Forsyth, "Using Visible Residue Limits for Cleaning", *Pharmaceutical Engineering*, **29**(1), January/Febuary, 22-34 (2009)

108) R.J. Forsyth, "Do Visible Rsidue Limits Make the 10-ppm Carryover Limit Obsolete?", *Pharma. Technol.*, **34**(2), 60-63 (2010)

109) R.J. Forsyth, "Qualifying Personnel to Visually Inspect Cleaned Equipment", *Pharma. Technol.*, **38**(1), 42-46 (2014)

110) P. Desai and A. Walsh, "Validation Of Visual Inspection As An Analytical Method For Cleaning Validation", *Pharmaceutical Online*, September 11, 2017

111) D.I. Fletcher, "Determination of Surface Visible Residue Limits on Pharmaceutical Plant Equipment", *Pharma. Technol.*, **37**(2), 40-45 (2013)

112) K. Bader and K. Scalva, "Translating Laboratory-Developed Visual Residue Limits to Process Area Applications", *IVT Network*, Mar. 15, 2014

113) IVT Network, "PAT:Using PAT to Support the Transition from Cleaning Process Validation to Continued Cleaning Process Verification", *IVT Network*, Jan., 2013

114) P.J. Cullen et al., "Cleaning Verification Using Direct NIR Imaging", *American Pharmaceutical Review*, October, 2013

115) K. Scalva et al., "Digital Image Processing for Bench Scale Cleanability Studies", *Pharmaceutical Engineering*, **35**(1), January/Februay, 1-8 (2015)

116) A. Walsh et al., "Justification & Qualification Of Visual Inspection For Cleaning Validation In A Low-Risk, Multiproduct Facility", *Pharmaceutical Online*, August, 2018

117) A. Walsh et al., "Measuring Risk In Cleaning:Cleaning FMEAs And The Cleaning Risk Dashboard", *Pharmaceutical Online*, April, 2018

118) M. Neverovitch, "Cleaning Limits and Visual Inspection From the Analytical Perspectives", presented at Cleaning Validation Summit, 2016

119) D.W. Mendenhall, "Cleaning Validation", *Drug Development and Industrial Pharmacy*, **15**(13), 2105-2114 (1989)

120) D.A. LeBlanc, "Visually Clean as a Sole Acceptance Criterion for Cleaning Validation Protocols", *PDA J Pharm. Sci. Tech*, **56**(1), 31-36 (2002)

121) R.J. Forsyth, "Ruggedness of Visible Residue Limits for Cleaning Validation(Part I)", *Pharma. Technol.*, **33**(3), 102-111 (2009)

122) R.J. Forsyth, "Ruggedness of Visible-Residue Limits for Cleaning (Part II)", *Pharma. Technol.*, **35**(3), 122-128 (2011)

123) R.J. Forsyth, "Ruggedness of Visible Residue Limits for Cleaning (Part III): Visible Residue Limits for Different Materials of Construction", *Pharma. Technol.*, **37**(10), 2-6 (2013)

124) R.J. Forsyth, "Ruggedness of Visible Residue Limits for Cleaning Validation (Part Ⅳ)", *Pharma. Technol.*, **40**(4), 50-57 (2016)

125) 長岡明正, "第4部第5章　目視検査員の教育訓練",『製造設備の洗浄バリデーションと3極要求事項対応』(共同著作), サイエンス&テクノロジー社, 155-166 (2013)

● 第8章

126) 島一己, "第5部第1章　マルチプラントにおける洗浄の位置付け",『製造設備の洗浄バリデーションと3極要求事項対応』(共同著作), サイエンス&テクノロジー社, 213-224 (2013)

127) ISPE日本本部　Containment COP-模擬FMEA分科会, "医薬品製造におけるリスクベース・アプローチ　第2章:原薬製造設備の交差汚染防止に対するリスクアセスメント", *PHARM TECH JAPAN*, **27**(6), 81-93 (2011)

● 第9章

128) ISPE, "Discussion Paper:　Topic 1- Stage 2 Process Validation:Determining and Justifying the Number of Process Performance Qualification Batches", August, 2012

(version 2)
129) K.G. Desai et al., "Stage 2 Process Validation: Regulatory Expectations and Approaches to Determine and Justify the Number of PPQ Batches", *Pharma. Technol.*, **41**(6), 56-61 (2017)
130) ISPE, "Discussion Paper : Determining the Number of Process Performance Qualification Batches Using Statistical Tools - Supplement to Prior Discussion Paper", February, 2016
131) I. Gorsky, "How Clean is Clean in Drug Manufacturing? Part2", *Institute of Validation Technology/IVT Network*, March, 2015
132) H. Yang, "How Many Batches Are Needed for Process Validation under the New FDA Guidance?", *PDA J. Pharm. Sci. Tech.*, **67**(1), 53-62 (2013)
133) 寺下敬次郎他, "コンテインメント対策および洗浄工程を簡便・迅速に評価するための新分光技術～イオン・モビリティ分光法～", *PHARM TECH JAPAN*, **26**(3), 49-57 (2010)

● 第10章

134) たとえば,
- R. Sharnez et al., "Methodology for Assessing Product Inactivation during Cleaning Part I: Experimental Approach and Analytical Methods", *Journal of Validation Technology*, **18**(4), November, 42-45 (2012)
- A. Mott et al., "Methodology for Assessing Product Inactivation During Cleaning Part II: Setting Acceptance Limits of Biopharmaceutical Product Carryover for Equipment Cleaning", *Journal of Validation Technology*, **19**(4), December, 2013
- 上記のまとめとして,

  BioPhorum Operations Group, "Methodology for Assessing Product Inactivation During Cleaning and Setting Cleaning Verification Limits : Experimental Approach, Analytical Methods, and Setting Acceptance Criteria", BPOG

135) たとえば,
- R. Sharnez and A. To, "Multiproduct Cleaning Validation: Acceptance Limits for the Carryover of Inactivated API Part I-The Comparable Quality Approach", *Journal of Validation Technology*, **17**(4), Autumn, 32-36 (2011)
- R. Sharnez et al., "Cleaning Validation of Multiproduct Equipment—Acceptance Limits for Inactivated Product Part II - Application of the Comparable Quality Approach to Intrasite Assessments", *Journal of Validation Technology*, **18**(3), Spring, 17-25 (2012)

136) R. Sharnez et al., "Biopharmaceutical Cleaning Validation: Acceptance Limits for Inactivated Product Based on Gelatin as a Reference Impurity", *Journal of Validation Technology*, **19**(1), March, 1-8 (2013)
137) D.A. LeBlanc, "Duration Specific Health-based Limit Values", *Cleaning Memo*, September, 2015
138) J. Gould et al., "Special endpoint and product specific considerations in pharmaceutical acceptable daily exposure derivation", *Regul. Toxicol. Pharmacol.*, **79**(Aug), Suppl 1, S79-S93 (2016)
139) A. Walsh et al., "Cleaning Validation for the 21st century: Acceptance Limits for Cleaning Agent", *Pharmaceutical Engineering*, **33**(6), Nov/Dec, 12-24 (2013)

140) T. Altmann, "Cleaning validation hot topics", presented at PMTC Knowledge Day 2017(Aug. 31)

141) D.A. LeBlanc, "The Use of Safety Factors in Limits Calculations", *Cleaning Memo*, January, 2002

142) D.A. LeBlanc, "Limits for Topicals", *Cleaning Memo*, November, 2008

143) C. Jandard et al., "Applicability of surface sampling and calculation of surface limits for pharmaceutical drug substances for occupational health purposes", *Regul. Toxicol. Pharmacol.*, **95**, 434-441 (2018)

144) Scientific Committee on Consumer Safety (SCCS), "The SCCS Notes of Guidance for the Testing of Cosmetic Ingredients and their Safety Evaluation -10th revision", October, 2018

145) M. Ovais and Lai Yeo Lian, "Setting Cleaning Validation Acceptance Limits for Topical Formulations", *Pharma. Technol.*, **32**(1), Jan, 2008

146) たとえば,

・A.Y. Finlay et al., "Fingertip unit in dermatology", *Lancet*, **334** (8655), p155, July15, 1989

・C.C. Long and A.Y. Finlay, "The Fingertip Unit - A New Practical Measure", *Clin. Exp. Dermatol.*, **16**(6), 444-447 (1991)

・大谷道輝, "皮膚外用剤の塗り方－塗布量", 皮膚外用剤の基礎知識, No. 3

147) A.A. Badawi et al, "Studies on cleaning validation for a cream and ointment manufacturing line", *Tropical Journal of Pharmaceutical Research*, **15**(11), November, 2329-2335 (2016)

148) E.L. Barle et al., "Determination and application of the permitted daily exposure(PDE) for topical ocular drugs in multipurpose manufacturing facilities", *Pharmaceutical Development and Technology*, **23**(3), 225-230 (2018)

149) L. Wiesner et al., "Topical otic drugs in a multi-purpose manufacturing facility : a guide on determination and application of permitted daily exposure (PDE)", *Pharmaceutical Development and Technology*, **23**(3), 261-264 (2018)

● 第11章

150) G.McKilligan (MHRA), Inspection findings on Health Based Exposure Limits and Cross Contamination, presented at the workshop, June, 2017

https://www.ema.europa.eu/en/documents/presentation/presentation-inspection-findings-health-based-exposure-limits-cross-contamination-g-mckilligan-mhra_en.pdf

151) G.McKilligan (MHRA), Inspection of cross contamination controls in shared facilities, presented at the workshop, June, 2017

https://www.ema.europa.eu/en/documents/presentation/presentation-inspection-cross-contamination-controls-shared-facilities-g-mckilligan-mhra_en.pdf

152) G.McKilligan (MHRA), Cross-contamination control and Health Based Exposure Limits (HBEL) Q&As, October, 2018

https://mhrainspectorate.blog.gov.uk/2018/10/22/cross-contamination-control-and-health-based-exposure-limits-hbel-qas/

153) G.McKilligan (MHRA), Cross Contamination Control in Shared Facilities and Equipment. Reflection on common deficiencies and expectations as seen in recent

PIC/S guidance, August, 2020

https：//mhrainspectorate.blog.gov.uk/2020/08/18/cross-contamination-control-in-shared-facilities-and-equipment-reflection-on-common-deficiencies-and-expectations-as-seen-in-recent-pic-s-guidance/

154）A. Walsh et al., "An ADE-Derived Scale For Assessing Product Cross-Contamination Risk In Shared Facilities", *Pharmaceutical Online*, May, 2017

155）A. Walsh et al., "A Process Capability-Derived Scale For Assessing The Risk of Compound Carryover In Shared Facilities", *Pharmaceutical Online*, August, 2017

156）A. Walsh et al., "An MSSR-Derived Scale For Assessing Detectability Of Visual Inspection", *Pharmaceutical Online*, December, 2017

157）A. Walsh et al., "A Swab Limit-Derived Scale For Assessing The Detectability Of Total Organic Carbon Analysis", *Pharmaceutical Online*, January, 2018

158）K. O'Donnell, "QRM in the GMP Environment：Ten Years On – Are Medicines Any Safer Now? A Regulators Perspective", *Journal of Validation Technology*, December 21, 2015

159）D.J. Wheeler, "Problems with Risk Priority Numbers – Avoiding More Numerical Jabberwocky", *Quality Digest*, June, 2011

160）A.Walsh et al., "The Shirokizawa Matrix：Determining The Level Of Effort, Formality, & Documentation In Cleaning Validation", *Bioprocess Online*, December, 2019

161）K.O'Donnell et al., "Understanding the Concept of Formality in Quality Risk Management", *Journal of Validation Technology*, Jun, Vol. **26**(3), 20-20（2020）

または, *https：//arrow.tudublin.ie/level3/vol15/iss2/15*

162）R. Lynch et al., "Guidelines for Risk-Based Changeover of Biopharma Multi-Product Facilities", *PDA J. Pharm. Sci. Tech*, **72**(1), January-February, 91-103（2018）

163）M. Parks et al., "Elastomer Change Out – Justification for Minimizing the Removal of Elastomers To Prevent Cross-Contamination in a Multiproduct Facility", *PDA J. Pharm. Sci. Tech*, **72**(1), January-February, 81-90（2018）

● 第12章

164）ECETOC, "TR No. 101：Guidance for Setting Occupational Exposure Limits：Emphasis on Data-Poor Substances", 2006

165）HSE, "EH 40/2005 Workplace exposure limits",（第4版）, 2020

166）W.S. Snyder et al, "ICRP Publ. No. 23 Report of the Task Group on Reference Man", 1975

167）EPA, "Recommendations for and documentation of biological values for use in risk assessment", February, 1988

168）EPA, "45FR79347 Appendix-C Guidelines and Methodology Used in the Preparation of Health Effects Assessment Chapters of the Consent Decree Water Criteria Documents", 1980

169）ICRP, "ICRP Publication 66 Human Respiratory Tract Model for Radiological Protection", *Annals of the ICRP*, **24**(1-3), 23-24（1994）

170）ABPI, "Guidance on Setting In House Occupational Exposure Limits for Airborne Therapeutic Substances and their Intermediates", 1995

171）ECHA, "Recommendation No. 14 of the BPC Ad hoc Working Group on Human

Exposure : Default human factor values for use in exposure assessments for biocidal products (revision of HEEG opinion 17)", May, 2017

172) C. Taylor, "Studies in exercise physiology", *Amer. J. Physiol.*, November, **135**(1), 27-42 (1941)

173) 放射線規制室, "クリアランスレベルの算出に用いる評価パラメータに関する追加調査の結果について(案)", 平成21年12月16日

174) International Council of Chemical Associations (ICCA), "Global Product Strategy (GPS) -ICCA Guidance on Chemical Risk Assessment", 2nd edition, 2011

この日本語版が, 一般社団法人日本化学工業協会としてくださいから,「JIPSリスクアセスメントガイダンス第2版」(2011) として発刊されている (同名で検索およびダウンロード可能)

175) T.A. Kimmel et al., "Developing Acceptable Surface Limits for Occupational Exposure to Pharmaceutical Substances", *Journal of ASTM International*, **8**(8), 2011

176) A.W. Ader et al., "Applying Health-Based Risk Assessments to Worker and Product Safety for Potent Pharmaceuticals in Contract Manufacturing Operations", *Pharmaceutical Outsourcing*, July/August, 48-53 (2009)

177) D.A. LeBlanc, "The Applicability of Cleaning Validation", *Cleaning Memo*, October, 2000

178) D.A. LeBlanc, "Cleaning Validation Limits for Lyophilizers - Part 1",*Cleaning Memo*, August, 2014

179) P. Patel and I. Gorsky, "Identifying Difficult-To-Clean Or -Inspect Surfaces In Manufacturing And Packaging Equipment", *Pharmaceutical Online*, April 15, 2020

180) R. Denk, "Understanding the Impact of Annex 1 on Isolator Design", *Pharmaceutical Technology*, **44**(11), 34-37 (2020)

181) D.A. LeBlanc, "Residue Limits for Indirect Product Contact Surfaces", *Cleaning Memo*, May, 2021

182) D.A. LeBlanc, "Risk Assessment for Indirect Product Contact Surfaces", *Cleaning Memo*, June, 2021

183) J. Mulhausen et al.,"Chapter 9 : Reassessment", A Strategy for Assessing and Managing Occupational Exposures, Fourth edition, AIHA, 2015

184) British Standard, "EN 689 Workplace exposure - Measurement of exposure by inhalation to chemical agents - Strategy for testing compliance with occupational exposure limit values : Appendix I Setting the interval for periodic measurements", 2018,

185) J. Tell et al., "Limiting APIs in Manufacturing Effluent", *Contract Pharma*, June 2, 2016

186) D.J. Caldwell et al., "A Risk-Based Approach to Managing Active Pharmaceutical Ingredients in Manufacturing Effluent", *Environ. Toxicol. Chem.*, **35**(4), Apr, 813-822 (2016)

● 14章

187) ISPE日本本部 CON. COP・教育委員会, "Risk-MaPP (ISPE New Baseline Guide) セミナー", p16, 2008年

188) R. Runas, "Risk Management for Highly Hazardous Compound Manufacturing", *Pharmaceutical Engineering*, **26**(2), March/April, 1-2 (2006)

189) M. Piney, "OELs and the effective control of exposure to substances hazardous to health in the UK (Version 3)", HSE, 2001

190) たとえば,

- D.J. Paustenbach et al., "The History and Biological Basis of Occupational Exposure Limits for Chemical Agents", Patty's Industrial Hygiene, Sixth Edition, Vol. 2 (Evaluation and Control), John Wiley & Sons, 2011
- G.D. Nielsen and S. Ovrebo, "Background, approaches and recent trends for setting health-based occupational exposure limits: A minireview", *Regul. Toxicol. Pharmacol.*, **51** (3), 253-269 (2008)

191) D. Paustenback and R. Langner, "Corporate Occupational Exposure Limits: The Current State of Affairs", *Am. Ind. Hyg. Assoc. J.*, **47** (12), 809-818 (1986)

192) B.D. Naumann, "Control Banding in the Pharmaceutical Industry", Australian Institute of Occupational Hygienists, 2005

193) S.C. Lewis et al., "A New Approach to Deriving Community Exposure Guidelines from No-Observed Adverse Effect Levels", *Regul. Toxicol. Pharmacol.*, **11**, 314-330 (1990)

194) D.M. Galer et al., "Scientific and Practical Considerations for the Development of Occupational Exposure Limits (OELs) for Chemical Substances", *Regul. Toxicol. Pharmacol.*, **15**, 291-306 (1992)

195) B.D. Naumann and E.V. Sargent, "Setting Occupational Exposure Limits for Pharmaceuticals", *Occupational Medicine*, **12** (1), 67-80 (1997)

索　引

■ 英数字

■ あ行

■ か行

■ さ行

■ た行

■ な行

■ は行

■ ま行

■ や行

■ ら行

■ わ行

●著者略歴●

島　一己（しま　かずみ）

1975年東洋エンジニアリング(株)に入社。
在職中は，長年にわたりマルチパーパスプラントに関係した業務に携わる。コンセプトメイキング，要素技術の研究開発，装置の開発，洗浄・封じ込めに関連した各種実験，営業活動支援，実案件での設計・運転などに従事。配管切り替え装置「XYルータ」では化学工学会技術賞を受賞（1988年）。
2014年ファルマハイジーンサポートを設立（代表）。現在，コンサルティング，執筆，セミナー講師などの分野で活動。

【業界活動】

著書：封じ込め技術（森北出版）
　　　高薬理活性医薬品・封じ込め　Q&A集 Part 1 & 2（サイエンス&テクノロジー）
　　　その他洗浄・封じ込め関連の報文多数。
学会活動：ISPE会員

毒性学的評価による 洗浄バリデーション 第2版
PIC/Sガイド・改正GMP省令等を踏まえたHBELにもとづく洗浄評価

定価　本体9,500円（税別）

2019年 5 月24日　発　行
2022年 5 月25日　第 2 版発行

著　者　島 一己（しま かずみ）
発行人　武田 信
発行所　株式会社 じほう
101-8421　東京都千代田区神田猿楽町 1-5-15（猿楽町SSビル）
振替　00190-0-900481
＜大阪支局＞
541-0044　大阪市中央区伏見町 2-1-1（三井住友銀行高麗橋ビル）
お問い合わせ　https://www.jiho.co.jp/contact/

組版　スタジオ・コア　　印刷　（株）暁印刷

ISBN 978-4-8407-5440-8